BERGEN

D0667389

PQ
6509
.G2
1930

Caballero, Fernán, pseud. of Cecilia
Böhl de Faber, 1796-1877.
    La gaviota; introduction, notes, and
vocabulary by George W. Umphrey, and F.
Sánchez y Escribano. Boston, New York
[etc.] D. C. Heath and Company [c1930]
    260 p. front. (port.) 17 cm. (Heath's
modern language series)

N.jTeaF

FDU*po

Ferran Caballero

Heath's Modern Language Series

FERNÁN CABALLERO

LA GAVIOTA

Introduction, Notes, and Vocabulary by
GEORGE W. UMPHREY
Professor of Romance Languages
University of Washington

AND

F. SÁNCHEZ Y ESCRIBANO
Associate in Spanish, University
of California

BERGEN JUNIOR COLLEGE LIBRARY

D. C. HEATH AND COMPANY
BOSTON   NEW YORK   CHICAGO   LONDON
ATLANTA   DALLAS   SAN FRANCISCO

Copyright, 1930,
By D. C. Heath and Company

―――

No part of this book may be reproduced
in any form or manner without permission
in writing from the publisher.

4l6

PRINTED IN U.S.A.

SP
863
C
PQ
6509
.G2
1930
$1.40
Stechert-Hafner
7/26/49
11333

PREFACE

THE historical importance of Fernán Caballero as a pioneer in a literary field that has been cultivated with excellent results by many modern Spanish novelists is recognized generally by literary historians. Her first and best novel, *La Gaviota*, has lost much of its former popularity; nevertheless, its intrinsic worth as a novel and its historical importance are such that it well deserves a place among our Spanish textbooks.

The difficulty of reducing its four hundred pages to the limitations of a school text has been unusually great for the reason that much of the interest depends upon the numerous *cuadros de costumbres* which it contains. After careful consideration, the editors decided to retain most of the main story, even though this meant the sacrifice of many fine descriptions, conversations, and sketches of Andalusian customs that possess greater literary value than the story itself. It is their hope that enough of this interesting background has been retained to preserve a considerable part of the regional and realistic flavor of the original novel. Whenever it was thought that the omissions would break the continuity of the story or result in any possible misunderstanding of the parts retained, brief summaries of the passages omitted were inserted.

In preparing the Notes and Vocabulary the editors have kept in mind the needs of students with two years of Spanish in High School or one year in College. With regard to the distribution of explanatory material, the desire to give the student as much practical assistance as possible has been followed; generally speaking, the shorter idioms or those in which the key-word is apparent are to be found in the Vocabulary. Here, too, are all the proper names that have no special significance

iii

for the understanding of the text; otherwise, they are put in the Notes. The Introduction is perhaps unnecessarily long for elementary students of Spanish; the reason for its unusual length is that the editors believe that this text may also serve as the first book in a more advanced course the main purpose of which is the study of literature. Because of the important place that *La Gaviota* holds in the history of Spanish literature, it might well be considered as the best approach to the study, from a literary point of view, of the modern Spanish novel.

G. W. U.
F. S. y E.

UNIVERSITY OF WASHINGTON
    March, 1930

CONTENTS

INTRODUCTION

I. LIFE OF FERNÁN CABALLERO

CECILIA BÖHL DE FÁBER, known to literary fame as Fernán Caballero, was the daughter of a German merchant, Johan Nikolas Böhl von Faber, who went to Cadiz to look after his father's business and there married a lady of good family and social distinction, doña Frasquita de Larrea. At Morges, Switzerland, where her parents had stopped for a short time on their way to Germany, Cecilia was born, December 25, 1796. The first years of her childhood were spent in Cadiz, in the midst of scenes, manners, and customs that were to be used later in her vivid descriptions of Andalusian life. She was then taken by her father to Hamburg and given a good education under private tutors and in a French boarding-school. Returning to Cadiz in 1813, she found herself once more in her beloved Andalusia. Her father had decided definitely to settle down in Spain; he had been deeply interested for many years in Spanish literature and was gathering the material for various publications that were to give him an important place in the history of Spanish scholarship. His interest in Spanish poetry, more particularly in the popular poetry and folklore of Andalusia, struck a responsive chord in the heart of Cecilia; under his guidance she familiarized herself with the life and customs that became later the rich background of her novels and short stories.

In 1816 Cecilia married an army officer, el Capitán Planells, and accompanied him to Porto Rico. Returning home a widow the following year, she was married five years later to the Marqués de Arco Hermoso, and their home in Seville became for many years a social and literary center. As the wife of the Marqués de Arco Hermoso, she had an excellent opportunity of knowing at first hand the best Sevillan aristocracy, so that later, when she became a novelist and presented the life and manners of Andalusian nobility in her novels, she was able to draw upon her personal knowledge and experience. Even more interesting to her than the social life of Seville was that of the country people in the surrounding villages. The summers were usually spent at her husband's country home in Dos Hermanas, about nine miles to the south of the city; and there she became familiar with rural Andalusia at its best. With a natural preference in her private life and in her social relations for simplicity, sincerity, and piety, she was attracted to these same qualities in the country people with whom she came into contact, and her retentive memory stored up, unconsciously, for future literary uses many stories, legends, bits of popular poetry, and proverbial sayings.

Speaking several languages, she frequently entertained foreign visitors to Seville, and in their writings are to be found references to her hospitality. The diary of Washington Irving, kept by him while in Spain in 1828 and 1829 and recently published by the Hispanic Society of America, contains three or four entries referring to the Marchioness of Arco Hermoso, who related to him on different occasions anecdotes of the village life of Dos Hermanas. We are also told (Luis Coloma, *Recuerdos de Fernán Caballero*) that she showed him the manuscript of a story that became later one of her best novels, *La Familia de Alvareda*. Irving, perceiving the literary value of the story, asked for permission to translate it and have it published in the United States or in England, a request that was courteously refused.

It was not until many years later that she had to think of gaining a livelihood by her own efforts, so that her natural gift as a story-teller was used only for her own amusement and that of her friends. About the same time that she jotted down the story of the *Familia de Alvareda*, she wrote another story, the history of which is somewhat obscure. According to Morel-Fatio,(*Fernán Caballero d'après sa correspondance avec Antoine de Latour*, Bulletin Hispanique, Vol. III, pp. 261–264; pp. 12–16 in the reprint) the story was written in German, sent by her father in 1833 to a literary magazine in Hamburg and published in 1840 with the title *Sola o Wahrheit und Schein*. Coloma gives a different version of the affair, claiming to have received the facts from the author herself (*Recuerdos de Fernán Caballero*, p. 290). He tells us that the story was written first in Spanish, that it was translated into German by the author's mother and sent by her to the periodical in Hamburg without her daughter's knowledge. Whatever the truth may be, the first published story of Fernán Caballero appeared anonymously in Germany in 1840; it was unknown to Spanish readers, however, until many years later, so that *La Gaviota*, 1849, may still be considered her first important novel to be published.

In 1835 the Marqués de Arco Hermoso died; his death was followed a year later by that of her father. Again a widow, and without children, she thought of entering a convent, but after two years of rural solitude she was persuaded to marry a man much younger than herself, of very modest means and in ill-health, Antonio Arrom de Ayala. Señor Arrom recovered his health, but his business affairs went from bad to worse, in spite of his best efforts; finally he obtained the position of Spanish consul in Sydney, Australia, hoping that there he might improve his financial condition. Señora Arrom's small fortune had become much diminished in her efforts to assist her husband, and, refusing to accept the help of her many friends, she decided to turn to writing for a livelihood.

The need of money was not the only motive for this decision. She had always felt a natural inclination toward literary composition, she had always been deeply interested in Andalusian life and customs, and possessed already, in her retentive memory and among her private papers, ample store of material for many novels; moreover, with something of the spirit of a missionary, she thought that it was her duty to help improve the morals of society and she believed that she could render most effective service through her natural gift of story-telling.

The first story that she decided to offer to the public was one that she had written in French, "no para imprimirla, sino por si acaso la quería leer algún extranjero," as she wrote to one of her most intimate friends and admirers, Antoine de Latour. Knowing that the prejudice against women authors would place a handicap on her first novel and wishing to conceal her identity, she chose as pen-name Fernán Caballero, the name of a village in La Mancha, and sent the manuscript of *La Gaviota* to a Madrid newspaper, *El Heraldo*. It was published in serial form during the summer of 1849, and became the literary sensation of the year. One of the most authoritative critics of the time, Eugenio de Ochoa, ended a long and extremely favorable review of the novel with the prophetic statement, "si se decide (el desconocido autor) a cultivar este género y a publicar nuevos cuadros de costumbres como el que ya nos ha dado, ciertamente *La Gaviota* será en nuestra literatura lo que es *Waverley* en la literatura inglesa, el primer albor de un hermoso día, el primer florón de la corona poética que ceñirá las sienes de un Walter Scott español."

La Gaviota was followed by several other novels, short stories, and sketches that added new laurels to the fame of Fernán Caballero, the name that the author continued to use in all her publications. For several years she succeeded in keeping her identity hidden from all except her intimate friends, but the curiosity of her many admirers in Spain and in other countries became too insistent for further concealment, and when a Madrid publisher brought out, in 1856 and the two following years, a new edition of her writings in thirteen volumes it was generally known that Fernán Caballero was none other than Señora Arrom de Ayala. Her reputation was then so firmly established that the prejudice against women writers was no longer effective. Many of the outstanding writers of the time were willing to bear witness to the excellent quality of her work and wrote the laudatory introductions that appeared in the various volumes of the first complete edition and that have been reprinted many times since. During this first decade of her literary career she wrote almost all of her best known novels: *La Gaviota, Clemencia, Cuadros de costumbres populares andaluzas, Lágrimas, La Familia de Alvareda, Elia o España treinta años ha, Un servilón y un liberalito*, and others of less importance.

During this ten-year period of literary activity the private life of Señora Böhl de Arrom was not unhappy and the prospect of greater domestic happiness was becoming brighter when the most tragic incident of her life befell her. Her husband was successful in his business in Australia and returned to Spain with the expectation of placing their finances on a solid basis. Going to London on business matters, he learned that a dishonest partner had absconded with all the funds and that he was facing financial ruin. Mentally unbalanced by the shock, he shot himself in Blenheim Park, having first written to his wife that he felt insanity coming on and that he could not permit himself to add this new worry to the many that he had already caused her during their twenty years of married life. In her deep sorrow Señora Arrom sought consolation in religion; she decided to renounce the world and enter a convent, and it required all the efforts of her many friends to dissuade her from doing so.

Two or three years before the tragic death of her husband in 1859 she had accepted from Queen Isabella the offer of an apartment in the royal palace in Seville, the famous Alcázar, and there, amidst the most congenial surroundings, she lived for ten years, occupied with her literary pursuits, her religious duties, and works of charity. Having passed her sixtieth year, she was not so productive as during the preceding ten years; nevertheless, several volumes of novels, short stories, and sketches stand as proof of the vigor of her intellectual faculties.

Her popularity and fame as a novelist kept growing steadily in Spain, and many translations of her novels gave her the reputation abroad of being the most authentic writer of Spanish life and customs.

The revolution of 1868 and the abdication of the Queen interrupted the peaceful life of Fernán Caballero; she was forced out of her congenial home in the Alcázar, and, what was still worse, she saw her best friends broken and scattered by the political upheaval and her cherished ideals trodden under foot. Saddened by what she considered the political, religious, and moral collapse of the country that she had loved so ardently, she lived in complete retirement in a small house near the Alcázar, in a street that now bears the pen-name that she made famous. Works of devotion and charity, an extensive correspondence, the collecting of proverbs and bits of popular poetry occupied her time. The restoration of the monarchy after six years of unsuccessful experimentation in government dispelled her pessimism respecting the welfare of Spain, but she was already near the end of her life and had little interest left for public affairs. Mourned as a woman of admirable qualities by all who knew her intimately and as a great novelist by the thousands who had received pleasure and profit from her many writings, Fernán Caballero died in her eighty-first year, April 7, 1877.

II. The Writings of Fernán Caballero

The origins of the modern Spanish novel are not to be sought in the prose fiction that reached a high point of excellence in the Golden Age of Spanish literature; nor are they to be found in the historical, fantastic, or sentimental stories that were popular during the first half of the nineteenth century. For the real beginnings of the modern novel we have to turn to the *artículos de costumbres*, sketches, essays, and short stories that depicted humorously and realistically the social life of Spain during the middle years of the century and appeared as regular contributions to newspapers and periodicals. They belonged to journalism in the manner of their publication, but such literary excellence did they attain in the hands of José de Larra, Mesonero Romanos, and Estébañez Calderón that they became the most enduring prose literature of the time. These sketches of manners, customs, and types of character, using description, narration or dialogue at the will of the author, had in them the essential ingredients of the modern novel; instead of appearing as detached articles, they became the scenes and incidents of a connected story, and out of the *artículos de costumbres* there evolved by a natural process the *novela de costumbres*.

Presenting life realistically, the *artículos* required a local setting and became associated, naturally, with the customs, manners, and character-types peculiar to a certain region or district. Frequently their purpose was moral or satirical, as well as artistic. The modern Spanish novel, therefore, developing out of these *artículos de costumbres*, came to have, as its three main tendencies, realism, regionalism, and a moral or didactic purpose.

The literary importance of Fernán Caballero, the author of the first *novela de costumbres*, can best be understood and appreciated through the study of her writing from these three points of view.

Realism. — There is no doubt that Fernán Caballero intended to present life realistically; a clear statement of this intention may be found in many of the prefaces of her novels and within the novels themselves. In the preface of *La Familia de Alvareda*, in *Una palabra al lector*, we read: "El argumento de esta novela, que hemos anunciado como destinada exclusivamente a pintar al pueblo, es un hecho real, y su relación exacta en lo principal, hasta el punto de haber conservado las mismas expresiones que gastaron los que en ella figuran, sin más que haber quitado a alguna que otra su crudeza . . . Como no aspiramos a causar efecto, sino a pintar las cosas del pueblo tales cuales son, no hemos querido separarnos en un ápice de la naturalidad y de la verdad." Much of the prologue of *La Gaviota* is concerned with the author's claim to truthfulness in the pictures that she gives of Andalusian life. In *Clemencia* she says: "Lo que escribo no son novelas de fantasía, sino una reunión de escenas de la vida real, de descripciones, de retratos y de reflexiones." Again in *Lágrimas:* "No escribimos novelas, sino cuadros de la vida humana, tal cual es, tal cual la veis vos, delante de vuestros ojos."

The sincerity of these and other similar statements cannot be doubted; the extent of her success in carrying out her intentions raises a question that has been given very different answers. The main reason for this great diversity of opinion is that literary realism does not mean the same thing to all people. It is a relative term; on the one side is the realism that considers man as the material product of his environment, observes carefully the positive and materialistic aspects of life, and wilfully shuts the eyes to all manifestations of the spirit; on the other side is the realism that comprises the spiritual as well as the physical and is concerned with the religious and moral aspirations of humanity just as much as with its materialistic aspects. The best of the Spanish realists belong to this second class and attempt to present life in its entirety, in its nobler aspects as well as in its sordid realities.

Literary critics fell into the habit of ridiculing what they called the pseudo-realism of Fernán Caballero, maintaining that the country life that she described existed wholly in her own imagination. This criticism, unjustly severe, was due, in part, to the naturalistic tendencies of the literature of the late nineteenth century; it was due also to the failure to take into account the great changes that had come about in the social life of Andalusia as in other parts of Spain during the years just preceding. The contemporaries of Fernán Caballero, acquainted with the life that she was trying to describe, looked upon her as a genuine realist, and many quotations from their reviews of her novels could readily be given to prove that they so considered her. In the longest and best analysis of any of her novels, that of *La Gaviota*, by Eugenio de Ochoa, we are told that " el mayor mérito de *La Gaviota* consiste seguramente en la gran verdad de los caracteres y de las descripciones . . . en la gran animación de sus diálogos . . ., en el conocido sello de vida que llevan todos los personajes." The Duque de Rivas compared her pictures to those of the greatest of realistic painters: " Las descripciones de las localidades son exactísimas, y las de las personas parecen retratos de Velázquez; tan al vivo y con mano tan maestra están dibujadas y coloridas" (Prólogo, *La Familia de Alvareda*).

In justice to the unfavorable critics, it must be admitted that there is some truth in their criticism. It is undoubtedly true that she did idealize the country life she put into her novels and sketches. Because of her own instinctive preference for the good and noble; for the reason that her main purpose was to exert a moral and religious influence in her writings; for the reason, too, that as an ardent defender of traditional ideas and customs against the encroachment of new ideas and customs from abroad, she selected from her material whatever would best serve the cause that she defended; these and other reasons may be advanced to explain the idealistic tendencies of her realism. Through her own poetic temperament she saw poetry where one less poetically disposed would find nothing but prose, and this poetic veil often concealed from her the real crudities and sordid aspects of village life.

Nevertheless, although we do not find in the writings of Fernán Caballero the complete realism of Pereda or Pérez Galdós, we do find a picture of Andalusian life that may be considered authentic in its outlines and in the majority of its details. It must be remembered that she was the first in a new field of literary activity. The novels that were popular when she published *La Gaviota* were filled with improbable and fantastic persons and incidents. Fernán Caballero, going directly to life for her material and depending upon her faculty of observation, may well be considered, in spite of her evident shortcomings, as the precursor of realism in the modern Spanish novel.

Regionalism. — The novels of Fernán Caballero are regionalistic; with them begins a literary movement that produced many of the masterpieces of Spanish prose fiction.

Spain is a heterogeneous country, made up of many districts that differ very much from each other in manners, customs, and types of character, differences that have persisted down to the present day in spite of the leveling influences of modern life. The reasons for these remarkable differences, geographical, racial, and historical, cannot be discussed here; the fact remains that they exist. Las Españas became politically La España in 1492; four centuries later we find the inhabitants still divided, in character and customs, into Castilians, Aragonese, Asturians, Galicians, Basques, Andalusians, Valencians, not to speak of the Catalonians who have retained their own language as well as their regional character.

Prose fiction that attempts to present contemporary life realistically cannot avoid being regionalistic in a country of so many distinct types of civilization. The great majority of Spanish novels are, therefore, more or less regional. Fernán Caballero gives us the life that she knew best, that of Andalusia; Pereda, La Montaña; Valera, Andalusia; Palacio Valdés, Asturias; Pardo Bazán, Galicia; Blasco Ibáñez, in his first novels, Valencia.

Fernán Caballero, from her earliest years, was intensely interested in Andalusian life and customs; her faculty of observation was unusually keen; her long residence in Andalusia, both in the large cities and in the small villages, gave her ample opportunity to study the people with whom she came in contact, and her deep sympathy with the joys and sorrows of the common people gave her a rare insight into their ideas, sentiments, and motives. The abundant material that she gathered so assiduously for many years is found not only in the volumes the titles of which indicate the nature of their content: *Cuentos y poesías populares andaluzas,* 1859, *Cuadros de costumbres,* 1862; it is found also in almost all her novels, many of which show by their sub-titles the importance that the author attached to the *costumbrista* element: *La Gaviota, novela de costumbres españolas; La Familia de Alvareda, novela de costumbres populares; Lágrimas, novela de costumbres contemporáneas.*

Interested mainly in the background of Andalusian life, she gave little thought to the invention or construction of her stories, actual occurrences, for the most part, that had attracted her attention. The purpose of the plot was, apparently, to link together a series of *cuadros de costumbres;* it was a thread upon which she strung her vivid sketches of characters and customs, her graphic descriptions of places, the popular traditions that were related to her by country people and retold in their own language, superstitions that were still current among a deeply religious people, popular ballads and bits of poetry repeated by illiterate people and preserved orally from generation to generation. The manner of telling is usually in keeping with the content, and an added zest is given to the conversations and narratives of the various persons presented in her novels and sketches by the skillful use of the rich, racy idiom of Andalusia, a spontaneous wit that is not always free from malice and that sometimes passes beyond the bounds of propriety, an abundance of proverbs and sententious sayings. To the student of Andalusian folklore the novels and sketches of Fernán Caballero are of the utmost importance.

In his study of the novels of Pereda, the authoritative Spanish critic, Menéndez y Pelayo, emphasizes the importance of Fernán Caballero as a *costumbrista* and regional novelist; even the most prejudiced, he says, cannot but concede to her « el mérito supremo de haber creado la novela moderna de costumbres españolas, la novela de sabor local, siendo en este concepto discípulos suyos cuantos hoy la cultivan, y entre ellos Pereda, que, afín, además, por sus ideas con las de Fernán Caballero, se ha gloriado siempre de semejante filiación » (*Crítica literaria, 5a serie*, p. 387).

Moralizing Tendency. — There remains now a brief discussion of the third characteristic of Spanish prose fiction as represented in the novels of Fernán Caballero, the moral or didactic tendency.

In view of the deeply religious character of Fernán Caballero and bearing in mind that one reason for her final consent to publish her first novel was the belief that she could exert a moral influence upon her readers, we need not be surprised to find in her writings an exaggerated moral and religious tendency. Conservative in her social and political ideas, orthodox in her religious faith, she opposed with righteous indignation the new ideas that were undermining the old institutions of church and state and were causing people to look with disfavor upon the traditional manners and customs. She lived in an age of transition in which the old and the new were in conflict, and since she identified the new with irreligion and immorality, she believed that it was her duty as a Christian and patriotic Spaniard to use whatever weapons she had at her disposal in defence of the traditional ideas of morality and of the established institutions and customs.

Fernán Caballero possessed artistic instinct and a good literary taste; frequently, however, she was led astray by her moral and religious purpose, and in this lies her chief weakness as a novelist. Not content with showing in her stories the efficacy of retribution as a universal law and leaving to her readers the interpretation and application of the moral lessons that she wished to inculcate, she was impelled by her sense of duty to interpret the various incidents and scenes in their religious and moral aspects; hence the too frequent interruption of the action of her stories by moralizing reflections and religious sermons.

These digressions and a too frequent insistence upon the moral lesson have been a source of irritation to many readers and have brought down upon the author much adverse criticism.

Conclusion. — Fernán Caballero has suffered the fate of many pioneers. The most popular and most highly esteemed novelist in the two decades following the publication of *La Gaviota*, she was surpassed by certain writers of greater ability who began by imitating her methods. Although her novels are not the insipid *arroz con leche* that Valera called them, they offer plain fare for the modern reader; their sincerity, freshness, and originality can be appreciated only through comparison with the fantastic and sentimental stories that were in vogue when *La Gaviota* first appeared. Her influence upon the whole trend of modern prose fiction was greater than the intrinsic worth of her novels would seem to justify, so that it is mainly for historical reasons that she is given a place of unusual importance in the history of Spanish literature. Considered historically and as the precursor of the modern Spanish novel in its two main aspects of realism and regionalism, her importance can hardly be exaggerated.

BIBLIOGRAPHICAL NOTE

There are several editions of the novels, short stories, and sketches of Fernán Caballero. The most recent consists of nineteen volumes, any one of which may be obtained separately: *Obras completas*, Madrid, Rubiños, 1921–1924. These are now being re-published in a corrected edition. Another good edition is that of the *Colección de escritores castellanos: Obras completas*, Madrid, 1893–1914, in 17 vols.

Considerable attention is given to Fernán Caballero in any good history of Spanish literature. Of the special studies the most interesting are as follows:

José M. Asensio, *Fernán Caballero y la novela contemporánea*

(*Obras completas*, Vol. I, pp. 1–240, *Colección de escritores castellanos*).

Le Comte de Bonneau-Avenant, *Fernán Caballero, sa vie et ses œuvres* (*Deux Nouvelles Andalouses*, Paris, 1882).

Luis Coloma, *Recuerdos de Fernán Caballero*, Bilbao. No date.

Alfred Morel-Fatio, *Fernán Caballero d'après sa correspondance avec Antoine de Latour* (*Bulletin Hispanique*, 1901 Vol. III, pp. 152–294).

Antoine de Latour, *Fernán Caballero* (*Études littéraires sur l'Espagne*, Paris, 1864).

Benedetto Croce, *Fernán Caballero* (*Poesia e non poesia*, Bari, 1923, pp. 207–225).

Eugenio de Ochoa, *Prólogo* (published first in *El Heraldo* of Madrid as a review of *La Gaviota;* usually reprinted in later editions. This is the best study that has been made of the novel).

LA GAVIOTA

LA GAVIOTA

PRÓLOGO

APENAS puede aspirar esta obrilla a los honores de la novela. La sencillez de su intriga y la verdad de sus pormenores no han costado grandes esfuerzos a la imaginación. Para escribirla, no ha sido preciso más que recopilar y copiar.

5

Y en verdad, no nos hemos propuesto componer una novela, sino dar una idea exacta, verdadera y genuina de España, y especialmente del estado actual de su sociedad, del modo de opinar de sus habitantes, de su índole, aficiones y costumbres. Escribimos un ensayo sobre la vida íntima del pueblo español, su lenguaje, creencias, cuentos y tradiciones. La parte que pudiera llamarse novela sirve de marco a este vasto cuadro que no hemos hecho más que bosquejar.

10

Al trazar este bosquejo, sólo hemos procurado dar a conocer lo natural y lo exacto, que son, a nuestro parecer, las condiciones más esenciales de una novela de costumbres. Así es que en vano se buscarán en estas páginas caracteres perfectos, ni malvados de primer orden, como los que se ven en los melodramas; ⸢porque el objeto de una novela de costumbres debe ser ilustrar la opinión⸣ por medio de la verdad, sobre lo que se trata de pintar, no extraviarla por medio de la exageración.

15

20

Los españoles de la época presente pueden, a nuestro juicio, dividirse en varias categorías.

25

I

Algunos pertenecen a la raza antigua, hombres exasperados por los infortunios generales, y que, impregnados de la quisquillosa delicadeza que los reveses comunican a las almas altivas, no pueden soportar que se ataque ni censure nada de lo que es nacional, excepto en el orden político. Éstos están siempre alerta, desconfían hasta de los elogios, y detestan y se irritan contra cuanto tiene el menor viso de extranjero.

Hay otros, por el contrario, a quienes disgusta todo lo español, y que aplauden todo lo que no lo es. Por fortuna no abundan mucho estos esclavos de la moda. El centro en que generalmente residen es en Madrid; más contados en las provincias, suelen ser objeto de la común rechifla.

Otra tercera clase, la más absurda de todas en nuestra opinión, desdeñando todo lo que es antiguo y castizo, desdeña igualmente cuanto viene de afuera, fundándose, a lo que parece, en que los españoles estamos a la misma altura que las naciones extranjeras, en civilización y en progresos materiales. Más bien que indignación, causarán lástima los que así piensan, si consideramos que todo lo moderno que nos circunda es una imitación servil de modelos extranjeros, y que la mayor parte de lo bueno que aún conservamos es lo antiguo.

La cuarta clase, a la cual pertenecemos, y que creemos la más numerosa, comprende a los que, haciendo justicia a los adelantos positivos de otras naciones, no quieren dejar remolcar, de grado o por fuerza, y precisamente por el mismo idéntico carril de aquella civilización, a nuestro hermoso país; porque no es ése su camino natural y conveniente: que no somos nosotros un pueblo inquieto, ávido de novedades, ni aficionado a mudanzas. Quisiéramos que nuestra patria, abatida por tantas desgracias, se alzase independiente y por sí sola, contando con sus propias fuerzas y sus propias luces, adelantando y mejorando, sí, pero graduando prudentemente sus mejoras morales y materiales y adaptándolas a su carácter, necesidades y propensiones. Quisiéramos que renaciese el espíritu nacional, tan exento de las baladronadas que algunos usan, como de las mezquinas preocupaciones que otros abrigan...

Doloroso es que nuestro retrato sea casi siempre pintado por extranjeros, entre los cuales a veces sobra el talento, pero falta la condición esencial para sacar la semejanza, conocer el original. Quisiéramos que el público europeo tuviese una idea correcta de lo que es España, y de lo que somos los españoles; que se disipasen esas preocupaciones monstruosas, conservadas y transmitidas de generación en generación en el vulgo, como las momias de Egipto. Y para ello es indispensable que, en lugar de juzgar a los españoles pintados por manos extrañas, nos vean los demás pueblos pintados por nosotros mismos...

Los extranjeros se burlan de nosotros: tengan, pues, a bien perdonarnos el benigno ensayo de la ley del talión, a que les sometemos en los tipos de ellos que en esta novela pintamos, refiriendo la pura verdad.

Finalmente, háse dicho que los personajes de las novelas que escribimos son retratos. No negamos que lo son algunos; pero sus originales ya no existen. Sónlo también casi todos los principales actores de nuestros cuadros de costumbres populares: mas a estos humildes héroes nadie los conoce. En cuanto a los demás, no es cierto que sean retratos, al menos de personas vivas. Todas las que componen la sociedad prestan al pintor de costumbres cada cual su rasgo característico, que unidos todos como en un mosaico, forman los tipos que presenta al público el escritor. Protestamos, pues, contra aquel aserto, que tendría no sólo el inconveniente de constituirnos en un escritor atrevido e indiscreto, sino también el de hacer desconfiados para con nosotros en el trato hasta a nuestros propios amigos; y si lo primero está tan lejos de nuestro ánimo, con lo segundo no podría conformarse nunca nuestro corazón.

Primero dejaríamos de escribir.

CAPÍTULO I

EN NOVIEMBRE del año de 1836, el paquete de vapor *Royal Sovereign* se alejaba de las costas nebulosas de Falmouth, azotando las olas con sus brazos, y desplegando sus velas pardas y húmedas en la neblina, aun más parda y más húmeda que ellas.

El interior del buque presentaba el triste espectáculo del principio de un viaje marítimo. Los pasajeros apiñados en él luchaban con las fatigas del mareo. Veíanse mujeres desmayadas, desordenados los cabellos, ajados los camisolines, chafados los sombreros. Los hombres, pálidos y de mal humor; los niños, abandonados y llorosos; los criados atravesando con angulosos pasos la cámara, para llevar a los pacientes té, café y otros remedios imaginarios, mientras que el buque, rey y señor de las aguas, sin cuidarse de los males que ocasionaba, luchaba a brazo partido con las olas, dominándolas cuando le oponían resistencia, y persiguiéndolas de cerca cuando cedían . . .

Entre todos los pasajeros se distinguía un joven como de veinte y cuatro años, cuyo noble y sencillo continente y cuyo rostro hermoso y apacible no daban señales de la más pequeña alteración. Era alto y de gallardo talante, y en la apostura de su cabeza reinaban tanta gracia como dignidad. Sus cabellos negros y ensortijados adornaban su frente noble; las miradas de sus grandes y negros ojos eran plácidas y penetrantes a la vez. En sus labios, sombreados por un ligero bigote negro, se notaba una blanda sonrisa, indicio de capacidad y agudeza, y en toda su persona, en su modo de andar y en sus gestos, se traslucía la elevación de clase y la del alma, sin el menor síntoma del aire desdeñoso que algunos atribuyen injustamente a toda especie de superioridad.

5 Viajaba por gusto, y era esencialmente bondadoso, por lo cual no se dejaba arrastrar a estrellarse contra los vicios y los extravíos de la sociedad, es decir, que no se sentía con vocación de atacar los molinos de viento, como don Quijote. Su fisonomía, su garbo, la gracia con que 10 se embozaba en su capa, su insensibilidad al frío y a la desazón general, estaban diciendo que era español.

Paseábase observando con mirada rápida y exacta la reunión, que, a guisa de mosaico, amontonaba el acaso en aquel navío. Pero hay poco que observar en hombres 15 que parecen ebrios y en mujeres que semejan cadáveres.

Sin embargo, mucho excitó su interés la familia de un oficial inglés, cuya mujer había llegado a bordo tan indispuesta que fué preciso llevarla a su camarote; lo mismo se había hecho con el ama, y el padre la seguía con el niño 20 de pecho en los brazos, después de haber hecho sentar en el suelo a otras tres criaturas de dos, tres y cuatro años, encargándoles que tuviesen juicio y no se moviesen de allí. Los pobres niños, criados quizás con gran rigor, permanecieron inmóviles y silenciosos como los ángeles que 25 pintan a los pies de la Virgen.

Poco a poco el hermoso encarnado de sus mejillas desapareció; sus grandes ojos, abiertos cuan grandes eran, quedaron como amortecidos y parados, y sin que un movimiento ni una queja denunciase lo que padecían, el sufri- 30 miento se pintó en sus rostros asombrados y marchitos.

Nadie reparó en este silencioso padecer, en esta suave y dolorosa resignación.

El español iba a llamar al mayordomo, cuando le oyó responder de mal humor a un joven que, en alemán y con gestos expresivos, parecía implorar su socorro en favor de aquellas abandonadas criaturas.

Como la persona de este joven no indicaba elegancia ni distinción, y como no hablaba más que alemán, el mayordomo le volvió la espalda, diciéndole que no le entendía.

Entonces aquel joven bajó a su camarote a proa y volvió prontamente trayendo una almohada, un cobertor y un capote de bayetón. Con estos auxilios hizo una especie de cama, acostó en ella a los niños y los arropó con el mayor esmero. Pero apenas se habían reclinado, el mareo, comprimido por inmovilidad, estalló de repente, y en un instante, almohada, cobertor y capote quedaron infestados y perdidos.

El español miró entonces al alemán, en cuya fisonomía sólo vió una sonrisa de benévola satisfacción, que parecía decir: — ¡ Gracias a Dios, ya están aliviados !

Dirigióle la palabra en inglés, en francés y en español, y no recibió otra respuesta sino un saludo hecho con poca gracia y esta frase repetida: *ich verstehe nicht* (no entiendo).

Cuando, después de comer, el español volvió a subir sobre cubierta, el frío había aumentado. Se embozó en su capa y se puso a dar paseos. Entonces vió al alemán sentado en un banco y mirando al mar, el cual, como para lucirse, venía a ostentar en los costados del buque sus perlas de espuma y sus brillantes fosfóricos.

Estaba el joven observador sin su capote, que había quedado inservible, y debía atormentarle el frío.

El español dió algunos pasos para acercársele, pero se detuvo, no sabiendo cómo dirigirle la palabra. De pronto

se sonrió, como de una feliz ocurrencia, y yendo en derechura hacia él, le dijo en latín:

— Debéis tener mucho frío.

Esta voz, esta frase, produjeron en el extranjero la más
5 viva satisfacción, y sonriendo también como su interlocutor, le contestó en el mismo idioma:

— La noche está en efecto algo rigurosa; pero no pensaba en ello.

— ¿ Pues en qué pensábais ? — le preguntó el español.

10 — Pensaba en mi padre, en mi madre, en mis hermanos
y hermanas.

— ¿ Por qué viajáis, pues, si tanto sentís esa separación ?

— ¡ Ah ! señor; la necesidad . . . Ese implacable déspota . . .

15 — ¿ Con que no viajáis por placer ?

— Ese placer es para los ricos, y yo soy pobre. ¡ Por
mi gusto ! . . . Si supierais el objeto de mi viaje, veríais
cuán lejos está de ser placentero.

— ¿ A dónde vais, pues ?

20 — A la guerra, a la guerra civil, la más terrible de todas:
a Navarra.

— ¡ A la guerra ! — exclamó el español al considerar
el aspecto bondadoso, suave, casi humilde y muy poco
belicoso del alemán. — ¿ Pues qué, sois militar ?

25 — No señor, no es ésa mi vocación. Ni mi inclinación
ni mis principios me inducirían a tomar las armas, sino
para defender la santa causa de la independencia de Alemania, si el extranjero volviese otra vez a invadirla. Voy
al ejército de Navarra a procurar colocarme como ciru-
30 jano.

— ¡ Y no conocéis la lengua !

— No señor, pero la aprenderé.

— ¿ Ni el país ?

— Tampoco: jamás he salido de mi pueblo sino para la universidad.

— ¿ Pero tendréis recomendaciones ?

— Ninguna.

— ¿ Contaréis con algún protector ?

— No conozco a nadie en España.

— Pues entonces, ¿ qué tenéis ?

— Mi ciencia, mi buena voluntad, mi juventud y mi confianza en Dios.

Quedó el español pensativo al oír estas palabras. Al considerar aquel rostro en que se pintaban el candor y la suavidad; aquellos ojos azules, puros como los de un niño, aquella sonrisa triste y al mismo tiempo confiada, se sintió vivamente interesado y casi enternecido.

— ¿ Queréis — le dijo después de una breve pausa — bajar conmigo y aceptar un ponche para desechar el frío ? Entretanto, hablaremos.

El alemán se inclinó en señal de gratitud y siguió al español, el cual bajó al comedor y pidió un ponche ...

— Pero ¿ cómo — preguntó éste — habéis podido concebir la idea de venir a este desventurado país ?

El alemán le hizo entonces un fiel relato de su vida. Era el sexto hijo de un profesor de una ciudad pequeña de Sajonia, el cual había gastado cuanto tenía en la educación de sus hijos. Concluída la del que vamos conociendo, hallábase sin ocupación ni empleo, como tantos jóvenes pobres se encuentran en Alemania, después de haber consagrado su juventud a excelentes y profundos estudios, y de haber practicado su arte con los mejores maestros. Su manutención era una carga para su familia, por lo cual, sin desanimarse, con toda su calma germánica, tomó la resolución de venir a España, donde por desgracia, la sangrienta guerra del Norte le abría esperanzas de que pudieran utilizarse sus servicios.

— Bajo los tilos que hacen sombras a la puerta de mi casa — dijo al terminar su narración — abracé por última vez a mi buen padre, a mi querida madre, a mi hermana Lotte y a mis hermanitos, que clamaban por acompañarme en mi peregrinación. Profundamente conmovido y bañado en lágrimas, entré en la vida que otros encuentran cubierta de flores. Pero, ánimo; el hombre ha nacido para trabajar; el cielo coronará mis esfuerzos. Amo la ciencia que profeso, porque es grande y noble: su objeto es el alivio de nuestros semejantes; y el resultado es bello, aunque la tarea sea penosa.

— ¿ Y os llamáis ? . . .

— Fritz Stein — respondió el alemán, incorporándose algún tanto sobre su asiento, y haciendo una ligera reverencia.

Poco tiempo después los dos nuevos amigos salieron . . . Llegado el buque a Cádiz, el español se despidió de Stein.

— Tengo que detenerme algún tiempo en Andalucía — le dijo. — Pedro, mi criado, os acompañará a Sevilla, y os tomará asiento en la diligencia de Madrid. Aquí tenéis una carta de recomendación para el Ministro de la Guerra, y otra para el General en jefe del ejército. Si alguna vez necesitáis de mí, escribidme a Madrid con este sobre.

Stein no podía hablar de puro conmovido. Con una mano tomaba las cartas y con otra rechazaba la tarjeta que el español le presentaba.

— Vuestro nombre está grabado aquí — dijo el alemán poniendo la mano en el corazón. — ¡ Ah ! No lo olvidaré

en mi vida. Es el del corazón más noble, el del alma
más elevada y generosa, el del mejor de los mortales.

— Con ese sobrescrito — repuso el otro sonriendo —
vuestras cartas podrían no llegar a mis manos. Es preciso
otro más claro y más breve.   5

Le entregó la tarjeta y se despidió.

Stein leyó: *El Duque de Almansa* ...

CAPÍTULO II

EN UNA mañana de octubre de 1838, un hombre bajaba
a pie de uno de los pueblos del condado de Niebla, y se
dirigía hacia la playa. Era tal su impaciencia por llegar 10
a un puertecillo de mar que le habían indicado, que creyendo acortar terreno, entró en una de las vastas dehesas,
comunes en el Sur de España, verdaderos desiertos destinados a la cría del ganado vacuno, cuyas manadas no
salen jamás de ellas.   15

Este hombre parecía viejo, aunque no tenía más de
veintiséis años. Vestía una especie de levita militar,
abotonada hasta el cuello. Su tocado era una mala gorra
con visera. Llevaba al hombro un palo grueso, del que
pendía una cajita de caoba, cubierta de bayeta verde;   20
un paquete de libros, atados con tiras de orillo, un pañuelo
que contenía algunas piezas de ropa blanca, y una gran
capa arrollada.

Este ligero equipaje parecía muy superior a sus fuerzas.
De cuando en cuando se detenía, apoyaba una mano en   25
su pecho oprimido o la pasaba por su enardecida frente,
o bien fijaba sus miradas en un perro que le seguía, y que
en aquellas paradas se acostaba a sus pies.

— ¡ Pobre Treu ! — le decía — ¡ único ser que me acre-
dita que todavía hay en el mundo cariño y gratitud ! No;
¡ jamás olvidaré el día en que por primera vez te ví ! Fué
con un pobre pastor, que murió fusilado por no haber
querido ser traidor. Estaba de rodillas en el momento de
recibir la muerte, y en vano procuraba alejarte de su lado.
Pidió que te apartasen y nadie se atrevía. Sonó la descarga, y tú, fiel amigo del desventurado, caíste mortalmente herido al lado del cuerpo exánime de tu amo. Yo
te recogí, curé tus heridas y desde entonces no me has
abandonado. Cuando los bromistas del regimiento se
burlaban de mí y me llamaban *cura-perros*, venías a la-
merme la mano que te salvó, como queriendo decirme:
« los perros son agradecidos ». ¡ Oh Dios mío ! ¡ Yo
amaba tanto a mis semejantes !... Hace dos años que,
lleno de vida, de esperanza, de buena voluntad, llegué a
este país y les ofrecí mis desvelos, mis cuidados, mi saber
y mi corazón. He curado muchas heridas, y en cambio
las he recibido muy profundas en mi alma. ¡ Gran Dios !
¡ Gran Dios ! Mi corazón está destrozado. Me veo
ignominiosamente arrojado del ejército, después de dos
años de servicio, después de dos años de trabajar sin
descanso; me veo acusado y perseguido, sólo por haber
curado a un hombre del partido contrario, a un infeliz
que, perseguido como una bestia feroz, vino a caer moribundo en mis brazos. ¿ Será posible que las leyes de la
guerra conviertan en crimen lo que la moral erige en
virtud y la religión en deber ? Y ¿ qué me queda que hacer
ahora ? Ir a reposar mi cabeza calva y mi corazón ulcerado
a la sombra de los tilos de la casa paterna. ¡Allí no me
contarán por delito el haber tenido piedad de un moribundo !

Después de una pausa de algunos instantes, el desventurado hizo un esfuerzo.

— Vamos, Treu: *vorwärts*.

Y el viajero y el fiel animal prosiguieron su penosa jornada ...

Fritz Stein, a quien sin duda han reconocido ya nuestros lectores, conoció demasiado tarde que su impaciencia le había inducido a contar con más fuerzas que las que tenía. Apenas podía sostenerse sobre sus pies hinchados y doloridos; sus arterias latían con violencia; partía sus sienes un agudo dolor; una sed ardiente le devoraba; y para aumento del horror de su situación, unos sordos y prolongados mugidos le anunciaban la proximidad de algunas de las toradas medio salvajes, tan peligrosas en España.

— Dios me ha salvado de muchos peligros — dijo el desgraciado; — también me protegerá ahora; y si no, ¡ hágase su voluntad !

Con esto apretó el paso lo más que le fué posible; pero ¡ cuál no sería su espanto, cuando, habiendo doblado una espesa mancha de lentiscos, se encontró, frente a frente y a pocos pasos de distancia, con un toro !

Stein quedó inmóvil y como petrificado. El bruto, sorprendido de aquel encuentro y de tanta audacia, se quedó también parado, fijando en Stein sus grandes y feroces ojos, ardientes como dos hogueras. El viajero conoció que, al menor movimiento que hiciese, era hombre perdido. El toro, que por el instinto natural de su fuerza y de su valor, quiere ser provocado para embestir, bajó y alzó dos veces la cabeza con impaciencia, arañó la tierra, y suscitó de ella nubes de polvo como en señal de desafío. Stein no se movía. Entonces el animal dió un paso atrás,

bajó la cabeza, y ya se preparaba a la embestida, cuando
se sintió mordido en los corvejones. Al mismo tiempo los
furiosos ladridos de su leal compañero dieron a conocer a
Stein su libertador. El toro, embravecido, se volvió a
repeler el inesperado ataque, movimiento de que se apro-
vechó Stein para ponerse en fuga. La horrible situación
de que apenas se había salvado le dió nuevas fuerzas para
huír entre las carrascas y lentiscos, cuya espesura le ocultó
a su formidable contrario.

Había ya atravesado una cañada de poca extensión, y
subiendo a una loma, se detuvo casi sin aliento, y se volvió
a mirar el sitío de su arriesgado lance. Entonces vió de
lejos entre los arbustos a su pobre compañero, a quien el
feroz animal levantaba una y otra vez por alto. Stein
extendía sus brazos hacia el leal animal y repetía sollozando:

— ¡ Pobre, pobre Treu ! ¡ Mi único amigo ! ¡ Qué bien
mereces tu nombre ! ¡ Cuán caro te cuesta el amor que
tuviste a tus amos !

Por sustraerse a tan horrible espectáculo apresuró Stein
sus pasos, no sin derramar copiosas lágrimas. Así llegó
a la cima de otra altura, desde donde se desenvolvió a sus
ojos una magnífica vista. El terreno descendía con im-
perceptible declive hacia el mar, que, en calma y tranquilo,
reflejaba los fuegos del sol en su ocaso, y parecía un campo
sembrado de brillantes, rubíes y záfiros. En medio de
esta profusión de resplandores se distinguía, como una
perla, el blanco velamen de un buque, al parecer clavado
en las olas. La accidentada línea que formaba la costa
presentaba, ya una playa de dorada arena que las mansas
olas salpicaban de plateada espuma, ya rocas caprichosas
y altivas, que parecían complacerse en arrostrar el terrible

elemento, a cuyos embates resisten, como la firmeza al
furor. A lo lejos, y sobre una de las peñas que estaban a
su izquierda, se divisaban las ruinas de un fuerte, obra
humana que a nada resiste, a quien servían de base las
rocas, obra de Dios, que resiste a todo. Algunos grupos
de pinos alzaban sus fuertes y sombrías cimeras, desco-
llando sobre la maleza. A la derecha, y en lo alto de un
cerro, veíase un vasto edificio, sin poder precisar si era
una población, un palacio con sus dependencias, o un
convento.

Casi extenuado por su última carrera y por la emoción
que recientemente le había agitado, aquél fué el punto a
que dirigió sus pasos.

Ya había anochecido cuando llegó. El edificio era un
convento, como los que se construían en los siglos pasados
cuando reinaban la fe y el entusiasmo; virtudes tan
grandes, tan bellas, tan elevadas, que por lo mismo no
tienen cabida en este siglo de ideas estrechas y mezquinas,
porque entonces el oro no servía para amontonarlo ni
emplearlo en lucros inicuos, sino que se aplicaba a usos
dignos y nobles, como que los hombres pensaban en lo
grande y en lo bello, antes de pensar en lo cómodo y en
lo útil. Era un convento que en otros tiempos, suntuoso,
rico, hospitalario, daba pan a los pobres, aliviaba las mise-
rias y curaba los males del alma y del cuerpo; mas ahora
abandonado, vacío, pobre, desmantelado, puesto en venta
por unos pedazos de papel, nadie había querido comprarlo,
ni aun a tan bajo precio.

El campanario, despojado de su adorno legítimo, se
alzaba como un gigante exánime de cuyas vacías órbitas
hubiese desaparecido la luz de la vida. Enfrente de la
entrada duraba aún una cruz de mármol blanco, cuyo

pedestal, medio destruído, la hacía tomar una postura inclinada, como de caimiento y dolor. La puerta, antes abierta a todos de par en par, estaba ahora cerrada.

Las fuerzas de Stein le abandonaron y cayó medio exánime en un banco de piedra pegado a la pared cerca de la puerta. El delirio de la fiebre turbó su cerebro . . . Todo se movía y giraba en rededor del infeliz. Pero en medio de este caos, en que más y más se embrollaban sus ideas, oyó, no ya rumores sordos y fantásticos, cual tambores lejanos, como le habían parecido los latidos precipitados de sus arterias, sino un ruido claro y distinto, y que con ningún otro podía confundirse: el canto de un gallo.

Como si este sonido campestre y doméstico le hubiese restituído de pronto la facultad de pensar y la de moverse, Stein se puso en pie, se encaminó con gran dificultad hacia la puerta y la golpeó con una piedra; le respondió un ladrido. Hizo otro esfuerzo para repetir su llamada y cayó al suelo desmayado.

Abrióse la puerta y aparecieron en ella dos personas.

Era la una una mujer joven, con un candil en la mano, la cual, dirigiendo la luz hacia el objeto que divisaba a sus pies, exclamó:

— ¡ Jesús, María ! no es Manuel: es un desconocido . . . ¡ Y está muerto ! ¡ Dios nos asista !

— Socorrámosle — exclamó la otra, que era una mujer de edad, vestida con mucho aseo. — Hermano Gabriel, hermano Gabriel — gritó entrando en el patio; — venga usted pronto. Aquí hay un infeliz que se está muriendo.

Oyéronse pasos precipitados, aunque pesados. Eran los de un anciano de no muy alta estatura, cuya faz apacible y cándida indicaba una alma pura y sencilla. Su grotesco

vestido consistía en un pantalón y una holgada chupa de
sayal pardo, hechos al parecer de un hábito de fraile;
calzaba sandalias, y cubría su luciente calva un gorro
negro de lana.

— Hermano Gabriel — dijo la anciana — es preciso soco- 5
rrer a este hombre.

— Es preciso socorrer a este hombre — contestó el hermano Gabriel.

— ¡ Por Dios, señora ! — exclamó la del candil. — ¿ Dónde
va usted a poner aquí a un moribundo ? 10

— Hija — respondió la anciana — si no hay otro lugar
en que ponerle, será en mi propia cama.

— ¿ Y va usted a meterle en casa — repuso la otra —
sin saber siquiera quién es ?

— ¿ Qué importa ? — dijo la anciana. — ¿ No sabes el 15
refrán: haz bien, y no mires a quién ? Vamos, Dolores;
ayúdame, y manos a la obra.

Dolores obedeció con celo y temor a un tiempo.

— Cuando venga Manuel — decía — quiera Dios que
no tengamos alguna desazón. 20

— ¡ Tendría que ver ! — respondió la buena anciana. —
¡ No faltaba más sino que un hijo tuviese que decir a lo
que su madre dispone !

Entre los tres llevaron a Stein al cuarto del hermano
Gabriel. Con paja fresca y una enorme y lanuda zalea 25
se armó al instante una buena cama. La tía María sacó
del arca un par de sábanas, no muy finas, pero muy blancas,
y una manta de lana.

Fray Gabriel quiso ceder su almohada, a lo que se opuso
la tía María, diciendo que ella tenía dos y podía muy bien 30
dormir con una sola. Stein no tardó en ser desnudado y
metido en la cama.

Entretanto se oían golpes repetidos a la puerta.

— Ahí está Manuel — dijo entonces su mujer. — Venga usted conmigo, madre, que no quiero estar sola con él cuando se entere de que hemos dado entrada en casa a un hombre sin que él lo sepa.

La suegra siguió los pasos de la nuera.

— ¡ Alabado sea Dios ! Buenas noches, madre; buenas noches, mujer — dijo al entrar un hombre alto y de buen porte, que parecía tener de treinta y ocho a cuarenta años, y a quien seguía un muchacho como de unos trece.

— Vamos, Momo — añadió — descarga la burra y llévala a la cuadra. La pobre Golondrina no puede con el alma.

Momo llevó a la cocina, punto de reunión de toda la familia, una buena provisión de panes grandes y blancos, unas alforjas y la manta de su padre. En seguida desapareció llevando del diestro a Golondrina.

Dolores volvió a cerrar la puerta y se reunió en la cocina con su marido y con su madre.

— ¿ Me traes — le dijo — el jabón y el almidón ?

— Aquí vienen.

— ¿ Y mi lino ? — preguntó la madre.

— Ganas tuve de no traerlo — respondió Manuel sonriéndose, y entregando a su madre unas madejas.

— ¿ Y por qué, hijo ?

— Es que me acordaba de aquel que iba a la feria, y a quien daban encargos todos sus vecinos. Tráeme un sombrero; tráeme un par de polainas; una prima quería un peine; una tía, chocolate; y a todo esto, nadie le daba un cuarto. Cuando estaba ya montado en la mula, llegó un chiquillo y le dijo, « Aquí tengo dos cuartos para un pito; ¿ me lo quiere usted traer ? » Y diciendo y haciendo, le puso las monedas en la mano. El hombre se inclinó, tomó el dinero y le respondió: « ¡ *Tú pitarás* ! » Y en efecto; volvió de la feria, y de todos los encargos no trajo más que el pito. 5

— ¡ Pues está bueno ! — repuso la madre. — ¿ Para quién me paso yo hilando los días y las noches ? ¿ No es para ti y para tus hijos ? ¿ Quieres que sea como el sastre del Campillo, que cosía de balde y ponía el hilo ?

En este momento se presentó Momo a la puerta de la 10 cocina. Era bajo de cuerpo y rechoncho, alto de hombros, y además tenía la mala maña de subirlos más, con un gesto de desprecio y de ¿ *qué se me da a mí* ? hasta tocar con ellos sus enormes orejas, anchas como abanicos. Tenía la cabeza abultada, el cabello corto, los labios gruesos. Era además 15 chato y horriblemente bizco.

— Padre — dijo con un gesto de malicia — en el cuarto del hermano Gabriel hay un hombre acostado.

— ¡ Un hombre en mi casa ! — gritó Manuel saltando de la silla. — Dolores ¿ qué es esto ? 20

— Manuel, es un pobre enfermo. Tu madre ha querido recogerlo. Yo me opuse a ello, pero su merced quiso. ¿ Qué había yo de hacer ?

— ¡ Bueno está ! pero aunque sea mi madre, no por eso ha de meter en casa al primero que se presenta. 25

— No; sino dejarle morir a la puerta, como si fuera un perro — dijo la anciana. — ¿ No es eso ?

— Pero, madre — repuso Manuel. — ¿ Es mi casa algún hospital ?

— No; pero es la casa de un cristiano; y si hubieras 30 estado aquí, hubieras hecho lo mismo que yo.

— ¡ Que no ! — respondió Manuel; — le habría puesto

encima de la burra y le habría llevado al lugar, ya que se acabaron los conventos.

— Aquí no teníamos burra para cargarlo ni alma viviente que pudiera hacerse cargo de ese infeliz.

5   — ¡ Y si es un ladrón !

— Quien se está muriendo no roba.

— Y si le da una enfermedad larga, ¿ quién la costea ?

— Ya han matado una gallina para el caldo — dijo
10 Momo; — yo he visto las plumas en el corral.

— ¿ Madre, ha perdido usted el sentido ? — exclamó Manuel colérico.

— Basta, basta — dijo la madre con voz severa y con dignidad. — ¡ Caérsete debía la cara de vergüenza de ha-
15 berte incomodado con tu madre, sólo por haber hecho lo que manda la ley de Dios ! Si tu padre viviera, no podría creer que su hijo cerraba la puerta a un infeliz que llegase a ella muriéndose y sin amparo.

Manuel bajó la cabeza, y hubo un rato de silencio ge-
20 neral.

— Vaya, madre — dijo en fin; — haga usted cuenta que no he dicho nada. Gobiérnese a su gusto. Ya se sabe que las mujeres se salen siempre con la suya.

Dolores respiró libremente.

25   — ¡ Qué bueno es ! — dijo gozosa a su suegra.

— Tú podías dudarlo — respondió ésta sonriendo a su nuera, a quien quería mucho, y levantándose para ir a ocupar su puesto a la cabecera del enfermo. — Yo, que le he parido, no lo he dudado nunca.

30   Al pasar cerca de Momo le dijo su abuela:

— Ya sabía yo que tenías malas entrañas; pero nunca lo has acreditado tanto como ahora. Anda con Dios; te compadezco: eres malo y el que es malo consigo lleva el castigo.

—Las viejas no sirven más que para sermonear— gruñó Momo, echando a su abuela una torcida mirada.

Pero apenas había pronunciado la última palabra, cuando su madre que lo había oído, se arrojó a él y le descargó una bofetada.

—Aprende—le dijo—a ser insolente con la madre de tu padre, que es dos veces madre tuya.

Momo se refugió llorando a lo último del corral y desahogó su coraje dando una paliza al perro.

CAPÍTULO III

La tía María y el hermano Gabriel se esmeraban a cuál más en cuidar al enfermo; pero discordaban en cuanto al método que debía emplearse en su curación. La tía María, sin haber leído a Brown, estaba por los caldos sustanciosos y los confortantes tónicos, porque decía que estaba muy débil y muy extenuado.

Fray Gabriel, sin haber oído el nombre de Broussais, quería refrescos y temperantes, porque, en su opinión, había fiebre cerebral, la sangre estaba inflamada y la piel ardía.

Los dos tenían razón; y del doble sistema, compuesto de los caldos de la tía María y de las limonadas del hermano Gabriel, resultó que Stein recobró la vida y la salud el mismo día en que la buena mujer mató la última gallina y el hermano cogía el último limón en el limonero.

—Hermano Gabriel—dijo la tía María—¿qué casta de pájaro cree usted que será nuestro enfermo? ¿Militar?

—Bien podrá ser que sea militar—contestó fray

Gabriel, el cual, excepto en puntos de medicina y de horti-
cultura, estaba acostumbrado a mirar a la tía María como
a un oráculo y a no tener otra opinión que la suya; lo
mismo que había hecho con el Prior de su convento. Así
que casi maquinalmente, repetía siempre lo que la buena
anciana decía.

— No puede ser — prosiguió la tía María, meneando
la cabeza. — Si fuera militar, tendría armas, y no las
tiene. Es verdad que al doblar su levitón para quitarlo de
en medio, hallé en el bolsillo una cosa a modo de pistola;
pero al examinarla con cuidado, vine a caer en que no era
pistola, sino flauta. Luego no es militar.

— No puede ser militar — repitió el hermano Gabriel.

— ¿ Si será un contrabandista ?

— ¡ Puede ser que sea un contrabandista ! — dijo el buen
lego.

— Pero no — repuso la anciana — porque para hacer
el contrabando es preciso tener géneros o dinero, y él no
tiene ni lo uno ni lo otro.

— Es verdad: ¡ no puede ser contrabandista ! — afirmó
fray Gabriel.

— Hermano Gabriel, ¿ a ver qué dicen los títulos de
esos libros ? Puede ser que por ahí saquemos cuál es su
oficio.

El hermano se levantó, tomó sus espejuelos engarzados
en cuerno, los colocó sobre la nariz, echó mano al paquete
de libros, y aproximándose a la ventana que daba al gran
patio interior, estuvo largo rato examinándolos.

— Hermano Gabriel — dijo al cabo la tía María. —
¿ Se le ha olvidado a usted el leer ?

— No; pero no conozco estas letras. Me parece que
es hebreo.

— ¡ Hebreo ! — exclamó la tía María. — ¡ Virgen Santa !
¿ Si será judío ?

En aquel momento Stein, que había estado largo tiempo
aletargado, abrió los ojos y dijo en alemán:

— ¿ *Gott, wo bin ich ?* (Dios mío, ¿ dónde estoy ?)   5

La tía María se puso de un salto en medio del cuarto.
El hermano Gabriel dejó caer los libros y se quedó hecho
una piedra, abriendo los ojos tan grandes como sus espejuelos.

— ¿ Qué ha hablado ? — preguntó la tía María.   10

— Será hebreo como sus libros — respondió fray Gabriel. — Quizás será judío como usted ha dicho, tía
María.

— ¡ Dios nos asista ! — exclamó la anciana. — Pero no.
Si fuera judío, ¿ no le habríamos visto el rabo cuando le   15
desnudamos ?

— Tía María — repuso el lego — el Padre Prior decía
que eso del rabo de los judíos es una patraña, una tontería,
y que los judíos no tienen tal cosa.

— No será judío — prosiguió la anciana; — pero será   20
un moro o un turco que habrá naufragado en estas costas.

— Un pirata de Marruecos — repuso el buen lego; —
¡ puede ser !

— Pero entonces llevaría turbante y chinelas amarillas,
como el moro que yo ví hace treinta años cuando fuí a   25
Cádiz: se llamaba el moro Seylan. ¡ Qué hermoso era !
Pero para mí, toda su hermosura se le quitaba con no ser
cristiano. Pero más que sea judío o moro, no importa:
socorrámosle.

— Socorrámosle aunque sea judío o moro — repitió el   30
hermano.

Y los dos se acercaron a la cama.

Stein se había incorporado y miraba con extrañeza todos los objetos que le rodeaban.

— No entenderá lo que le digamos — dijo la tía María; — pero hagamos la prueba.

5   — Probemos — repitió el hermano Gabriel.

La gente del pueblo en España cree generalmente que el mejor medio de hacerse entender es hablar a gritos. La tía María y fray Gabriel, muy convencidos de ello, gritaron a la vez, ella: « ¿ quiere usted caldo ? » y él: « ¿ quiere

10 usted limonada ? »

Stein, que iba saliendo poco a poco del caos de sus ideas, preguntó en español:

— ¿ Dónde estoy ?   ¿ Quiénes son ustedes ?

— El señor — respondió la anciana — es el hermano

15 Gabriel, y yo soy la tía María, para lo que usted quiera mandar.

— ¡ Ah ! — dijo Stein — el Santo Arcángel y la bendita Virgen, cuyos nombres lleváis; aquélla, que es la salud de los enfermos, la consoladora de los afligidos y el socorro

20 de los cristianos, os pague el bien que me habéis hecho.

— Habla español — exclamó alborozada la tía María — y es cristiano, y sabe las letanías.

Y llena de júbilo, se arrojó a Stein, le estrechó en sus brazos y le estampó un beso en la frente.

25   — Y a todo esto, ¿ quién es usted ? — dijo la tía María, después de haberle dado una taza de caldo. — ¿ Cómo ha venido usted a parar enfermo y muriéndose a este despoblado ?

— Me llamo Stein, y soy cirujano. He estado en la

30 guerra de Navarra y volvía por Extremadura a buscar un puerto donde embarcarme para Cádiz y de allí a mi tierra que es Alemania. Perdí el camino y he estado largo tiempo

dando rodeos, hasta que por fin he llegado aquí enfermo, exánime y moribundo.

— Ya ve usted — dijo la tía María al hermano Gabriel — que sus libros no están en hebreo, sino en la lengua de los cirujanos.

— Eso es; están escritos en la lengua de los cirujanos — repitió fray Gabriel.

— ¿ Y de qué partido era usted ? — preguntó la anciana; — ¿ de Don Carlos o de los otros ?

— Servía en las tropas de la Reina — respondió Stein.

La tía María se volvió a su compañero, y con una guiñada, le dijo en voz baja:

— Éste no es de los buenos.

— ¡ No es de los buenos ! — repitió fray Gabriel, bajando la cabeza.

— Pero ¿ dónde estoy ? — volvió a preguntar Stein.

— Está usted — respondió la anciana — en un convento que ya no es convento; es un cuerpo sin alma. Ya no le quedan más que las paredes, la cruz blanca y fray Gabriel. Todo lo demás se lo llevaron los otros. Cuando ya no quedó nada que sacar, unos señores que se llaman *crédito público* buscaron un hombre de bien para guardar el convento, es decir, el caparazón. Oyeron hablar de mi hijo, y vinimos a establecernos aquí, donde yo vivo con ese hijo, que es el único que me ha quedado. Cuando entramos en el convento, salían de él los Padres. Unos iban a América, otros a las misiones de la China, otros se quedaron con sus familias, y otros se fueron a buscar la vida trabajando o pidiendo limosna. Vimos a un hermano lego, viejo y apesadumbrado, que, sentado en las gradas de la cruz blanca, lloraba unas veces por sus hermanos que se iban y otras por el convento que se quedaba solo. — « ¿ No

viene su merced ? » le preguntó un corista. — « ¿ Y a dónde
he de ir ? respondió. — Jamás he salido de estos muros,
donde fuí recogido niño y huérfano por los Padres. No
conozco a nadie en el mundo, ni sé más que cuidar la huerta
5 del convento. ¿ A dónde he de ir ? ¿ Qué he de hacer ?
Yo no puedo vivir sino aquí. » — « Pues quédese usted
con nosotros — le dije yo entonces. » — « Bien dicho, madre — repuso mi hijo. — Siete somos los que nos sentamos
a la mesa : nos sentaremos ocho ; comeremos más, y
10 comeremos menos, como suele decirse. »

— Y gracias a esta caridad — añadió fray Gabriel —
cáteme usted aquí cuidando la huerta ; pero desde que se
vendió la noria, no puedo regar ni un palmo de tierra ; de
modo que se están secando los naranjos y los limones.

15 — Fray Gabriel — continuó la tía María — se quedó en
estas paredes, a las cuales está pegado como la yedra ;
pero como iba diciendo, ya no hay más que paredes.
¡ Habrá picardía ! Nada, lo que ellos dicen : « Destruya-
mos el nido, para que no vuelvan los pájaros ».

20 — Sin embargo — dijo Stein — yo he oído decir que
había demasiados conventos en España.

La tía María fijó en el alemán sus ojos negros, vivos y
espantados ; después, volviéndose al lego, le dijo en voz
baja :

25 — ¿ Serán ciertas nuestras primeras sospechas ?

— Puede ser que sean ciertas nuestras primeras sospechas — contestó el hermano.

CAPÍTULO IV

[Acogido por la familia de Manuel Alerza y cuidado por la buena tía María, Stein iba recobrando la salud del cuerpo y del alma. Durante su convalescencia se entretenía en examinar minuciosamente el convento, cuya descripción ocupa casi todo el cuarto capítulo de la novela original.]

EL FIN de octubre había sido lluvioso, y noviembre vestía su verde y abrigado manto de invierno.

Stein se paseaba un día por delante del convento... Vió que Momo salía de la hacienda en dirección al pueblo. Al ver a Stein, le propuso que le acompañase; éste aceptó, y los dos se pusieron en camino en dirección al lugar.

El día estaba tan hermoso, que sólo podía compararse a un diamante de aguas exquisitas, de brillante esplendor, y cuyo valor no aminora el más pequeño defecto. El alma y el oído reposaban suavemente en medio del silencio profundo de la naturaleza. En el azul turquí del cielo no se divisaba más que una nubecilla blanca, cuya perezosa inmovilidad la hacía semejante a una odalisca, ceñida de velos de gasa y muellemente recostada en su otomana azul.

Pronto llegaron a la colina próxima al pueblo, en que estaban la cruz y la capilla.

La subida de la cuesta, aunque corta y poco empinada, había agotado las fuerzas, aún no restablecidas, de Stein. Quiso descansar un rato, y se puso a examinar aquel lugar.

Acercóse al cementerio. Estaba tan verde y tan florido como si hubiera querido apartar de la muerte el horror que inspira. Las cruces estaban ceñidas de vistosas enredaderas, en cuyas ramas revoloteaban los pajarillos, can-

tando ¡ *Descansa en paz!* Nadie habría creído que aquélla
fuese la mansión de los muertos, si en la entrada no se
leyese esta inscripción: « *Creo en la remisión de los pecados,
en la resurrección de la carne y en la vida perdurable. Amén.* »
5 La capilla era un edificio cuadrado, estrecho y sencillo ...

Las dos paredes laterales estaban cubiertas de exvotos,
de arriba abajo.

Los exvotos son testimonios públicos y auténticos de
beneficios recibidos, consignados por el agradecimiento al
10 pie de los altares, unas veces cuando se obtiene la gracia que
se pide; otras se prometen en grandes infortunios y circunstancias apuradas. Allí se ven largas trenzas de cabello
que la hija amante ofreció, como su más precioso tesoro,
el día en que su madre fué arrancada a las garras de la
15 muerte; niños de plata colgados de cintas color de rosa,
que una madre afligida, al ver a su hijo mortalmente herido,
consagró, por obtener su alivio, al Señor del Socorro; brazos, ojos, piernas de plata o de cera, según las facultades
del votante; cuadros de naufragios o de otros grandes
20 peligros, en medio de los cuales los fieles tuvieron lo que
los descreídos calificarán de la *sencillez* de creer que sus
plegarias podrían ser oídas y otorgadas por la misericordia
divina; pues por lo visto las gentes *de alta razón, los
ilustrados, los que dicen ser los más, y se tienen por los
25 mejores,* no creen que la oración es un lazo entre Dios y el
hombre.

Entre los exvotos había uno que por su singularidad
causó mucha extrañeza a Stein. La mesa del altar no era
perfectamente cuadrada desde arriba abajo, sino que se
30 estrechaba en línea curva hacia el pie. Entre su base y el
enladrillado había un pequeño espacio. Stein percibió allí
en la sombra un objeto apoyado contra la pared; y a

fuerza de fijar en él sus miradas, vino a distinguir que era
un trabuco. Tal era su volumen y tal debía ser su peso,
que no podía entenderse cómo un hombre podía manejarlo;
lo mismo que sucede cuando miramos las armaduras de la
Edad Media. Su boca era tan grande que podía entrar 5
holgadamente por ella una naranja. Estaba roto, y sus
diversas partes toscamente atadas con cuerdas.

— Momo — dijo Stein — ¿ qué significa eso ? ¿ Es efectivamente un trabuco ?

— Me parece — dijo Momo — que bien a la vista está. 10

— Pero, ¿ por qué se pone un arma homicida en este
lugar pacífico y santo ? En verdad que aquí puede decirse
aquello de que pega como un par de pistolas a un Santo
Cristo.

— Pero ya ve usted — respondió Momo — que no está 15
en manos del Señor, sino a sus pies, como ofrenda. El día
que se trajo aquí ese trabuco (que hace muchísimos años)
fué el mismo en que se le puso a ese Cristo el nombre del
Señor del Socorro.

— Y ¿ con qué motivo ? — preguntó Stein. 20

— Don Federico — dijo Momo abriendo tantos ojos, —
todo el mundo sabe eso. ¡ Y usted no lo sabe !

— ¿ Has olvidado que soy forastero ? — replicó Stein.

— Verdad es — repuso Momo; — pues se lo diré a su
merced. Hubo en esta tierra un salteador de caminos que 25
no se contentaba con robar a la gente, sino que mataba a
los hombres como moscas, o porque no le delatasen, o por
antojo. Un día, dos hermanos, vecinos de aquí, tuvieron
que hacer un viaje. Todo el pueblo fué a despedirlos,
deseándoles que no topasen con aquel forajido que no 30
perdonaba vida y tenía atemorizado al mundo. Pero ellos,
que eran buenos cristianos, se encomendaron a este Señor

y salieron confiando en su amparo. Al emparejar con un
olivar se echaron a la cara al ladrón, que les salía al encuentro con su trabuco en la mano. Echóselo al pecho y
les apuntó. En aquel trance se arrodillaron los hermanos
5 clamando al Cristo: «¡Socorro, Señor!» El desalmado
disparó el trabuco, pero quien quedó alma del otro mundo
fué él mismo, porque quiso Dios que en las manos se le
reventase el trabuco. En memoria del milagroso socorro,
lo ataron con esas cuerdas y lo depositaron aquí, y al Señor
10 se le quedó la advocación del Socorro. ¿Con que no lo
sabía usted, don Federico?

— No lo sabía, Momo — respondió éste; y añadió, como
respondiendo a sus propias reflexiones: — ¡Si tú supieras
cuánto ignoran aquellos que dicen que se lo saben todo!

15 — Vamos, ¿se viene usted, don Federico? — dijo Momo
después de un rato de silencio. — Mire usted que no me
puedo detener.

— Estoy cansado — contestó éste; — vete tú, que aquí
te aguardaré.

20 — ¡Pues . . . con Dios! — repuso Momo, poniéndose en
camino . . .

Momo volvió, pero no volvía solo. Venía en su compañía un señor de edad, alto, seco, flaco y tieso como un
cirio. Vestía chaqueta y pantalón de basto paño pardo,
25 chaleco de piqué de colores moribundos, adornado de algunos zurcidos, obras maestras en su género, faja de lana
encarnada, como las gastan las gentes del campo, sombrero calañés de ala ancha, con una cucarda que había
sido encarnada y que el tiempo, el agua y el sol habían
30 vuelto de color de zanahoria. En los hombros de la chaqueta había dos estrechos galones de oro problemático,
destinados a sujetar dos charreteras; y una espada vieja.

colgada de un cinturón ídem, completaba este conjunto medio militar y medio paisano. Los años habían hecho grandes estragos en la parte delantera del largo y estrecho cráneo de este sujeto. Para suplir la falta de adorno natural, había levantado y traído hacia adelante los pocos restos de cabellera que le quedaban, sujetándolos por medio de un cabo de seda. negra sobre la parte alta del cráneo, en donde formaban un hopito con la gracia chinesca más genuina.

— Momo, ¿ quién es este señor ? — preguntó Stein a media voz.

— El Comandante — respondió éste en su tono natural.

— ¡ Comandante ! ¿ De qué ? — tornó Stein a preguntar.

— Del fuerte de San Cristóbal.

— ¡ Del fuerte de San Cristóbal ! — exclamó Stein extático.

— Servidor de usted — dijo el recién venido, saludando con cortesía; — mi nombre es Modesto Guerrero, y pongo mi inutilidad a la disposición de usted.

Ese usual cumplido tenía en este sujeto una aplicación tan exacta, que Stein no pudo menos de sonreírse al devolver al militar su saludo.

— Sé quién es usted — prosiguió don Modesto; — tomo parte en sus contratiempos y le doy el parabién por su restablecimiento y por haber caído en manos de los Alerzas, que son, a fe mía, unas buenas gentes; mi persona y mi casa están a la disposición de usted, para lo que guste mandar . . .

Momo, que traía al hombro unas alforjas bien rellenas y tenía prisa, preguntó al Comandante si iba al fuerte de San Cristóbal.

— Sí — respondió, — y de camino a ver a la hija del tío
Pedro Santaló, que está mala.

— ¿ Quién ? ¿ la Gaviota ? — preguntó Momo. — No lo
crea usted. Si la he visto ayer encaramada en una peña y
5 chillando como las otras gaviotas.

— ¡ Gaviota ! — exclamó Stein.

— Es un mal nombre — dijo el Comandante — que
Momo le ha puesto a esa pobre muchacha.

— Porque tiene las piernas muy largas — respondió
10 Momo; — porque tanto vive en el agua como en la tierra;
porque canta y grita, y salta de roca en roca como las otras.

— Pues tu abuela — observó don Modesto — la quiere
mucho y no la llama más que Marisalada, por sus graciosas
travesuras y por la gracia con que canta y baila y remeda
15 a los pájaros.

— No es eso — replicó Momo; — sino porque su padre
es pescador, y ella nos trae sal y pescado.

— ¿ Y vive cerca del fuerte ? — preguntó Stein, a quien
habían excitado la curiosidad aquellos pormenores.

20 — Muy cerca — respondió el Comandante. — Pedro
Santaló tenía una barca catalana que, habiendo dado a la
vela para Cádiz, sufrió un temporal y naufragó en la
costa. Todo se perdió, el buque y la gente, menos Pedro,
que iba con su hija; como que a él le redobló las fuerzas
25 el ansia de salvarla. Pudo llegar a tierra, pero arruinado;
y quedó tan desanimado y triste que no quiso volver a su
tierra. Lo que hizo fué labrar una choza entre esas rocas
con los destrozos que habían quedado de la barca, y se
metió a pescador. Él era el que proveía de pescado al
30 convento, y los padres, en cambio, le daban pan, aceite y
vinagre. Hace doce años que vive ahí en paz con todo el
mundo.

Con esto llegaron al punto en que la vereda se dividía, y se separaron.

— Pronto nos veremos — dijo el veterano. — Dentro de un rato iré a ponerme a la disposición de usted y saludar a sus patronas.

— Dígale usted de mi parte a la Gaviota — gritó Momo — que me tiene sin cuidado su enfermedad, porque mala yerba nunca muere.

— ¿ Hace mucho tiempo que el Comandante está en Villamar ? — preguntó Stein a Momo.

— ¡ Toma ! . . . ciento y un años ; desde antes que mi padre naciera.

— ¿ Y quién es esa Rosita, su patrona ?

— ¿ Quién ? ¡ Señá Rosa Mística ! — respondió Momo con un gesto burlón. — Es la maestra de amiga. Es más fea que el hambre ; tiene un ojo mirando a poniente y otro a levante ; y unos hoyos de viruelas, en que puede retumbar un eco. Pero, don Federico, el cielo se encapota ; las nubes van como si las corrieran galgos. Apretemos el paso . . .

CAPÍTULO V

ANTES de seguir adelante, no será malo trabar conocimiento con este nuevo personaje.

Don Modesto Guerrero era hijo de un honrado labrador, que no dejaba de tener buenos papeles de nobleza, hasta que se los quemaron los franceses en la guerra de la Independencia, como quemaron también su casa, bajo el pretexto de que los hijos del dueño eran *brigantes*, esto es, reos del grave delito de defender a su patria. El buen

hombre pudo reedificar su casa; pero a los pergaminos
no les cupo la suerte del Fénix.

Modesto cayó soldado, y como su padre no tenía lo
bastante para comprarle un sustituto, pasó a las filas de
un regimiento de infantería, en calidad de distinguido.

Como era un bendito, y además, de larga y seca catadura, pronto llegó a ser el objeto de las burlas y de las
chanzas pesadas de sus compañeros. Éstos, animados por
su mansedumbre, llevaron al extremo sus bromas, hasta
que Modesto les puso término del modo siguiente. Un
día que había gran formación, con motivo de una revista,
Modesto ocupaba su lugar al extremo de una fila. Allí
cerca había una carreta: con gran destreza y prontitud
sus compañeros le echaron a una pierna un lazo corredizo,
atando la extremidad del cordel a una de las ruedas de
la carreta. El coronel dió la voz de « marchen ». Sonaron
los tambores y todas las mitades se pusieron en marcha,
menos Modesto, que se quedó parado con una pierna en
el aire, como los escultores figuran a Céfiro.

Terminada la revista, Modesto volvió al cuartel, tan
sosegado como de él había salido, y sin alterar su paso,
pidió una satisfacción a sus compañeros. Como ninguno
quería cargar con la responsabilidad del chasco, declaró
con la misma calma que mediría sus armas con las de
todos y cada uno de ellos, uno después de otro. Entonces
salió al frente el que había inventado y dirigido la burla:
se batieron, y de sus resultas perdió un ojo su adversario.
Modesto le dijo con su calma acostumbrada que si quería
perder el otro, él estaba a su disposición, cuando gustase.

Entretanto, Modesto, sin parientes ni protectores en la
corte, sin miras ambiciosas, sin disposiciones para la intriga, hizo su carrera a paso de tortuga, hasta que en la

época del sitio de Gaeta en 1805, su regimiento recibió
orden de juntarse como auxiliar con las tropas de Napoleón. Modesto se distinguió allí por su valor y serenidad,
en términos que mereció una cruz y los mayores elogios
de sus jefes.   5

Su nombre lució en la *Gaceta*, como un meteoro, para
hundirse después en la eterna oscuridad. Estos laureles
fueron los primeros y los últimos que le ofreció su carrera
militar; porque habiendo recibido una profunda herida
en el brazo, quedó inutilizado para el servicio, y en re-   10
compensa, le nombraron Comandante del fuertecillo abandonado de San Cristóbal. Hacía, pues, cuarenta años que
tenía bajo sus órdenes el esqueleto de un castillo y una
guarnición de lagartos.

Al principio no podía nuestro guerrero conformarse con   15
aquel abandono. No pasaba año sin que dirigiese una
representación al Gobierno, pidiendo los reparos necesarios
y los cañones y tropa que aquel punto de defensa requería.
Todas estas representaciones habían quedado sin respuesta, a pesar de que, según las circunstancias de la   20
época, no había omitido hacer presente la posibilidad de
un desembarco de ingleses, de insurgentes americanos,
de franceses, de revolucionarios y de carlistas. Igual
acogida habían recibido sus continuas plegarias para obtener algunas pagas. El Gobierno no hizo el menor caso   25
de aquellas dos ruinas: el castillo y su Comandante.
Don Modesto era sufrido; con que acabó por someterse
a su suerte sin acritud y sin despecho.

Cuando vino a Villamar se alojó en casa de la viuda del
sacristán, la cual vivía entregada a la devoción, en com-   30
pañía de su hija, todavía joven. Eran excelentes mujeres:
algo remilgadas y secas con sus ribetes de intolerantes;

pero buenas, caritativas, morigeradas y de esmerado aseo.

Los vecinos del pueblo, que miraban con afición al Comandante y que al mismo tiempo conocían sus apuros, hacían cuanto podían para aliviarlos. No se hacía matanza en casa alguna sin que se le enviase su provisión de tocino y morcillas. En tiempo de la recolección un labrador le enviaba trigo, otro garbanzos; otros le contribuían con su porción de miel o de aceite. Las mujeres le regalaban los frutos del corral, de modo que su beata patrona tenía siempre la despensa bien provista, gracias a la benevolencia general que inspiraba don Modesto; el cual, de índole correspondiente a su nombre, lejos de envanecerse de tantos favores, solía decir que la Providencia estaba en todas partes, pero que su cuartel general era Villamar. Bien es verdad que él sabía corresponder a tantos favores, siendo con todos por extremo servicial y complaciente. Levantábase con el sol, y lo primero que hacía era ayudar la misa al Cura. Una vecina le hacía un encargo, otra le pedía una carta para un hijo soldado; otra, que le cuidase los chiquillos, mientras salía a una diligencia. El velaba a los enfermos, rezaba con sus patronas; en fin, procuraba ser útil a todo el mundo en todo lo que no pudiese ofender su honradez y su decoro. No es esto nada raro en España, gracias a la inagotable caridad de los españoles, unida a su noble carácter, el cual no les permite atesorar, sino dar cuando tienen al que lo necesita: díganlo los exclaustrados, las monjas, los artesanos, las viudas de los militares y los empleados cesantes.

Murió la viuda del sacristán, dejando a su hija Rosa con cuarenta y cinco años bien contados y una fealdad que se veía de lejos. Lo que más contribuía a esta desgracia

eran las funestas consecuencias de las viruelas. El mal
se había concentrado en un ojo, y sobre todo en el párpado, que no podía levantarse sino a medias; de lo que
resultaba que la pupila, medio apagada, daba a toda la
fisonomía cierto aspecto poco inteligente y vivo, contras- 5
tando notablemente el ojo entornado con su compañero,
del cual salían llamas, como de una hoguera de sarmientos,
al menor motivo de escándalo; y en verdad que los solía
encontrar con harta frecuencia.

Después del entierro, y pasados los nueve días de duelo, 10
la señora Rosa dijo un día a don Modesto:

— Don Modesto, siento mucho tener que decir a usted
que es preciso separarnos.

— ¡ Separarnos ! — exclamó el buen señor abriendo
tantos ojos y poniendo la jícara de chocolate sobre el 15
mantel, en lugar de ponerla en el plato. — ¿ Y porqué,
Rosita ?

Don Modesto se había acostumbrado por espacio de
treinta años a emplear este diminutivo cuando dirigía la
palabra a la hija de su antigua patrona.   20

— Me parece — respondió ella arqueando las cejas —
que no debía usted preguntarlo. Conocerá usted que no
parece bien que vivan juntas y solas dos personas de
estado honesto. Sería dar pábulo a las malas lenguas.

— ¿ Y qué pueden decir de usted las malas lenguas ? 25
— repuso don Modesto; — ¡ usted, que es la más recatada
del pueblo !

— ¿ Acaso hay nada seguro de ellas ? ¿ Qué dirá usted
cuando sepa que usted con todos sus años, y su uniforme
y su cruz, y yo, pobre mujer, que no pienso más que en 30
servir a Dios, estamos sirviendo de diversión a estos des-
lenguados ?

— ¿ Qué dice usted, Rosita ? — exclamó don Modesto asombrado.

— Lo que está usted oyendo. Ya nadie nos conoce sino por el mal nombre que nos han puesto esos condenados monacillos.

— ¡ Estoy atónito, Rosita ! no puedo creer . . .

— Mejor para usted si no lo cree — dijo la devota; — pero yo le aseguro que esos inicuos (Dios los perdone) cuando nos ven llegar a la iglesia todas las mañanas a misa de alba, se dicen unos a otros: « Llama a misa, que ahí vienen *Rosa Mística* y *Turris Davídica*, en amor y compañía como en las letanías. » A usted le han puesto ese mote por ser tan alto y derecho.

Don Modesto se quedó con la boca abierta y los ojos fijos en el suelo.

— Sí señor — continuó Rosa Mística; — la vecina es quien me lo ha dicho, escandalizada y aconsejándome que vaya a quejarme al señor Cura. Yo la he respondido que mejor quiero sufrir y callar. Más padeció nuestro Señor sin quejarse.

— Pues yo — dijo don Modesto — no aguanto que nadie se burle de mí, y mucho menos de usted.

— Lo mejor será — continuó Rosa — acreditar con nuestra paciencia que somos buenos cristianos, y con nuestra indiferencia, el poco caso que hacemos de los juicios del mundo. Por otra parte, si castigan a esos irreverentes, lo harían peor; créame usted, don Modesto.

— Tiene usted razón, como siempre, Rosita — dijo don Modesto. — Yo sé lo que son los *guasones;* si les cortasen las lenguas, hablarían con las narices. Pero si en otro tiempo alguno de mis camaradas se hubiese atrevido a llamarme Turris Davídica, bien hubiera podido añadir:

Ora pro nobis. Mas, ¿ es posible que siendo usted una
santa bendita, les tenga miedo a los maldicientes ?

— Ya sabe usted, don Modesto, lo que vulgarmente
dicen los que piensan mal de todo: entre santa y santo,
pared de cal y canto.   5

— Pero entre usted y yo — dijo el Comandante — no
hay necesidad de poner ni tabique. Yo con tantos años
a cuestas: yo, que en toda mi vida no he estado enamorado
más que una vez... y por más señas que lo estuve de
una buena moza, con quien me habría casado a no haberla 10
sorprendido en chicoleos con el tambor mayor, que ...

— Don Modesto, don Modesto — gritó Rosa poniéndose erguida. — Honre usted su nombre y mi estado y
déjese de recuerdos amorosos.

— No ha sido mi intención escandalizar a usted — 15
dijo don Modesto en tono contrito; — basta que usted
sepa, y yo le jure, que jamás ha cabido ni cabrá en mí
un mal pensamiento.

— Don Modesto — dijo Rosa Mística con impaciencia,
mirándole con un ojo encendido, mientras el otro hacía 20
vanos esfuerzos por imitarlo, — ¿ me cree usted tan simple
que pueda pensar que dos personas como usted y yo,
sensatas y temerosas de Dios, se conduzcan como los
casquivanos, que no tienen pudor, ni miedo al pecado ?
Pero en este mundo no basta obrar bien; es preciso no 25
dar que decir, guardando en todo las apariencias.

— ¡ Ésta es otra ! — repuso el Comandante. — ¡ Qué
apariencias puede haber entre nosotros ! ¿ No sabe usted
que el que se excusa se acusa ?

— Dígole a usted — respondió la devota — que no 30
faltará quien murmure.

— ¿ Y qué voy yo a hacer sin usted ? — preguntó

afligido don Modesto. — ¿ Qué será de usted sin mí, sola
en este mundo ?

— El que da de comer a los pajaritos — dijo solemnemente Rosa — cuidará de los que en Él confían.

5   Don Modesto, desconcertado y no sabiendo dónde dar
de cabeza, pasó a ver a su amigo el Cura, que lo era también de Rosita, y le contó cuanto pasaba.

El Cura hizo patente a Rosita que sus escrúpulos eran
exagerados, e infundados sus temores; que, por el con-
10 trario, la proyectada separación daría lugar a ridículos
comentarios.

Siguieron, pues, viviendo juntos como antes, en paz y
gracia de Dios. El Comandante, siempre bondadoso y
servicial; Rosa, siempre cuidadosa, atenta y desinteresada;
15 porque don Modesto no se hallaba en el caso de remunerar
pecuniariamente sus servicios, puesto que si la empuñadura
de su espada de gala no hubiera sido de plata, bien podría
haber olvidado de qué color era este metal.

CAPÍTULO VI

[Cuando Stein llegó al convento, toda la familia estaba
20 reunida tomando el sol en el patio. Durante esta escena,
típicamente andaluza, la tía María persuade a Stein que
vaya a ver a la Gaviota para curarla.]

AL DÍA siguiente caminaba la tía María hacia la habitación de la enferma, en compañía de Stein y de Momo,
25 escudero pedestre de su abuela, la cual iba montada en
la formal *Golondrina*, que, siempre servicial, mansa y dócil,
caminaba derecha, con la cabeza caída y las orejas gachas,
sin hacer un solo movimiento espontáneo, excepto si se

encontraba con un cardo, su homónimo, al alcance de su hocico.

Llegados que fueron, se sorprendió Stein de hallar en medio de aquella uniforme comarca, de tan grave y seca naturaleza, un lugar frondoso y ameno, que era como un oasis en el desierto.

Abríase paso la mar por entre dos altas rocas, para formar una pequeña ensenada circular en forma de herradura, que estaba rodeada de finísima arena, y parecía un plato de cristal puesto sobre una mesa dorada. Algunas rocas se asomaban tímidamente entre la arena, como para brindar asiento y descanso en aquella tranquila orilla. A una de estas rocas estaba amarrada la barca del pescador, balanceándose al empuje de la marea cual impaciente corcel que han sujetado...

Cuando los recién venidos entraron en la cabaña, encontraron al pescador, triste y abatido, sentado a la lumbre frente a su hija, que con el cabello desordenado y colgando a ambos lados de su pálido rostro, encogida y tiritando, envolvía sus descarnados miembros en un toquillón de balleta parda. No parecía tener arriba de trece años. La enferma fijó sus grandes y ariscos ojos negros en las personas que entraban con una expresión poco benévola, volviendo en seguida a acurrucarse en el rincón del hogar.

— Tío Pedro — dijo la tía María — usted se olvida de sus amigos; pero ellos no se olvidan de usted. ¿ Me querrá usted decir para qué le dió el Señor la boca ? ¿ No hubiera usted podido venir a decirme que la niña estaba mala? Si antes me lo hubiese usted dicho, antes hubiese yo venido aquí con el señor, que es un médico de los pocos y que en un dos por tres se la va a usted a poner buena.

Pedro Santaló se levantó bruscamente, se adelantó hacia Stein, quiso hablarle; pero de tal suerte estaba conmovido, que no pudo articular palabra, y se cubrió el rostro con las manos.

5 Era un hombre de edad, de aspecto tosco y formas colosales. Su rostro, tostado por el sol, estaba coronado por una espesa y bronca cabellera cana; su pecho, rojo como el de los indios del Ohío, estaba cubierto de vello.

— Vamos, tío Pedro — siguió la tía María, cuyas lágri-
10 mas corrían hilo a hilo por sus mejillas, al ver el desconsuelo del pobre padre; — ¡ un hombre como usted, tamaño como un templo, con un aquel que parece que se va a comer los niños crudos, se amilana así sin razón ! ¡ Vaya ! ¡ Ya veo que es usted todo fachada !

15 — Tía María — respondió en voz apagada el pescador — ¡ con ésta serán cinco hijos enterrados !

— ¡ Señor ! ¿ Y por qué se ha de descorazonar usted de esa manera ? Acuérdese usted del santo de su nombre, que se hundió en la mar cuando le faltó la fe que le sostenía.
20 Le digo a usted que con el favor de Dios don Federico curará a la niña en un decir Jesús.

El tío Pedro meneó tristemente la cabeza.

— ¡ Qué cabezones son estos catalanes ! — dijo la tía María con viveza; y pasando por delante del pescador
25 se acercó a la enferma y añadió: — Vamos, Marisalada, levántate, hija, para que este señor pueda examinarte.

Marisalada no se movió.

— Vamos, criaturita — repitió la buena mujer — verás cómo te va a curar como por ensalmo.

30 Diciendo estas palabras cogió por un brazo a la niña, procurando levantarla.

— ¡ No me da la gana ! — dijo la enferma, despren-

diéndose de la mano que la retenía, con una fuerte sacudida.

— Tan suavita es la hija como el padre; quien lo hereda,
no lo hurta — murmuró Momo, que se había asomado a
la puerta.

— Como está mala, está mal templada — dijo su padre,
tratando de disculparla.

Marisalada tuvo un golpe de tos. El pescador se re-
torció las manos de angustia.

— Un resfriado — dijo la tía María; — vamos, que eso
no es cosa del otro jueves. Pero también, tío Pedro de
mis pecados, ¿ quién consiente en que esa niña, con el
frío que hace, ande descalza de pies y piernas por esas
rocas y esos ventisqueros ?

— ¡ Quería ! . . . — respondió el tío Pedro.

— ¿ Y por qué no se le dan alimentos sanos, buenos
caldos, leche, huevos ? Y no que lo que come no son más
que mariscos.

— ¡ No quiere ! — respondió con desaliento el padre.

— Morirá de mal mandada — opinó Momo, que se
había apoyado, cruzado de brazos, en el quicio de la
puerta.

— ¿ Quieres meterte la lengua en la faltriquera ? — le
dijo impaciente su abuela; y volviéndose a Stein; — Don
Federico, procure usted examinarla sin que tenga que
moverse, pues no lo hará aunque la maten.

Stein empezó por preguntar al padre algunos pormenores sobre la enfermedad de su hija; acercándose
después a la paciente, que estaba amodorrada, observó
que sus pulmones se hallaban oprimidos en la estrecha
cavidad que ocupaban, y estaban irritados de resultas
de la opresión. El caso era grave. Tenía una gran de-

bilidad por falta de alimentos, tos honda y seca, y calentura continua; en fin, estaba en camino de la consunción.

— ¿ Y todavía le da por cantar ? — preguntó la anciana durante el examen.

5 — Cantará crucificada, como los *murciélagos* — dijo Momo, sacando la cabeza fuera de la puerta para que el viento se llevase sus suaves palabras y no las oyese su abuela.

— Lo primero que hay que hacer — dijo Stein — es
10 impedir que esta niña se exponga a la intemperie.

— ¿ Lo estás oyendo ? — dijo a la niña su angustiado padre.

— Es preciso — continuó Stein — que gaste calzado y ropa de abrigo.

15 — ¡ Si no quiere ! — exclamó el pescador levantándose precipitadamente y abriendo un arca de cedro, de la que sacó cantidad de prendas de vestir. — ¡ Nada le falta; cuanto tengo y puedo juntar es para ella ! María, hija, ¿ te pondrás estas ropas ? ¡ Házlo, por Dios, Mariquilla !
20 Ya ves que lo manda el médico.

La muchacha, que se había despabilado con el ruido que había hecho su padre, lanzó una mirada díscola a Stein, diciendo con voz áspera:

— ¿ Quién me gobierna a mí ?

25 — No me dieran a mí más trabajo que ése y una vara de acebuche — murmuró Momo.

— Es preciso — prosiguió Stein — alimentarla bien, y que tome caldos sustanciosos.

La tía María hizo un gesto expresivo de aprobación.

30 — Debe nutrirse con leche, pollos, huevos frescos y cosas análogas.

— ¡ Cuando yo le decía a usted — prorrumpió la abuelita

encarándose con el tío Pedro — que el señor es el mejor
médico del mundo entero !

— Cuidado que no cante — advirtió Stein.

— ¡ Que no vuelva yo a oírla ! — exclamó con dolor
el pobre tío Pedro.

— ¡ Pues mira qué desgracia ! — contestó la tía María.
— Deje usted que se ponga buena, y entonces podrá
cantar de día y de noche como un reloj de cucú. Pero
estoy pensando que lo mejor será que yo me la lleve a mi
casa, porque aquí no hay quien la cuide, ni quien haga
un buen puchero como lo sé yo hacer.

— Lo sé por experiencia — dijo Stein sonriéndose; — y
puedo asegurar que el caldo hecho por manos de mi buena
enfermera se le puede presentar a un rey.

La tía María se esponjó tan satisfecha.

— Conque, tío Pedro, no hay más que hablar; me la
llevo.

— ¡ Quedarme sin ella ! ¡ No, no puede ser !

— Tío Pedro, tío Pedro, no es ésa la manera de querer
a los hijos — replicó la tía María; — el amor a los hijos
es anteponer a todo lo que a ellos conviene.

— Pues bien está — repuso el pescador levantándose de
repente; — llévesela usted; en sus manos la pongo; al
cuidado de ese señor la entrego y al amparo de Dios la
encomiendo.

Diciendo esto, salió precipitadamente de la casa, como
si temiese volverse atrás de su determinación; y fué a
aparejar su burra.

— Don Federico — preguntó la tía María cuando quedaron solos con la niña, que permanecía aletargada —
¿no es verdad que la pondrá usted buena con la ayuda de
Dios ?

— Así lo espero — contestó Stein; — ¡ no puedo expresar a usted cuánto me interesa ese pobre padre !

La tía María hizo un lío de la ropa que el pescador había sacado, y éste volvió trayendo del diestro la bestia. Entre todos colocaron encima a la enferma, la que, siguiendo amodorrada con la calentura, no opuso resistencia. Antes que la tía María se subiese en *Golondrina*, que parecía bastante satisfecha de volverse en compañía de *Urca* (que tal era *la gracia* de la burra del tío Pedro), éste llamó aparte a la tía María y le dijo, dándole unas monedas de oro:

— Esto pudo escapar de mi naufragio; tómelo usted y déselo al médico; que cuanto yo tengo es para quien salve la vida de mi hija.

— Guarde usted su dinero — respondió la tía María; — y sepa que el doctor ha venido aquí, en primer lugar, por Dios, y en segundo . . . por mí.

La tía María dijo estas últimas palabras con un ligero tinte de fatuidad.

Con esto, se pusieron en camino . . .

Dolores recibió a la enferma con los brazos abiertos, celebrando como muy acertada la determinación de su suegra.

Pedro Santaló, que había llevado a su hija, antes de volverse llamó aparte a la caritativa enfermera, y poniéndole las monedas de oro en la mano, le dijo:

— Esto es para costear la asistencia, y para que nada le falte. En cuanto a la caridad de usted, tía María, Dios será el premio.

La buena anciana vaciló un instante, tomó el dinero, y dijo:

— Bien está, nada le faltará; vaya usted descuidado, tío Pedro, que su hija queda en buenas manos.

El pobre padre salió aceleradamente y no se detuvo hasta llegar a la playa. Allí se paró, volvió la cara hacia el convento y se echó a llorar amargamente...

CAPÍTULO VII

Marisalada estaba ya en convalecencia; como si la naturaleza hubiera querido recompensar el acertado método curativo de Stein y el caritativo esmero de la buena tía María.

Habíase vestido decentemente, y sus cabellos, bien peinados y recogidos en una castaña, acreditaban el celo de Dolores, que era quien se había encargado de su vestir.

Un día en que Stein estaba leyendo en su cuarto, cuya ventanilla daba al patio grande donde a la sazón se hallaban los niños jugando con Marisalada, oyó que ésta se puso a imitar el canto de diversos pájaros, con tan rara perfección, que aquél suspendió su lectura para admirar una habilidad tan extraordinaria. Poco después, los muchachos entablaron uno de esos juegos tan comunes en España, en que se canta al mismo tiempo. Marisalada hacía el papel de madre; Pepa el de un caballero que venía a pedirle la mano de su hija. La madre se la niega; el caballero quiere apoderarse de la novia por fuerza, y todo este diálogo se compone de coplas cantadas en una tonada cuya melodía es sumamente agradable.

El libro se cayó de las manos de Stein, que, como buen alemán, tenía gran afición a la música. Jamás había llegado a sus oídos una voz tan hermosa. Era un metal puro y fuerte como el cristal, suave y flexible como la seda. Apenas se atrevía a respirar Stein, temeroso de perder la menor nota.

— Se quisiera usted volver todo orejas — dijo la tía María, que había entrado en el cuarto sin que él lo hubiese echado de ver. — ¿No le he dicho a usted que es un canario sin jaula? ¡Ya verá usted!

5 Y con esto se salió al patio y dijo a Marisalada que cantase una canción.

Ésta con su acostumbrado desabrimiento se negó a ello.

En este momento entró Momo mal engestado, precedido de Golondrina cargada de picón.

10 Traía las manos y el rostro tiznados y negros como la tinta.

— ¡El rey Melchor! — gritó al verlo Marisalada.

— ¡El rey Melchor, el rey Melchor! — repitieron los niños.

15 — Si yo no tuviera más que hacer — respondió Momo rabioso — que cantar y brincar como tú, grandísima holgazana, no estaría tiznado de pies a cabeza. Por fortuna don Federico te ha prohibido cantar y con esto no me mortificarás las orejas.

20 La respuesta de Marisalada fué entonar a trapo tendido una canción.

El pueblo andaluz tiene una infinidad de cantos; son éstos boleras ya tristes, ya alegres; el ole, el fandango, la caña, tan linda como difícil de cantar, y otras con nombre 25 propio, entre las que sobresale el *romance*. La tonada del romance es monótona, y no nos atrevemos a asegurar que, puesta en música, pudiese satisfacer a los *dilettanti* ni a los filarmónicos. Pero en lo que consiste su agrado (por no decir encanto), es en las modulaciones de la voz 30 que lo canta; es en la manera con que algunas notas se ciernen, por decirlo así, y mecen suavemente, bajando, subiendo, arreciando el sonido o dejándolo morir. Así es

SP
863
C

que el romance, compuesto de muy pocas notas, es di-
ficilísimo cantarlo bien y genuinamente. Es tan peculiar
del pueblo, que sólo a estas gentes, y de entre ellas, a pocos, se lo hemos oído cantar a la perfección; parécenos
que los que lo hacen, lo hacen como por intuición... 5
La letra del romance trata generalmente de asuntos mo-
riscos, o refiere piadosas leyendas o tristes historias de
reos.

Este famoso y antiguo romance que ha llegado hasta
nosotros, de padres a hijos, como una tradición de melodía, 10
ha sido más estable, sobre sus pocas notas confiadas al
oído, que las grandezas de España, apoyadas con cañones
y sostenidas por las minas del Perú.

Tiene además el pueblo canciones muy lindas y ex-
presivas, cuya tonada es compuesta expresamente para 15
las palabras, lo que no sucede con las arriba mencionadas,
a las que se adaptan esa innumerable cantidad de coplas
de que cada cual tiene un rico repertorio en su memoria.

María cantaba una de aquellas canciones con toda su
sencillez y energía popular... 20

Apenas hubo acabado de cantar, Stein, que tenía un
excelente oído, tomó la flauta y repitió nota por nota la
canción de Marisalada. Entonces fué cuando ésta a su
vez quedó pasmada y absorta, volviendo a todas partes la
cabeza, como si buscase el sitio en que reverberaba aquel 25
eco, tan exacto y tan fiel.

— No es eco — clamaron todas las niñas — es don
Federico que está soplando en una caña agujereada.

María entró precipitadamente en el cuarto en que se
hallaba Stein y se puso a escucharle con la mayor aten- 30
ción, inclinando el cuerpo hacia adelante, con la sonrisa
en los labios y el alma en los ojos.

BERGEN JUNIOR COLLEGE LIBRARY

Desde aquel instante la tosca aspereza de María se convirtió, con respecto a Stein, en cierta confianza y docilidad, que causó la mayor extrañeza a toda la familia. Llena de gozo la tía María aconsejó a Stein que se aprove- 5 chase del ascendiente que iba tomando con la muchacha, para inducirla a que se enseñase a emplear bien su tiempo, aprendiendo la ley de Dios, y a trabajar, para hacerse buena cristiana y mujer de razón, nacida para ser madre de familia y mujer de su casa. Añadió la buena anciana 10 que para conseguir el fin deseado, así como para domeñar el genio soberbio de María y sus hábitos bravíos, lo mejor sería suplicar a Señá Rosita, la maestra de amiga, que la tomase a su cargo, puesto que era dicha maestra mujer de razón y temerosa de Dios, y muy diestra en labores de 15 mano.

Stein aprobó mucho la propuesta, y alcanzó de Mari-salada que se prestase a ponerla en ejecución, prometién-dole en cambio ir a verla todos los días y divertirla con la flauta.

20 Las disposiciones que aquella criatura tenía para la música despertaron en ella una afición extraordinaria a su cultivo, y la habilidad de Stein fué la que le dió el primer impulso.

Cuando llegó a noticia de Momo que Marisalada iba a 25 ponerse bajo la tutela de Rosa Mística, para aprender allí a coser, barrer y guisar, y sobre todo, como él decía, a tener juicio, y que el doctor era quien la había decidido a este paso, dijo que ya caía en cuenta de lo que don Federico le había contado de allá en su tierra, que había 30 ciertos hombres, detrás de los cuales echaban a correr todas las ratas del pueblo cuando se ponían a tocar un pito.

Desde la muerte de su madre, Señá Rosa había establecido una escuela de niñas, a que en los pueblos se da el nombre de amiga, y en las ciudades, el más a la moda, de academia. Asisten a ellas las niñas en los pueblos desde por la mañana hasta mediodía, y sólo se enseña la doctrina cristiana y la costura. En las ciudades aprenden a leer, escribir, el bordado y el dibujo. Claro es que estas casas no pueden crear pozos de ciencia, ni ser semilleros de artistas, ni modelos de educación cual corresponde a la *mujer emancipada*. Pero en cambio suelen salir de ellas mujeres hacendosas y excelentes madres de familia, lo cual vale algo más.

Una vez restablecida la enferma, Stein exigió de su padre que la confiase por algún tiempo a la buena mujer, que debía suplir, con aquella indómita criatura, a la madre que había perdido, y adoctrinarla en las obligaciones propias de su sexo.

Cuando se propuso a Señá Rosa que admitiese en su casa a la *bravía* hija del pescador, su primera respuesta fué una terminante negativa, como suelen hacer en tales casos las personas de su temple; pero acabó por ceder cuando se le dieron a entender los buenos efectos que podría tener aquella obra de caridad; como hacen en iguales circunstancias todas las personas religiosas, para las cuales la obligación no es cosa convencional sino una línea recta trazada con mano firme.

No es ponderable lo que padeció la infeliz mujer mientras estuvo a su cargo Marisalada. Por parte de ésta no cesaron las burlas ni las rebeldías, ni por parte de la maestra los sermones sin provecho y las exhortaciones sin fruto.

Dos ocurrencias agotaron la paciencia de Señá Rosa,

con tanta más razón, cuanto que no era en ella virtud innata, sino trabajosamente adquirida.

Marisalada había logrado formar una especie de conspiración en las filas del batallón que Señá Rosa capitaneaba. Esta conspiración llegó por fin a estallar un día, tímida y vacilante a los principios, mas después osada y con el cuello erguido; y fué en los términos siguientes:

— No me gustan las rosas de a libra — dijo de repente Marisalada.

— ¡ Silencio ! — mandó la maestra, cuya severa disciplina no permitía que se hablase en las horas de clase.

Se restableció el silencio.

Cinco minutos después, se oyó una voz muy aguda, y no poco insolente que decía:

— No me gustan las rosas lunarias.

— Nadie te lo pregunta — dijo Señá Rosa, creyendo que esta intempestiva declaración había sido provocada por la de Marisalada.

Cinco minutos después, otra de las conspiradoras dijo, recogiendo el dedal que se le había caído:

— A mí no me gustan las rosas blancas.

— ¿ Qué significa esto ? — gritó entonces Rosa Mística, cuyo ojillo negro brillaba como un fanal. — ¿ Se están ustedes burlando de mí ?

— No me gustan las rosas de pitiminí — dijo una de las más chicas, ocultándose inmediatamente debajo de la mesa.

— Ni a mí las rosas de Pasión.

— Ni a mí las rosas de Jericó.

— Ni a mí las rosas amarillas.

La voz clara y fuerte de Marisalada obscureció todas las otras, gritando:

— A las rosas secas no las puedo ver.

— A las rosas secas — exclamaron en coro todas las muchachas — no las puedo ver.

Rosa Mística, que al principio había quedado atónita, viendo tanta insolencia, se levantó, corrió a la cocina y volvió armada de una escoba.

Al verla, todas las muchachas huyeron como una bandada de pájaros. Rosa Mística quedó sola, dejó caer la escoba y se cruzó de brazos.

— ¡Paciencia, Señor! — exclamó, después de haber hecho lo posible por serenarse: — sobrellevaba con resignación mi apodo, como tú cargaste con la cruz; pero todavía me faltaba esta corona de espinas. ¡Hágase tu santa voluntad!

Quizás se habría prestado a perdonar a Marisalada en esta ocasión, si no se hubiera presentado muy en breve otra, que la obligó por fin a tomar la resolución de despedirla de una vez. Fué el caso que el hijo del barbero, Ramón Pérez, gran tocador de guitarra, venía todas las noches a tocar y cantar coplas amorosas bajo las ventanas severamente cerradas de la beata.

— Don Modesto — dijo ésta un día a su huésped — cuando usted oiga de noche a este chicharra de Ramón desollarnos las orejas con su canto, hágame usted el favor de salir y decirle que se vaya con la música a otra parte.

— Pero, Rosita — contestó don Modesto — ¿ quiere usted que me indisponga con ese muchacho, cuando su padre (Dios se lo pague) me está afeitando de balde desde el día de mi llegada a Villamar? Y vea usted lo que es ... a mí me gusta oírle, porque no puede negarse que canta y toca la guitarra con mucho primor.

— Buen provecho le haga a usted — dijo Señá Rosa. —

Puede ser que tenga usted los oídos a prueba de bomba.
Pero si a usted le gusta, a mí no. Eso de venir a cantar
a las rejas de una mujer honrada, ni le hace favor, ni viene
a qué.

5 La fisonomía de don Modesto expresó una respuesta
muda, dividida en tres partes. En primer lugar, la extrañeza, que parecía decir: ¡ Qué ! ¡ Ramón galantea a
mi patrona ! En segundo lugar, la duda, como si dijera:
¿ Será posible ? En tercer lugar, la certeza, concretada
10 en estas frases: ¡ Ciertos son los toros ! Ramón es un
atrevido.

— Pero bien pensado — continuó Señá Rosa — no se
mueva usted; que podría resfriarse, pasando del calor de
su cama al aire. Más vale que se quede usted quieto,
15 y sea yo la que diga al tal mochuelo, que si se quiere
divertir, que compre una mona.

Al sonar las doce de la noche, se oyó el rasgueo de una
guitarra, y en seguida una voz que cantaba:

¡ Vale más lo moreno
20 De mi morena,
Que toda la blancura
De la azucena !

¡ Qué tonteras ! — exclamó Rosa Mística, levantándose
de la cama. — ¡ Qué larga será la cuenta que haya de dar
25 a Dios de tanta palabra vana !

La voz prosiguió cantando:

Niña, cuando vas a misa,
La iglesia se resplandece:
La hierba seca que pisas,
30 Al verte, se reverdece.

— ¡ Dios nos asista ! — exclamó Rosa Mística, poniéndose las terceras enaguas; — también saca a colación la misa en sus coplas profanas; y los que lo oigan, como saben que soy dada a las cosas de Dios, dirán que lo canta por lavarme la cara. ¿ Si pensará ese barbilampiño burlarse de mí ? ¡ No faltara más ! 5

Rosa llegó a la sala, y ¡ cuál no se quedaría al ver a Marisalada asomada al postigo, y oyendo al cantor con toda la atención de que era capaz ! Entonces se persignó, exclamando: 10

— ¡ Y todavía no ha cumplido trece años ! ¡ Sobre que ya no hay niñas !

Tomó a Marisalada por el brazo, la apartó de la ventana, y se colocó en ella a tiempo que Ramón, dándole de firme a la guitarra, entonaba desgañitándose esta copla: 15

> Asómate a esa ventana,
> Esos bellos ojos abre:
> Nos alumbrarás con ellos,
> Porque está obscura la calle.

Y siguió más violento y desatinado que nunca el rasgueo. 20

— Yo seré quien te alumbraré con un blandón del infierno — gritó con agria y colérica voz Rosa Mística: — ¡ libertino, profanador, cantor sempiterno e insufrible !

Ramón Pérez, vuelto en sí de la primera sorpresa, echó a correr más ligero que un gamo, sin volver la cara atrás. 25

Éste fué el golpe decisivo. Marisalada fué despedida de una vez, a pesar del empeño que hizo tímidamente don Modesto en su favor.

CAPÍTULO VIII

Tres años había que Stein permanecía en aquel tranquilo rincón... Habíase dedicado a la educación de la niña enferma, que le debía la vida, y aunque cultivaba un suelo ingrato y estéril, había conseguido a fuerza de
5 paciencia hacer germinar en él los rudimentos de la primera enseñanza. Pero lo que excedió sus esperanzas fué el partido que sacó de las extraordinarias facultades filarmónicas con que la naturaleza había dotado a la hija del pescador. Era su voz incomparable, y no fué difícil a
10 Stein, que era buen músico, dirigirla con acierto, como se hace con las ramas de la vid, que son a un tiempo flexibles y vigorosas, dóciles y fuertes.

Pero el maestro, que tenía un corazón tierno y suave, y en su temple una propensión a la confianza que rayaba
15 en ceguedad, se enamoró de su discípula, contribuyendo a ello el amor exaltado que tenía el pescador a su hija y la admiración que ésta excitaba en la buena tía María; ambos tenían cierto poder simpático y comunicativo que debió ejercer su influencia en una alma abierta, benévola
20 y dócil como la de Stein. Se persuadió, pues, con Pedro Santaló, de que su hija era un ángel, y con la tía María, de que era un portento. Era Stein uno de aquellos hombres que pueden asistir a un baile de máscaras sin llegar a persuadirse de que detrás de aquellas fisonomías absurdas,
25 detrás de aquellas facciones de cartón pintado, hay otras fisonomías y otras facciones, que son las que el individuo ha recibido de la naturaleza. Y si a Santaló cegaba el cariño apasionado, y a la tía María la bondad suma, ambos llegaron a la vez a cegar a Stein.

Pero, después de todo, lo que más le sedujo fué la voz pura, dulce, expresiva y elocuente de María ...

También María por su parte se había aficionado a Stein, no porque agradeciese sus esmeros, ni porque apreciase sus excelentes prendas ni porque comprendiese su 5 gran superioridad de alma y de inteligencia, ni aun siquiera por el atractivo que ejerce el amor en la persona que lo inspira, sino porque agradecimiento, admiración, atractivo, los sentía, y se los inspiraba el *músico*, el maestro que en el arte la iniciaba. Además, el aislamiento en que 10 vivía apartaba de ella todo otro objeto que hubiese podido disputar a aquél la preferencia: don Modesto no estaba en edad de figurar en la palestra de amor; Momo, además de ser extraordinariamente feo, conservaba toda su animosidad contra Marisalada, y no cesaba de llamarla 15 *Gaviota*, y ella le miraba con el más alto desprecio. Es cierto que no faltaban mozalbetes en el lugar, empezando por el barberillo, que persistía en suspirar por María; pero todos estaban lejos de poder competir con Stein.

Por este tranquilo estado de cosas habían pasado tres 20 veranos y tres inviernos, como tres noches y tres días serenos, cuando acaeció lo que vamos a referir.

Forjábase en el tranquilo Villamar (¡ quién lo diría !) una intriga; era su promotor y jefe (¡ quién lo pensara !) la tía María; era el confidente (¡ quién no se asombra !) 25 don Modesto.

Aunque sea una indiscreción, o por mejor decir, una bajeza el acechar, oigámoslos en la huerta escondidos detrás de este naranjo, cuyo tronco permanece firme, mientras sus flores se han marchitado y sus hojas se han 30 caído, como queda en el fondo del alma la resignación, cuando se ha ajado la alegría y se han muerto las espe-

ranzas; oigamos, volvemos a decir, el coloquio que en
secreto conciliábulo tienen los mencionados confidentes,
mientras fray Gabriel, que está a mil leguas aunque pegado
a ellos, amarra con vencejos las lechugas para que crezcan
5 blancas y tiernas.

— No es que me lo figuro, don Modesto — decía la
instigadora; — es una realidad; para no verlo sería preciso no tener ojos en la cara. Don Federico quiere a
Marisalada, y a ésta no le parece el doctor costal de paja.

10 — Tía María, ¿ quién piensa en amores ? — respondió
don Modesto, en cuya calma y tranquila existencia no se
había realizado el eterno, clásico, pero invariable axioma
de la inseparable alianza de Marte y Cupido. — ¿ Quién
piensa en amores ? — repitió don Modesto en el mismo
15 tono en que hubiese dicho: ¿ quién piensa en jugar a la
billarda, o en remontar un pandero ?

— La gente moza, don Modesto, la gente moza; y si
no fuera por eso, se acabaría el mundo. Pero el caso es
que es preciso darles a éstos un espolazo, porque esa gente
20 de por allá arriba quiéreme parecer que se andan con gran
pachorra, pues dos años ha que nuestro hombre está
queriendo a su ruiseñor, como él la llama, que eso salta a
la cara; y estoy para mí que no le ha dicho buenos ojos
tienes. Usted que es hombre que supone, un señor con-
25 siderable, y que don Federico le aprecia tanto, debería
usted darle una puntadilla sobre el asunto, un buen consejo, en bien de ellos y de todos nosotros.

— Dispénseme usted, tía María — respondió don Modesto; — pero Ramón Pérez está por medio; es amigo,
30 y no quiero hacerle mal tercio; me afeita por mi buena
cara, y meterme a apadrinar a otro sería una mala partida.
Tiene mucha pena en ver que Marisalada no le quiere;

y se ha puesto amarillo y delgado que es un dolor. El
otro día dijo que si no se casaba con Marisalada, rompería
su guitarra, y ya que no podía meterse fraile, se metería
a faccioso. Ya ve usted, tía María, que de todas maneras
me comprometo, metiéndome en ese asunto.

— ¡ Señor ! — dijo la tía María — ¿ y va usted a tomar
por lo serio lo que dicen los enamorados ? Si Ramón
Pérez, el pobrecillo, no es capaz de matar un gorrión,
¿ cómo puede usted creer que se vaya a matar cristianos ?
Pero considere usted que si se casa don Federico se nos
quedará aquí para siempre, ¿ y qué suerte no sería ésta
para todos ? Le aseguro a usted que se me abren las
carnes así que habla de irse. Por fortuna que cada vez se
lo quitamos de la cabeza. Pues y la niña, ¡ qué suerte
haría ! Que ha de saber usted que gana don Federico muy
buenos cuartos. Cuando asistió y sacó en bien al hijo
del alcalde don Perfecto, le dió éste cien reales, como
cien estrellas. ¡ Qué linda pareja harían, mi Comandante !

— No digo que no, tía María — repuso don Modesto —
pero no me dé usted cartas en el asunto y déjeme observar
mi estricta neutralidad. No tengo dos caras; tengo la
que me afeita Ramón, y no otra.

En este momento entró Marisalada en la huerta. No
era ya por cierto la niña que conocimos, desgreñada y
mal compuesta; primorosamente peinada y vestida con
esmero, venía todas las mañanas al convento, al que si
bien no la atraían el cariño ni la gratitud a los que lo
habitaban, traíala el deseo de oír y aprender música de
Stein, al paso que la echaba de la cabaña el fastidio de
hallarse sola en ella con su padre, que no la divertía.

— ¿ Y don Federico ? — dijo al entrar.

— Aún no ha vuelto de ver a sus enfermos — respondió

la tía María; — hoy iba a vacunar más de doce niños.
¡ Tales cosas, don Modesto ! Sacó el *pus*, como dice su
merced, de la teta de una vaca. ¡ Que las vacas tengan un
contraveneno para las viruelas ! Y verdad será, porque
5 don Federico lo dice.

— Y tanta verdad que es — repuso don Modesto —
y que lo inventó un suizo. Cuando estaba en Gaeta ví a
los suizos, que son la guardia del Papa; pero ninguno me
dijo ser él el inventor.

10   — Si yo hubiese sido Su Santidad — prosiguió la tía
María — hubiese premiado al inventor con una indulgencia plenaria. Siéntate, Saladilla mía, que tengo hambre
de verte.

— No — contestó María; — me voy.

15   — ¿ Dónde has de ir que más te quieran ? — dijo la
tía María.

— ¿ Qué se me da a mí que me quieran ? — respondió
Marisalada; — ¿ qué hago yo aquí si no está don Federico ?

— ¡ Vamos allá ! ¿ Con que no vienes aquí sino por
20 ver a don Federico, ingratilla ?

— Y si no, ¿a qué había de venir ? — contestó María. —
¿ A hallarme con Romo, que tiene los ojos, la cara y el
alma todo atravesado ?

— ¿ Con que esto es que quieres mucho a don Federico ?
25 — tornó a preguntar la buena anciana.

— Le quiero — respondió María; — si no fuera por él,
no ponía aquí los pies, por no encontrarme con ese demonio de Romo, que tiene un aguijón en la lengua, como
las avispas en la parte de atrás.

30   — ¿ Y Ramón Pérez ? — preguntó con chuscada la tía
María, como para convencer a don Modesto de que su
protegido podía archivar sus esperanzas.

Marisalada soltó una carcajada. — Si ese *Ratón Pérez*
(Momo había puesto este sobrenombre al barberillo)
respondió — se cae en la olla, no seré yo la hormiguita
que lo canta y lo llora, y sobre todo la que lo escuche
cantar; porque su canto me ataca el *sistema nervioso*, 5
como dice don Federico, que asegura que lo tengo más
tirante que las cuerdas de una guitarra. Verá usted como
canta ese Ratón Pérez, tía María.

Cogió Marisalada rápidamente una hoja de pita que
estaba en el suelo, y era de las que servían al hermano 10
Gabriel para poner como biombos contra el viento Norte
delante de las tomateras cuando empezaban a nacer;
y apoyándola en su brazo, a estilo de una guitarra, se
puso a remedar de una manera grotesca los ademanes de
Ramón Pérez, y con su singular talento de imitación y 15
su modo de cantar y hacer gorgoritos, de esta suerte cantó:

¿ Qué tienes, hombre de Dios,
Que te vas poniendo flaaaaco ?
— Es porque puse los ojos
En un castillo muy aaaalto.

20

— Sí — dijo don Modesto, que recordó las serenatas a
la puerta de Rosita; — ese pobre Ramón siempre ha
puesto alto los ojos.

A don Modesto no le habían podido disuadir los ul-
teriores sucesos de que no fuese Rosita el objeto que 25
atrajo las consabidas serenatas, porque una idea que entraba en la cabeza de don Modesto caía como en una
alcancía; ni él mismo la podía volver a sacar.

— Me voy — dijo María, tirando la pita de modo que
vino a dar ruidosamente contra fray Gabriel, que, vuelto 30

de espalda y agachado, ataba su centésimo vigésimo quinto vencejo.

— ¡ Jesús ! — exclamó asombrado fray Gabriel; pero en seguida se volvió a atar sus vencejos, sin añadir palabra.

5 — ¡ Qué puntería ! — dijo María riéndose: — don Modesto, tómeme usted para artillero cuando logre los cañones para su fuerte.

— Esas no son gracias, María; son chanzas pesadas, que sabes que no me gustan — dijo incomodada la buena 10 anciana. — Dime a mí lo que quieras; pero a fray Gabriel déjale en paz, que es el único bien que le ha quedado.

— Vamos, no se enfade usted, tía María — repuso la Gaviota; — consuélese usted con pensar que nada tiene de vidrio fray Gabriel sino sus espejuelos ... Me voy, 15 porque don Federico no viene; estoy para mí que está vacunando a todo el lugar, inclusos Señá Mística, el maestro de escuela y el alcalde.

Pero la buena anciana, que estaba acostumbrada a las maneras desabridas de María, que por lo tanto no herían, 20 la llamó y le dijo se sentase a su lado.

Don Modesto, que infirió que la buena mujer iba a armar sus baterías, fiel a la neutralidad que había prometido, se despidió, dió media vuelta a la derecha y tocó retirada, pero no sin que la tía María le diese un par de 25 lechugas y un manojo de rábanos.

— Hija mía — dijo la anciana cuando estuvieron solas; — ¿ qué no sería que se casase contigo don Federico, y que fueses tú así la señá médica, la más feliz de las mujeres, con ese hombre que es un San Luis Gonzaga, que 30 sabe tanto, que toca tan bien la flauta, y gana tan buenos cuartos ? Estarías vestida como un palmito, comida y bebida como una mayorazga; y sobre todo, hija mía,

podrías mantener al pobrecito de tu padre, que se va
haciendo viejo, y es un dolor verle echarse a la mar, que
llueva, que ventee, para que a ti no te falte nada. Así
don Federico se quedaría entre nosotros, consolando y
aliviando males, como un ángel que es.

María había escuchado a la anciana con mucha atención, aunque afectando tener la vista distraída; cuando
hubo acabado de hablar, calló un rato, y dijo después con
indiferencia.

— Yo no quiero casarme.

— ¡ Oiga ! — exclamó la tía María; — ¿ pues acaso te
quieres meter monja ?

— Tampoco — respondió la Gaviota.

— ¿ Pues qué ? — preguntó asombrada la tía María —
¿ no quieres ser ni carne ni pescado ? ¡ No he oído otra !
La mujer, hija mía, o es de Dios o del hombre; si no, no
cumple con su vocación, ni con la de arriba ni con la de
abajo.

— ¿ Pues qué quiere usted, señora ? No tengo vocación
ni para casada ni para monja.

— Pues hija — repuso la tía María — será tu vocación
la de la mula. A mí, Mariquita, no me gusta nada de lo
que sale de lo regular; en particular a las mujeres, les
está tan mal no hacer lo que hacen las demás, que si yo
fuese hombre, la había de huír a una mujer así como a
un toro bravo. En fin, tu alma en tu palma; allá te las
avengas. Pero — añadió con su acostumbrada bondad —
eres muy niña y tienes que dar más vueltas que da una
llave.

Marisalada se levantó y se fué.

— ¡ Sí ! — iba pensando, tocándose el pañolón por la
cabeza; — me quiere; eso ya me lo sabía yo. Pero ...

como fray Gabriel a la tía María, esto es, como se quieren
los viejos. ¿ A que no sufría un aguacero en mi reja por
no resfriarse ? Ahora, si se casa conmigo me hará buena
vida, ¡ eso sí ! Me dejará hacer lo que me dé la gana, me
5 tocará su flauta cuando se lo pida y me comprará lo que
quiera y se me antoje. Si fuera su mujer, tendría un
pañolón de espumilla, como Quela la hija del tío Juan
López, y una mantilla de blonda de Almagro, como la
alcaldesa. ¡ Lo que rabiarían de envidia ! Pero me parece
10 que don Federico, que se derrite como tocino en sartén
cuando me oye cantar, lo mismo piensa en casarse conmigo, que piensa don Modesto en casarse con su querida
Rosa . . . de todos los diablos.

En todo este bello monólogo mental no hubo un pen-
15 samiento ni un recuerdo para su padre, cuyo alivio y
bienestar habían sido las primeras razones que había
aducido la tía María.

CAPÍTULO IX

A LA mañana siguiente, cuando llegó Marisalada, al
entrar en el patio, se dió de frente con Momo, que, sentado
20 sobre una piedra de molino, almorzaba pan y sardinas.

— ¿ Ya estás ahí, Gaviota ? — éste fué el suave recibimiento que le hizo Momo; — ¡ sobre que un día te
hemos de hallar en la olla del potaje ! ¿ No tienes nada
que hacer en tu casa ?

25 — Todo lo dejo yo — respondió María — por venir a
ver esa cara tuya, que me tiene hechizada, y esas orejas
que te envidia Golondrina. Oyes, ¿ sabes por qué tenéis
vosotros las orejas tan largas ? Cuando padre Adán se

halló en el paraíso con tanto animal, les dió a cada cual
su nombre; a los de tu especie los nombró borricos.
Unos días después, los juntó y les fué preguntando a cada
cual su nombre; todos respondieron, menos los de tu
casta, que ni su nombre sabían. Dióle tal rabia a padre
Adán, que cogiendo al desmemoriado por las orejas, se
puso a gritar a la par que tiraba desaforadamente de
ellas: ¡ Te llamas borriiicooo !

Diciendo y haciendo, había cogido María las orejas a
Momo y se las tiraba de manera de arrancárselas.

Fué la suerte de María que, al primer berrido que dió
Momo con toda la fuerza de sus anchos pulmones, se le
atravesó un bocado de pan y sardina, lo que le ocasionó tal
golpe de tos, que ella, ligera como buena gaviota, pudo
escaparse del buitre.

— Buenos días, mi ruiseñor — dijo Stein que al oírla
había salido al patio.

— Por vía del ruiseñor, ¡ ehé, ehé, ehé, ehé ! — gruñía
y tosía Momo; — ¡ ruiseñor, y es la chicharra más cansada que ha criado el estío ! ¡ ehé, ehé, ehé, ehé !

— Ven, María — prosiguió Stein — ven a escribir y a
leer los versos que traduje ayer . . .

— María — dijo Stein cuando ésta hubo acabado la
lectura — tú, que no conoces el mundo, no puedes graduar
cuánta y qué profunda verdad hay en estos versos, y
cuánta filosofía. ¿ Te acuerdas que te expliqué lo que era
filosofía ?

— Sí, señor — respondió María — la ciencia de ser feliz.
Pero en eso, señor, no hay reglas ni ciencia que valga;
cada cual entiende el modo de serlo a su manera. Don
Modesto, en que le pongan cañones a su fuerte, tan ruinoso
como él; fray Gabriel, en que le vuelvan su convento,

su Prior y sus campanas; tía María, en que usted no se vaya; mi padre en coger una corvina, y Momo, en hacer todo el mal que pueda.

Stein se echó a reír, y poniendo cariñosamente su mano sobre el hombro de María, — ¿ y tú — le dijo — en qué la haces consistir ?

María vaciló un momento sobre lo que había de contestar, levantó sus grandes ojos, miró a Stein, los volvió a bajar ... y contestó al fin: — ¿ Y usted don Federico, en qué la haría consistir ? ¿ en irse a su tierra ?

— No — respondió Stein.

— ¿ Pues en qué ? — prosiguió preguntando María.

— Yo te lo diré, ruiseñor mío — respondió Stein; — pero antes, dime tú; ¿ en qué harías consistir la tuya ?

— En oír siempre tocar a usted — respondió María con sinceridad.

* * *

— ¿ Has notado que tengo canas, María ?

— Sí — respondió ésta.

— Pues mira, bien joven soy; pero el sufrir madura pronto la cabeza. Mi corazón ha quedado joven, María, y te ofrecería flores de primavera, si no temiese te asustasen las tristes señales de invierno que ciñen mi frente.

— Verdad es — respondió María, que no pudo contener su natural impulso — que un novio con canas no pega.

— ¡ Bien lo pensé así ! — dijo Stein con tristeza; — mi corazón es leal, y la tía María se engañó cuando, al asegurarme posible la felicidad, hizo nacer en él esperanzas, como nace la flor del aire, sin raíces, y sólo al soplo de la brisa.

María, que echó de ver que había rechazado con su aspereza a una alma demasiado delicada para insistir,

y a un hombre bastante modesto para persuadirse de que
aquella sola objeción bastaba para anular sus demás ventajas, dijo precipitadamente:

— Si un novio con canas no pega, un marido con canas
no asusta.

Stein quedó sumamente sorprendido de esta brusca
salida, y aun más, de la decisión e impasibilidad con que
se hacía. Luego se sonrió y la dijo:

— ¿ Te casarías, pues, conmigo, bella hija de la naturaleza ?

— ¿ Por qué no ? — respondió la Gaviota.

— María — dijo conmovido Stein — la que admite a un
hombre para marido, y se aviene a unirse a él para toda la
vida, o mejor dicho, a hacer de dos vidas una, como en una
antorcha dos pábilos forman una misma llama, le favorece
más que la que le acoge por amante.

— ¿ Y para qué sirven — dijo María con mezcla de
inocencia y de indiferencia — los peladeros de pava en la
reja ? ¿A qué sirven los guitarreos, si tocan y cantan mal,
sino para ahuyentar los gatos ?

Habían llegado a la playa, y Stein suplicó a María se
sentase a su lado, sobre unas rocas. Callaron largo rato:
Stein estaba profundamente conmovido; María, aburrida,
había tomado una varita y dibujaba con ella figuras en
la arena.

— ¡ Cómo habla la naturaleza al corazón del hombre !
— dijo al fin Stein; — ¡ qué simpatía une a todo lo que Dios
ha creado ! Una vida pura es como un día sereno; una
vida de pasiones desenfrenadas es como un día de tormenta. Mira esas nubes que llegan, lentas y obscuras, a
interponerse entre el sol y la tierra; son como el deber que
se interpone entre el corazón y un amor ilícito ... Pero

nuestra felicidad será inalterable como el cielo de mayo;
porque tú me querrás siempre, ¿ no es verdad, María ?

María no tenía ganas de responder; pero como tampoco
podía dejar de hacerlo, escribió en la arena con la varita,
5 con que distraía su ocio, la palabra ¡ *Siempre!*

Stein tomó el fastidio por modestia, y prosiguió conmovido:

— Mira la mar: ¿ oyes como murmuran sus olas con
una voz tan llena de encanto y de terror ? Parecen mur-
10 murar graves secretos, en una lengua desconocida. Las
olas son, María, aquellas sirenas seductoras y terribles,
en cuya creación fantástica las personificó la florida imaginación de los griegos: seres bellos y sin corazón, tan
seductores como terribles, que atraían al hombre con tan
15 dulces voces para perderle. Pero tú, María, no atraes
con tu dulce voz, para pagar con ingratitud; no: tú
serás la sirena en la atracción, pero no en la perfidia.
¿ No es verdad, María, que nunca serás ingrata ?

— ¡ *Nunca!* — escribió María en la arena; y las olas
20 se divertían en borrar las palabras que escribía María,
como para parodiar el poder de los días, olas del tiempo,
que van borrando en el corazón, cual ellas en la arena,
lo que se asegura tener grabado en él para siempre.

— ¿ Por qué no me respondes con tu dulce voz ? —
25 dijo Stein a María.

— ¿ Qué quiere usted, don Federico ? — contestó ésta;
— se me anuda la garganta para decirle a un hombre que
le quiero. Soy seca y descastada, como dice la tía María,
que no por eso deja de quererme; cado uno es como Dios
30 le ha hecho. Soy como mi padre; palabras pocas.

— Pues si eres como tu padre, nada más deseo, porque
el buen tío Pedro, diré mi padre, María, tiene el co-

razón más amante que abrigó pecho humano. Corazones
como el suyo sólo laten en los diáfanos pechos de los
ángeles, y en los de los hombres selectos.

— ¡ Selecto mi padre ! — dijo para sí María, pudiendo
apenas contener una sonrisa burlona. — ¡ Anda con Dios !
más vale que así le parezca.

— Mira, María — dijo Stein acercándose a ella; —
ofrezcamos a Dios nuestro amor puro y santo: prometá-
mosle hacérselo grato con la fidelidad en el cumplimiento
de todos los deberes que impone cuando está consagrado
en sus aras; y deja que te abrace como a mi mujer y a mi
compañera.

— ¡ Eso no ! — dijo María dando un rápido salto atrás
y arrugando el entrecejo; — ¡ a mí no me toca nadie !

— Bien está, mi bella esquiva — repuso Stein con dulzura; — respeto todas las delicadezas, y me someto a todas
tus voluntades. ¿ No es acaso, como dice uno de vuestros
antiguos y divinos poetas, la mayor de las felicidades, la
de *obedecer amando ?* . . .

[Para felicidad del padre de la Gaviota y alegría de todos, se concierta por fin la boda entre Stein y Marisalada.]

Momo, con su acostumbrada mala intención, tuvo el
gusto de dar la noticia del casamiento a Ramón Pérez.

— Oye, Ratón Pérez — le dijo — ya puedes comer cebolla hasta hartarte, que a don Federico le ha tentado el
diablo, y se casa con la Gaviota.

— ¿ De veras ? — exclamó consternado el barbero.

— ¿ Te asombras ? Más me asombré yo; ¡ sobre que hay
gustos que merecen palos ! ¡ Mire usted, prendarse de esa
descastada, que parece una culebra en pie, echando centellas
por los ojos y veneno por la boca ! Pero en don Federico
se cumplió aquello de que *quien tarde casa, mal casa.*

— No me asombro — repuso Ramón Pérez — de que
don Federico la quiera; sino de que Marisalada quiera
a ese desgavilado, que tiene pelo de lino, cara de manzana
y ojos de pescado. ¡Que no haya tenido presente esa
5 ingrata de que *quien lejos se va a casar, o va engañado o
va a engañar!*

— A fe que no será lo segundo, porque lo que es él es
un hombre de los buenos; no hay que decir. Pero esa
mariparda lo ha engatusado con su canto, que dura desde
10 que echa el sol sus luces hasta que las recoge; pues no
hace *naíta* más. Ya se lo dije yo: don Federico, dice el
refrán: *toma casa con hogar, y mujer que sepa hilar;* y
no ha hecho caso: es un Juan Lanas. En cuanto a ti,
Ratón Pérez, te has quedado con más narices que un pez
15 espada.

— Siempre se ha visto — contestó el barbero dando
tan brusca vuelta a la clavija de su guitarra que saltó
la prima — que de fuera vendrá quien de casa nos echará.
Pero has de saber tú, Romo, que a mí se me da tres pitos.
20 Tal día hará un año; a rey muerto rey puesto.

Y poniéndose a rasguear furiosamente la guitarra,
cantó con voz arrogante:

Dicen que tú no me quieres;
No me da pena maldita;
25 Que la mancha de la mora
Con otra verde se quita.

Si no me quieres a mí,
Se me da tres caracoles;
Con ese mismo dinero
30 Compro yo nuevos amores.

CAPÍTULO X

EL CASAMIENTO de Stein y la Gaviota se celebró en la iglesia de Villamar. El pescador llevaba, en lugar de su camisa de bayeta colorada, una blanca muy almidonada, y una chaqueta nueva de paño azul basto; con cuyas galas estaba tan embarazado que apenas podía moverse.

Don Modesto, que era uno de los testigos, se presentó con toda la pompa de su uniforme viejo y raído a fuerza de cepillazos, el que, habiendo su dueño enflaquecido, le estaba anchísimo. El pantalón de mahón, que Rosa Mística había lavado por milésima vez, pasándolo por agua de paja, que por desgracia no era el agua de Juvencio, se había encogido de tal modo que apenas le llegaba a media pierna. Las charreteras se habían puesto de color de cobre. El tricornio, cuyo erguido aspecto no habían podido alterar ocho lustros de duración, ocupaba dignamente su elevado puesto. Pero al mismo tiempo brillaba sobre el honrado pecho del pobre inválido la cruz de honor ganada valientemente en el campo de batalla, como un diamante puro en un engaste deteriorado.

Las mujeres, según el uso, asistieron de negro a la ceremonia; pero mudaron de traje para la fiesta. Marisalada iba de blanco. Tía María y Dolores llevaban vestidos que Stein les había regalado para aquella ocasión. Eran de tejido de algodón, traído de Gibraltar, de contrabando; el dibujo era el que entonces estaba de moda, y se llamaba *Arco Iris*, por ser una reunión de los colores más opuestos y menos capaces de armonizar entre sí. No parecía sino que el fabricante había querido burlarse de sus consumidores andaluces. En fin, todos se compusieron y engala-

naron, excepto Momo, que no quiso molestarse en una
ocasión como aquélla; lo que dió motivo a que la Gaviota
le dijese:

—Has hecho bien, gaznápiro; por aquello de que
«aunque la mona se vista de seda, mona se queda.»
La misma falta haces tú en mi boda que los perros en misa.

—¿Si te habrás figurado tú que por ser *meica* dejas de
ser Gaviota—repuso Momo—y que por estar recom-
puesta estás bonita? Sí, ¡bonita estás con ese vestido
blanco! Si te pusieras un gorro colorado, parecerías un
fósforo.

Y en seguida se puso a cantar con destemplada voz:

> Eres blanca como el cuervo
> Y bonita como el hambre,
> *Coloraa* como la cera,
> Y gorda como el alambre.

Marisalada repuso en el acto.

> Tienes la boca,
> Que parece un canasto
> De colar ropa:
> Con unos dientes,
> Que parecen zarcillos
> De tres pendientes.

Y le volvió la espalda.

Momo, que no era hombre que se quedase atrás, en
tratándose de insolencias y denuestos, replicó con coraje:

—Anda, anda, a que te echen la bendición: que será
la primera que te hayan echado en tu vida, y que estoy
para mí que será la última.

Celebróse la boda en el pueblo, en la casa de la tía María, por ser demasiado pequeña la choza del pescador para contener tanta concurrencia. Stein, que había hecho algunos ahorros en el ejercicio de su profesión (aunque hacía de balde la mayor parte de las curas) quiso celebrar 5 la fiesta en grande y que hubiese diversión para todo el mundo; por consiguiente se llegaron a reunir hasta tres guitarras y hubo abundancia de vino, mistela, bizcochos y tortas. Los concurrentes cantaron, bailaron, bebieron, gritaron; y no faltaron los chistes y agudezas propias 10 del país.

La tía María iba, venía, servía las bebidas, sostenía el papel de madrina de la boda, y no cesaba de repetir:

— Estoy tan contenta como si fuera yo la novia.

A lo que fray Gabriel añadía indefectiblemente: 15

— Estoy tan contento, como si fuera yo el novio.

— Madre — le dijo Manuel viéndola pasar a su lado — muy alegre es el color de ese vestido para una viuda.

— Cállate, mala lengua — respondió su madre. — Todo debe ser alegre en un día como hoy; además que a caballo 20 regalado no se le mira el diente. Hermano Gabriel, vaya esta copa de mistela y esta torta. Eche usted un brindis a la salud de los novios, antes de volver al convento.

— Brindo a la salud de los novios antes de volver al convento — dijo fray Gabriel. 25

Y después de apurada la copa se escurrió, sin que nadie, excepto la tía María, hubiese echado de ver su presencia, ni notado su ausencia.

La reunión se animaba por grados.

— ¡ Bomba ! — gritó el sacristán, que era bajito, en- 30 cogido y cojo.

Calló todo el mundo al anuncio de este brindis.

— Brindo — dijo — a la salud de los recién casados, a la de toda la honrada compañía, y por el descanso de las ánimas benditas.

— ¡ Bravo ! bebamos, y ¡ viva la Mancha, que da vino en lugar de agua !

— A ti te toca, Ramón Pérez; echa una copla, y no guardes tu voz para mejor ocasión.

Ramón cantó:

> Parabién a la novia
> Le rindo y traigo:
> Pero al novio no puedo
> Sino envidiarlo.

— ¡ Bien, salero ! — gritaron todos. — Ahora el fandango y a bailar.

Al oír el preludio del baile eminentemente nacional, un hombre y una mujer se pusieron simultáneamente en pie, colocándose uno enfrente de otro. Sus graciosos movimientos se ejecutaban casi sin mudar de sitio, con un elegante balanceo de cuerpo, y marcando el compás con el alegre repiqueteo de las castañuelas. Al cabo de un rato los dos bailarines cedían sus puestos a otros dos, que se les ponían delante, retirándose los dos primeros. Esta operación se repetía muchas veces, según la costumbre del país.

Entretanto el guitarrista cantaba:

> Por el sí que dió la niña
> A la entrada de la iglesia,
> Por el sí que dió la niña,
> Entró libre, y salió presa.

— ¡ Bomba ! — gritó de pronto uno de los que se echaban de graciosos. — Brindo por ese *cúralo-todo* que Dios nos ha enviado a esta tierra para que todos vivamos más años que Matusalén; con condición de que, cuando llegue el caso, no trate de prolongar la vida de mi mujer y mi purgatorio.

Esta ocurrencia ocasionó una explosión de vivas y palmadas.

— Y ¿ qué dices tú a todo ésto, Manuel ? — le gritaron todos.

— Lo que yo digo — repuso Manuel — es que no digo nada.

— Ésa no pasa. Si has de estar callado, vete a la iglesia. Echa un brindis, y espabílate.

Manuel tomó un vaso de mistela, y dijo:

— Brindo por los novios, por los amigos, por nuestro Comandante y por la resurrección del San Cristóbal.

— ¡ Viva el Comandante, viva el Comandante ! — gritó todo el concurso; — y tú, Manuel, que lo sabes hacer, echa una copla.

Manuel cantó la siguiente:

> Mira, hombre, lo que haces
> Casándote con bonita;
> Hasta que llegues a viejo,
> El susto no te se quita.

Ramón tomó la guitarra y cantó:

> Cuando la novia va a misa
> Y yo la llego a encontrar;
> Toda mi dicha es besar
> La dura tierra que pisa.

Habiendo sucedido a esta copla otra que *verdeaba*, la tía María se acercó a Stein y le dijo:

— Don Federico, el vino empieza a explicarse; son las doce de la noche, los chiquillos están solos en casa con
5 Momo y fray Gabriel, y me temo que Manuel empine el codo más de lo regular; el tío Pedro se ha dormido en un rincón, y no creo que sería malo tocar la retirada. Los burros están aparejados. ¿Quiere usted que nos despidamos a la francesa?

10 Un momento después, las tres mujeres cabalgaban sobre sus burras hacia el convento. Los hombres las acompañaban a pie, entretanto que Ramón, en un arrebato de celos y despecho, al ver partir a los novios, rasgueando la guitarra con unos bríos insólitos, berreaba más bien que
15 cantaba la siguiente copla:

> Tú me diste calabazas;
> Me las comí con tomate:
> Más bien quiero calabazas,
> Que no entrar en tu linaje.

20 — ¡ Qué hermosa noche ! — decía Stein a su mujer, alzando los ojos al cielo. — ¡ Mira ese cielo estrellado, mira esa luna en todo su lleno, como yo estoy en el lleno de mi dicha ! . . . ¡ Como a mi corazón, nada le falta, ni nada echa menos !

25 — ¡ Y yo que me estaba divirtiendo tanto ! — respondió María impaciente; — no sé por qué dejamos tan temprano la fiesta.

— Tía María — decía Pedro Santaló a la buena anciana — ahora sí, que podemos morir en paz.

30 — Es cierto — respondió ésta; — pero también podemos vivir contentos, y esto es mejor.

— ¿ Es posible que no sepas contenerte, cuando tomas el vaso en la mano? — decía Dolores a su marido. — Cuando sueltas las velas, no hay cable que te sujete.

— ¡ Caramba ! — replicó Manuel. — Si me he venido, ¿ qué más quieres? Si hablas una palabra más, viro de 5 bordo y me vuelvo a la fiesta.

Dolores calló, temerosa de que Manuel realizase su amenaza . . .

— Don Federico — dijo Manuel — ¿ quiere usted que le dé un consejo, como más antiguo en la cofradía? 10

— Calla, por Dios, Manuel — le dijo Dolores.

— ¿ Quieres dejarme en paz? Si no, vuelvo grupa. Oiga usted, don Federico. En primer lugar, a la mujer y al perro, el pan en una mano y el palo en la otra.

— ¡ Manuel ! — repitió Dolores. 15

— ¿ Me dejas en paz, o me vuelvo? — contestó Manuel
— Dolores calló . . .

— Don Federico — dijo Manuel, despidiéndose de los novios, que seguían hacia la choza — cuando usted se arrepienta de lo que acaba de hacer, nos juntaremos y 20 cantaremos a dos voces la misma letra.

Y siguió hacia el convento, oyéndose en el silencio de la noche su clara y buena voz, que cantaba:

> Mi mujer y mi caballo
> Se me murieron a un tiempo; 25
> ¡ Qué mujer, ni qué demonio !
> Mi caballo es lo que siento.

CAPÍTULO XI

Tres años habían transcurrido. Stein, que era uno de
los pocos hombres que no exigen mucho de la vida, se
creía feliz. Amaba a su mujer con ternura; se había
apegado cada día más a su suegro y a la excelente familia
5 que le había acogido moribundo y cuyo buen afecto no se
había desmentido jamás. Su vida uniforme y campestre
estaba en armonía con los gustos modestos y el temple
suave y pacífico de su alma. Por otra parte la monotonía
no carece de atractivos. Una existencia siempre igual es
10 como el hombre que duerme apaciblemente y sin soñar;
como las melodías compuestas de pocas notas que nos
arrullan tan blandamente. Quizás no hay nada que deje
tan gratos recuerdos como lo monótono, ese encadenamiento sucesivo de días, ninguno de los cuales se dis-
15 tingue del que le sigue ni del que le precede.

¡ Cuál no sería, pues, la sorpresa de los habitantes de
la cabaña, cuando vieron venir una mañana a Momo,
corriendo, azorado y gritando a Stein, que fuese, sin perder
un instante, al convento !

20 — ¿ Ha caído enfermo alguno de la familia ? — preguntó Stein asustado.

— No — respondió Momo; — es un Usía que le dicen
su *Esencia*, que estaba cazando en el coto jabalíes y
venados con sus amigos; y al saltar un barranco resbaló
25 el caballo, y los dos cayeron en él. El caballo reventó
y la *Esencia* se ha quebrado cuantos huesos tiene su
cuerpo. Le han llevado allá en unas parihuelas, y aquello
se ha vuelto una Babilonia. Parece el día del juicio.
Todos andan desatentados, como rebaño en que entra el

lobo. El único que está cariparejo es el que dió el batacazo.
Y un real mozo que es, por más señas. Allí andaban todos
aturrullados sin saber qué hacer. Madre abuela les dijo
que había aquí un cirujano de los pocos; mas ellos no lo
querían creer. Pero como para traer uno de Cádiz se
necesitan dos días, y para traer uno de Sevilla se necesitan
otros tantos, dijo su *Esencia* que lo que quería era que
fuese allá el recomendado de mi abuela, y para eso he
tenido que venir yo; pues no parece sino que ni en el
mundo ni en la vida de Dios, hay de quien echar mano
sino de mí. Ahora le digo a usted mi verdad: si yo fuera
que usted, ya que me habían despreciado, no iba ni a dos
tirones.

— Aunque yo fuese capaz — respondió Stein — de infringir mi obligación de cristiano y de profesor, necesitaría
tener un corazón de bronce para ver padecer a uno de
mis semejantes sin aliviar sus males, pudiendo hacerlo.
Además, que esos caballeros no pueden tener confianza
en mí sin conocerme, y esto no es ofensa; ni aun lo sería
si no la tuviesen, conociéndome.

Con esto llegaron al convento.

La tía María, que aguardaba a Stein con impaciencia,
le llevó a donde estaba el desconocido. Habíanle puesto
en la celda prioral donde apresuradamente, y lo mejor
que se pudo, se le había armado una cama. La tía María
y Stein atravesaron la turbamulta de criados y cazadores
que rodeaban al enfermo. Era éste un joven de alta estatura. En torno de su hermoso rostro, pálido, pero tranquilo, caían los rizos de su negra cabellera. Apenas le
hubo mirado Stein, lanzó un grito y se arrojó hacia él:
pero temeroso de tocarle, se detuvo de pronto, y cruzando
sus manos trémulas, exclamó:

— ¡ Dios mío ! ¡ Señor Duque !

— ¿ Me conoce usted ? — preguntó el Duque; porque, en efecto, la persona que Stein había reconocido era el Duque de Almansa.

— ¿ Me conoce usted ? — repitió alzando la cabeza y fijando en Stein sus grandes ojos negros, sin poder caer en quién era el que dirigía la palabra.

— ¡ No se acuerda de mí ! — murmuró Stein, mientras que dos gruesas lágrimas corrían por sus mejillas. — No es extraño: las almas generosas olvidan el bien que hacen, como las agradecidas conservan eternamente en la memoria el que reciben.

— ¡ Mal principio! — dijo uno de los concurrentes. — Un cirujano que llora; ¡ estamos bien !

— ¡ Qué desgraciada casualidad ! — añadió otro.

— Señor Doctor — dijo el Duque a Stein — en vuestras manos me pongo. Confío en Dios, en vos y en mi buena estrella. Manos a la obra y no perdamos tiempo.

Al oír estas palabras, Stein levantó la cabeza; su rostro quedó perfectamente sereno, y con un ademán modesto, pero imperativo y firme, alejó a los circunstantes. En seguida examinó al paciente con mano hábil y práctica en este género de operaciones: todo con tanta seguridad y destreza que todos callaron, y sólo se oía en la pieza el ruido de la agitada respiración del paciente.

— El señor Duque — dijo el cirujano, después de haber concluído su examen — tiene el tobillo dislocado y la pierna rota, sin duda por haber cargado en ella todo el peso del caballo. Sin embargo, creo que puedo responder de la completa curación.

— ¿ Quedaré cojo ? — preguntó el Duque.

— Me parece que puedo asegurar que no.

— Hacedlo así — continuó el Duque — y diré que sois el primer cirujano del mundo.

Stein, sin alterarse, mandó llamar a Manuel, cuya fuerza y docilidad le eran conocidas y de quien podía disponer con toda seguridad. Con su auxilio empezó la cura, que fué ciertamente terrible; pero Stein parecía no hacer caso del dolor que padecía el enfermo, y que casi le embargaba el sentido. Al cabo de media hora reposaba el Duque, dolorido pero sosegado. En lugar de muestras de desconfianza y recelo, Stein recibía de los amigos del personaje enhorabuenas cumplidas y pruebas de aprecio y admiración; y él, volviendo a su natural modesto y tímido, respondía a todos con cortesías. Pero quien se estaba bañando en agua rosada era la tía María.

— ¿ No lo decía yo ? — repetía sin cesar a cada uno de los presentes; — ¿ no lo decía yo ?

Los amigos del Duque, tranquilizados ya, a ruegos de éste, se pusieron en camino de vuelta. El paciente había exigido que le dejasen solo, bajo la tutela de su hábil doctor, su antiguo amigo, como lo llamaba, y aun despidió a casi todos sus criados . . .

Stein refirió al Duque sus campañas; sus desventuras, su llegada al convento, sus amores y su casamiento. El Duque lo oyó con mucho interés; y la narración le inspiró deseo de conocer a Marisalada, al pescador y la cabaña que Stein estimaba en más que un espléndido palacio. Así es que en la primera salida que hizo, en compañía de su médico, se dirigió a la orilla del mar. Empezaba el verano, y la fresca brisa, puro soplo del inmenso elemento, les proporcionó un goce suave en su romería . . . El Duque, algo fatigado, se sentó en una peña. Era poeta, y gozaba en silencio de aquella hermosa escena. De repente sonó una voz, que cantaba una melodía sencilla y melancólica. Sorprendido el Duque, miró a Stein, y éste se sonrió. La voz continuaba.

— Stein — dijo el Duque — ¿ hay sirenas en estas olas, o ángeles en esta atmósfera ?

En lugar de responder a esta pregunta, Stein sacó su flauta y repitió la misma melodía.

Entonces el Duque vió que se les acercaba medio corriendo, medio saltando, una joven morena, la cual se detuvo de pronto al verle.

— Ésta es mi mujer — dijo Stein; — mi María.

— Que tiene — dijo el Duque entusiasmado — la voz más maravillosa del mundo. Señora, yo he asistido a todos los teatros de Europa; pero jamás han llegado a mis oídos acentos que más hayan excitado mi admiración.

Si el cutis moreno, inalterable y terso de María, hubiera podido revestirse de otro colorido, la púrpura del orgullo y de la satisfacción se habría hecho patente en sus mejillas, al escuchar estos exaltados elogios en boca de tan eminente personaje y competente juez. El Duque prosiguió:

— Entre los dos poseéis cuanto es necesario para abrirse camino en el mundo. ¿ Y queréis permanecer enterrados en la obscuridad y el olvido ? No puede ser; el no hacer participar a la sociedad de vuestras ventajas, repito que no puede ser, ni será.

— Somos aquí tan felices, señor Duque — respondió Stein — que cualquiera mudanza que hiciera en mi situación, me parecería una ingratitud a la suerte.

— Stein — exclamó el Duque — ¿ dónde está el firme y tranquilo denuedo que admiraba yo en vos, cuando navegábamos juntos a bordo del *Royal Sovereign ?* ¿ Qué se ha hecho de aquel amor a la ciencia, de aquel deseo de consagrarse a la humanidad afligida? ¿Os habéis dejado enervar por la felicidad? ¿Será cierto que la felicidad hace a los hombres egoístas?

Stein bajó la cabeza.

— Señora — continuó el Duque — a vuestra edad y con esas dotes, ¿podéis decidiros a quedaros para siempre apegada a vuestra roca, como esas ruinas?

María, cuyo corazón palpitaba impulsado por intensa alegría y por seductoras esperanzas, respondió, sin embargo, con aparente frialdad:

— ¿Qué más me da?

— ¿Y tu padre? — le preguntó su marido en tono de reconvención.

— Está pescando — respondió ella, fingiendo no entender el verdadero sentido de la pregunta.

El Duque entró en seguida en una larga explicación de todas las ventajas a que podría conducir aquella admirable habilidad, que le labraría un trono y un caudal.

María lo escuchaba con avidez, mientras el Duque admiraba el juego de aquella fisonomía sucesivamente fría y entusiasmada, helada y enérgica.

Cuando el Duque se despidió, María habló al oído a Stein y le dijo con la mayor precipitación:

— Nos iremos; nos iremos. ¡Y qué! ¿la suerte me llama y me brinda coronas, y yo me haría sorda? ¡No, no!

Stein siguió tristemente al Duque...

[A pesar de la oposición de todos sus amigos, María estaba resuelta a seguir el consejo del Duque y persuadió a su marido que ellos le acompañasen a Sevilla.]

Llegó el día de la partida. El Duque estaba ya preparado en su aposento. Habían llegado Stein y María,

seguidos del pobre pescador, el cual no alzaba los ojos del suelo, doblado el cuerpo con el peso del dolor. Este dolor le había envejecido más que los años y todas las borrascas del mar. Al llegar, se sentó en los escalones de la cruz de
5 mármol.

En cuanto a don Modesto, también había acudido; pero con la consternación pintada en el rostro. Sus cejas formaban dos arcos de una elevación prodigiosa. La diminuta mecha de sus cabellos se inclinaba desfallecida
10 hacia un lado. De su pecho se exhalaban hondos suspiros.

— ¿Qué tiene usted, mi Comandante? — le preguntó la tía María.

— Tía María — le respondió — hoy somos 15 de junio, día de mi santo, día tristemente memorable en los fastos
15 de mi vida. ¡Oh San Modesto! ¿Es posible que me trates así el mismo día en que la Iglesia te reza?

— Pero, ¿qué novedad hay? — volvió a preguntar la tía María con inquietud.

— Vea usted — dijo el veterano, levantando el brazo
20 y descubriendo un gran desgarrón en su uniforme, por el cual se divisaba el forro blanco que parecía la dentadura que se asoma por detrás de una risa burlona. Don Modesto estaba identificado con su uniforme; con él habría él perdido el último vestigio de su profesión.

25 — ¡Qué desgracia! — exclamó tristemente la tía María.

— Una jaqueca le cuesta a Rosita — prosiguió don Modesto.

— S. E. suplica al Señor Comandante que se sirva pasar a su habitación — dijo entonces un criado.

30 Don Modesto se puso muy erguido, tomó en su mano un pliego cuidadosamente doblado y sellado, apretó lo más que pudo al cuerpo el brazo, bajo del cual se hallaba

la desventurada rotura, y presentándose ante el magnate, le saludó respetuosamente, colocándose en la estricta posición de ordenanza.

— Deseo a V. E. — dijo — un felicísimo viaje y que encuentre a mi señora la Duquesa y a toda su familia en la más cumplida salud; y me tomo la libertad de suplicar a V. E. se sirva poner en manos del señor Ministro de la Guerra esta representación relativa al fuerte que tengo la honra de mandar. V. E. ha podido convencerse por sí mismo de cuán urgentes son los reparos que el castillo de San Cristóbal necesita, especialmente hablándose de guerra con el Emperador de Marruecos.

— Mi querido don Modesto — contestó el Duque — no me atrevo a responder del éxito de esa solicitud; más bien aconsejaría a usted que pusiera una cruz en las almenas del fuerte, como se pone sobre una sepultura. Pero en cambio prometo a usted conseguir que se le faciliten algunas pagas atrasadas.

Esta agradable promesa no fué parte a borrar la triste impresión que había hecho en el Comandante la especie de sentencia de muerte pronunciada por el Duque sobre su fuerte.

— Entretanto — continuó el Duque — suplico a usted que acepte como recuerdo de un amigo . . .

Y diciendo esto indicó una silla inmediata.

¿ Cuál no sería la sorpresa de aquel excelente hombre al ver expuesto sobre una silla un uniforme completo, nuevo, brillante, con unas charreteras dignas de adornar los hombros del primer capitán del siglo ? Don Modesto, como era natural, quedó confuso, atónito, deslumbrado al ver tanto esplendor y magnificencia.

— Espero — dijo el Duque — señor Comandante, que

viva usted bastantes años para que le dure ese uniforme otro tanto, cuando menos, como su predecesor.

— ¡ Ah ! Señor Excelentísimo — contestó don Modesto, recobrando poco a poco el uso de la palabra — esto
5 es demasiado hermoso para mí.

— Nada de eso, nada de eso — respondió el Duque. — ¡ Cuántos hay que usan uniformes más lujosos que ése, sin merecerlo tanto ! Sé además — continuó — que tiene usted una amiga, una excelente patrona, y que no le pesaría
10 a usted llevarle un recuerdo. Hágame usted el favor de poner en sus manos esta fineza.

Era un rosario de filigrana de oro y coral.

En seguida, sin dar tiempo a don Modesto para volver en sí de su asombro, el Duque se dirigió a la familia, a
15 quien había mandado convocar, con el objeto de acreditarle su gratitud y dejarles una memoria ... Así es que todos los habitantes del convento recibieron lo que más falta les hacía o lo que más podía agradarles. Manuel, una capa y un buen reloj; Momo, un vestido completo,
20 una faja de seda amarilla y una escopeta; las mujeres y los niños, telas para trajes y juguetes. A la tía María, a la infatigable enfermera del ilustre huésped, a la diestra fabricante de caldos sustanciosos, señaló el Duque una pensión vitalicia.

25 En cuanto al pobre fray Gabriel, se quedó sin nada. Hacía tan poco ruido en el mundo y se había ocultado tanto a los ojos del Duque que éste no le había echado de ver.

La tía María, sin que nadie la observase, cortó algunas varas de una de las piezas de crea que el Duque le había
30 regalado y dos pañuelos de algodón, y fué a buscar a su protegido.

— Aquí tiene usted, fray Gabriel — le dijo — un regalito que le hace el señor Duque. Yo me encargo de hacerle la camisa.

El pobrecillo se quedó todavía más aturdido que el Comandante. Fray Gabriel era más que modesto: ¡era humilde!...

— Adios, Romo, honra de Villamar — le dijo Marisalada; — si te vide, no me acuerdo.

— Adios, Gaviota — respondió éste; — si todos sintieran tu ida como el hijo de mi madre, se habían de echar las campanas a vuelo.

El tío Pedro se mantenía sentado en los escalones de mármol. La tía María estaba a su lado, llorando a lágrima viva.

— No parece — dijo Marisalada — sino que me voy a la China y que ya no nos hemos de ver más en la vida. ¡Cuando les digo a ustedes que he de volver!... ¡Vaya, que esto parece un duelo de gitanos! ¡Si se han empeñado ustedes en aguarme el gusto de ir a la ciudad!

— Madre — decía Manuel, conmovido al presenciar el llanto de la buena mujer — si llora usted ahora a jarrillas, ¿qué haría si me muriera yo?

— No lloraría, hijo de mi corazón — respondió la madre, sonriendo en medio de su llanto. — No tendría tiempo para llorar tu muerte, pues me iría detrás.

Vinieron las caballerías. Stein se arrojó en los brazos de la tía María.

— No nos eche usted en olvido, don Federico — dijo sollozando la buena anciana. — ¡Vuelva usted!

— Si no vuelvo — respondió éste — será porque habré muerto.

El Duque había dispuesto que Marisalada montase apresuradamente en la mula que se le había destinado, a fin de sustraerla a tan penosa despedida. El animal rompió al trote; siguiéronla los otros, y toda la comitiva desapareció muy en breve detrás del ángulo del convento.

5 El pobre padre tenía los brazos extendidos hacia su hija.

— ¡ No la veré más ! — gritó sofocado, dejando caer el rostro en las gradas de la cruz.

Los viajeros proseguían apresurando el trote. Stein, 10 al llegar al Calvario, desahogó la aflicción que le oprimía, dirigiendo una ferviente oración al Señor del Socorro, cuyo benigno influjo se esparcía en toda aquella comarca, como la luz en torno del astro que la dispensa . . .

La comitiva había llegado a una colina y empezó a 15 bajarla. Las casas de Villamar desaparecieron muy en breve a los ojos de Stein, quien no podía arrancarse de un sitio en que había vivido tan tranquilo y feliz.

El Duque, entretanto, se tomaba el inútil trabajo de consolar a María, pintándole lisonjeros proyectos para el 20 porvenir. ¡ Stein no tenía ojos sino para contemplar las escenas de que se alejaba !

La cruz del Calvario y la capilla del Señor del Socorro desaparecieron a su vez. Después, la gran masa del convento pareció poco a poco hundirse en la tierra. Al fin, 25 de todo aquel tranquilo rincón del mundo, no percibió más que las ruinas del fuerte, dibujando sus masas sombrías en el fondo azul del firmamento, y la torre, que, según la expresión de un poeta, como un dedo señalaba el cielo con muda elocuencia.

30 Por último, toda aquella perspectiva se desvaneció; Stein ocultó sus lágrimas, cubriéndose con las manos el rostro.

CAPÍTULO XII

EL MES de julio había sido sumamente caluroso en Sevilla. Las tertulias se reunían en aquellos patios deliciosos, en que las hermosas fuentes de mármol, con sus juguetones saltaderos, desaparecían detrás de una gran masa de tiestos de flores. Pendían del techo de los corredores, que guarnecían el patio, grandes faroles o bombas de cristal, que esparcían en torno torrentes de luz. Las flores perfumaban el ambiente; y contribuían a realzar la gracia y el esplendor de esta escena los ricos muebles que la adornaban, y sobre todo las lindas sevillanas, cuyos animados y alegres charloteos competían con el blando susurro de las fuentes.

En una noche, hacia fines del mes, había gran concurrencia en casa de la joven, linda y elegante Condesa de Algar. Teníase a gran dicha ser introducido en aquella casa; y por cierto, no había cosa más fácil, porque la dueña era tan amable y tan accesible, que recibía a todo el mundo con la misma sonrisa y la misma cordialidad. La facilidad con que admitía a todos los presentados no era muy del gusto de su tío el General Santa María, militar de la época de Napoleón, belicoso por excelencia, y (como solían ser los militares de aquellos tiempos) algo brusco, un poco exclusivo, un tanto cuanto absoluto y desdeñoso; en fin, un hijo clásico de Marte, plenamente convencido de que todas las relaciones entre los hombres consiste en mandar u obedecer, y de que el objeto y principal utilidad de la sociedad es clasificar a todos y a cada uno de sus miembros. En lo demás, español como Pelayo, y bizarro como el Cid.

El General, su hermana la Marquesa de Guadalcanal, madre de la Condesa, y otras personas estaban jugando al tresillo. Algunos hablaban de política, paseándose por los corredores; la juventud de ambos sexos, sentada junto a las flores, charlaba y reía, como si la tierra sólo produjese flores y el aire sólo resonase con alegres risas.

La Condesa, medio recostada en un sofá, se quejaba de una fuerte jaqueca que, sin embargo, no le impedía estar alegre y risueña. Era pequeña, delgada y blanca como el alabastro. Su espesa y rubia cabellera ondeaba en tirabuzones a la inglesa. Sus ojos pardos y grandes, su nariz, sus dientes, su boca, el óvalo de su rostro, eran modelos de perfección; su gracia, incomparable. Sin grandes facultades intelectuales, tenía el talento del corazón; sentía bien y con delicadeza. Toda su ambición se reducía a divertirse y agradar sin exceso, como el ave que vuela sin saberlo, y canta sin esfuerzo. Cerca de ella estaba sentado un Coronel joven, recién venido de Madrid, después de haberse distinguido en la guerra de Navarra. La Condesa tenía fijada en él toda su atención.

El General Santa María los miraba de cuando en cuando, mordiéndose los labios de impaciencia.

— ¡ Fruta nueva ! — decía; — dejaría de ser ella hija de Eva, si no le petase la novedad. ¡ Un mequetrefe ! ¡ Veinte y cuatro años y ya con tres galones ! ¿ Cuándo se ha visto tal prodigalidad de grados ? ¡ Hace cinco o seis años que iba a la escuela, y ya manda un regimiento ! Sin duda vendrán a decirnos que ganó sus grados con acciones brillantes. Pues yo digo que el valor no da experiencia; y que, sin experiencia, nadie sabe mandar. ¡ Coronel de ejército con veinticuatro años de edad ! Yo lo fuí a los cuarenta, después de haber estado en el

Rosellón, en América, en Portugal y no gané la faja de
General sino de vuelta del Norte con La Romana y de
haber peleado en la guerra de la Independencia. Señores,
la verdad es que todos nos hemos vuelto locos en España;
los unos por lo que hacen, y los otros por lo que dejan 5
hacer.

En este momento se oyeron algunas exclamaciones rui-
dosas. La Condesa misma salió de su languidez y se
levantó de un salto.

— Por fin, ¡ ya pareció el perdido ! — exclamó. — Mil 10
veces bien venido, desventurado cazador y mal parado
jinete. ¡ Buen susto nos hemos llevado ! Pero ¿ qué es
esto? Estáis como si nada os hubiese acaecido. ¿ Es
cierto lo que se dice de un maravilloso médico alemán,
salido de entre las ruinas de un fuerte y las de un convento, 15
como una de sus creaciones fantásticas ? Contadnos,
Duque, todas esas cosas extraordinarias.

El Duque, después de haber recibido las enhorabuenas
de todos los concurrentes por su regreso y curación, tomó
asiento en frente de la Condesa y entró en la narración 20
de todo lo que el lector sabe. En fin, después de hablar
mucho de Stein y de María, concluyó diciendo que había
conseguido de él que viniese con su mujer a establecerse
en Sevilla, para utilizar y dar a conocer, él su ciencia y
ella los dotes extraordinarios con que la naturaleza la 25
había favorecido.

— Mal hecho — falló en tono resuelto el General.

La Condesa se volvió hacia su tío con prontitud.

— ¿ Y por qué es mal hecho, señor ? — preguntó.

— Porque esas gentes — respondió el General — vivían 30
contentos y sin ambición, y desde ahora en adelante no
podrán decir otro tanto; y según el título de una comedia

española, que es una sentencia, *Ninguno debe dejar lo cierto por lo dudoso.*

— ¿ Creéis, tío — repuso la Condesa — que esa mujer, con una voz privilegiada, echará de menos la roca a que estaba pegada como una ostra, sin ventajas y sin gloria para ella, para la sociedad ni para las artes ?

— Vamos, sobrina, ¿ querrás hacernos creer con toda formalidad que la sociedad humana adelantará mucho con que una mujer suba a las tablas y se ponga a cantar *di tanti palpiti ?*

— Vaya — dijo la Condesa — bien se conoce que no sois filarmónico.

— Y doy muchas gracias a Dios de no serlo — contestó el General. — ¿ Quieres que pierda el juicio, como tantos lo pierden, con ese furor melománico, con esa inundación de notas que por toda Europa se ha derramado como un alud, o una *avalancha*, como malamente dicen ahora ? ¿ Quieres que vaya a engrandecer con mi imbécil entusiasmo el portentoso orgullo de los reyes y reinas del gorgorito ? ¿ Quieres que vayan mis pesetas a sumirse en sus colosales ingresos, mientras se están muriendo de hambre tantos buenos oficiales cubiertos de cicatrices, mientras que tantas mujeres de sólido mérito y de virtudes cristianas pasan la vida llorando, sin un pedazo de pan que llevar a la boca ?

— Mi tío — dijo la Condesa — es la mismísima personificación del *statuo quo.* Todo lo nuevo le disgusta. Voy a envejecer lo más pronto posible para agradarle.

— No harás tal, sobrina — repuso el General; — y así, no exijas tampoco que yo me rejuvenezca para adular a la generación presente.

— ¿ Sobre qué está disputando mi hermano ? — preguntó

la Marquesa, que, distraída hasta entonces por el juego, no había tomado parte en la conversación.

— Mi tío — dijo un oficial joven que había entrado callandito y sentádose cerca del Duque — mi tío está predicando una cruzada contra la música . . .

— ¡ Querido Rafael ! — exclamó el Duque abrazando al oficial, que era pariente suyo y a quien tenía mucho afecto. Era éste pequeño, pero de persona fina, bien formada y airosa; su cara era de las que se dice que son demasiado bonitas para hombres.

— ¡ Y yo ! — respondió el oficial, apretando en sus manos las del Duque; — ¡ yo que me habría dejado cortar las dos piernas por evitaros los malos ratos que habéis pasado ! Pero estamos hablando de la ópera y no quiero cantar en tono de melodrama.

— Bien pensado — dijo el Duque; — y más valdrá que me cuentes lo que ha pasado aquí durante mi ausencia. ¿ Qué se dice ?

— Que mi prima la Condesa de Algar — dijo Rafael — es la perla de las sevillanas.

— Pregunto lo que hay de nuevo — repuso el Duque — y no lo sabido.

— Señor Duque — continuó Rafael — Salomón ha dicho, y muchos sabios (y yo entre ellos) han repetido, que nada hay nuevo debajo de la capa azul del cielo.

— ¡ Ojalá fuera cierto ! — dijo el General suspirando; — pero mi sobrino Rafael Arias es una contradicción viva de su axioma. Siempre nos trae caras nuevas a la tertulia; y eso es insoportable . . .

[En la conversación animada que sigue a la explosión del General contra todos los extranjeros en España, se introducen otros personajes secundarios de la novela.

Entre éstos se hallan dos ingleses extravagantes, Major Fly
y Sir John Burnwood, y un barón francés, muy preguntón,
que piensa escribir un libro sobre su viaje por España.]

Entretanto la Condesa preguntaba al Duque si era
5 bonita la Filomena de Villamar.

— No es ni bonita ni fea — respondió. — Es morena, y
sus facciones no pasan de correctas. Tiene buenos ojos;
en fin, uno de esos conjuntos que se ven por donde quiera
en nuestro país.

10 — Una vez que su voz es tan extraordinaria — dijo la
Condesa — por honor de Sevilla, es preciso que hagamos
de ella una eminente *prima donna*. ¿ No podremos
oírla ?

— Cuando queráis — respondió el Duque. — La traeré
15 aquí una noche de éstas, con su marido, que es un excelente
músico y ha sido su maestro.

En esto llegó la hora de retirarse.

Cuando el Duque se acercó a la Condesa para despedirse,
ésta levantó el dedo con aire de amenaza.

20 — ¿ Qué significa eso ? — preguntó el Duque.

— Nada, nada — contestó ella: — esto significa ¡ cuidado !

— ¿ Cuidado ? ¿ De qué ?

— ¿ Fingís que no me entendéis ? No hay peor sordo
25 que el que no quiere oír.

— Me ponéis en ascuas, Condesa.

— Tanto mejor.

— ¿ Queréis, por Dios, explicaros ?

— Lo haré, ya que me obligáis. Cuando he dicho *cui-
30 dado*, he querido decir, ¡ cuidado con echarse una cadena
encima !

— ¡ Ah, Condesa ! — repuso el Duque con calor — por

Dios, que no venga una injusta y falsa sospecha a obscurecer la fama de esa mujer, aun antes de que nadie la conozca. Esa mujer, Condesa, es un ángel.

— Eso por supuesto — dijo la Condesa. — Nadie se enamora de diablos.

— Y sin embargo, tenéis mil adoradores — repuso sonriendo el Duque.

— Pues no soy diablo — dijo la Condesa; — pero soy zahorí.

— El tirador no acierta cuando el tiro salva el blanco.

— Os aplazo para dentro de aquí a seis meses, invulnerable Aquiles — repuso la Condesa.

— Callad, por Dios, Condesa — exclamó el Duque — lo que en vuestra bella boca es una chanza ligera, en las bocas de víboras que pululan en la sociedad sería una mortal ponzoña.

— No tengáis cuidado; no seré yo quien tire la primera piedra. Soy indulgente como una santa o como una gran pecadora; sin ser ni lo uno ni lo otro . . .

CAPÍTULO XIII

EL DUQUE había proporcionado a Stein y a su mujer una casa de pupilos, a cargo de una familia pobre pero honrada y decente. Stein había encontrado en una cómoda, cuya llave le entregaron al tomar posesión de su aposento, una suma de dinero bastante a sobrepujar las más exageradas pretensiones. Adjunto se hallaba un billete, que contenía las siguientes líneas: « *Justo tributo a la ciencia del cirujano. Los esmeros y las vigilias del*

*amigo no pueden ser recompensadas sino con una gratitud
y una amistad sincera.* »

Stein quedó confundido.

— ¡ Ah, María ! — exclamó, enseñando el papel a su
mujer. — Este hombre es grande en todo: lo es por su
clase, lo es por su corazón y por sus virtudes; imita a Dios,
levantando a su altura a los pequeños y los humildes.
¡ Me llama amigo, a mí, que soy un pobre cirujano; y
habla de gratitud, cuando me colma de beneficios !

— ¿ Y qué es para él todo ese oro ? — respondió María;
— ¡ un hombre que tiene millones, según me ha dicho la
patrona, y cuyas haciendas son tamañas como provincias !
Además, que si no hubiera sido por ti, se habría quedado
cojo para toda la vida.

En este momento entró el Duque, y cortando el hilo a
las expresiones de agradecimiento de Stein, le dijo a su
mujer:

— Vengo a pediros un favor: ¿ me lo negaréis, María ?

— ¿ Qué es lo que podremos negaros ? — se apresuró
a contestar Stein.

— Pues bien, María — continuó el Duque — he prometido a una íntima amiga mía que iríais a cantar a su casa.

María no respondió.

— Sin duda que irá — dijo Stein. — María no ha recibido del cielo un don tan precioso como su voz sin contraer la obligación de hacer participar a otros de esta
gracia.

— Estamos, pues, convenidos — prosiguió el Duque. —
Y ya que Stein es tan diestro en el piano como en la flauta,
tendréis uno a vuestra disposición esta tarde, así como
una colección de las mejores piezas de las óperas modernas.
Así podréis escoger las que más os agraden, y repasarlas;

porque es preciso que María se luzca y se cubra de gloria.
De eso depende su fama de cantatriz.

Al oír estas últimas palabras, los ojos de María se animaron.

— ¿ Cantaréis, María ? — le preguntó el Duque.

— ¿ Y por qué no ? — respondió ésta con frialdad.

— Ya sé — dijo el Duque — que habéis visto muchas
de las buenas cosas que encierra Sevilla. Stein vive de
entusiasmo, y ya sabe de memoria a Ceán, Ponz y Zúñiga.
Pero lo que no habéis visto es una corrida de toros. Aquí
quedan billetes para la de esta tarde. Estaréis cerca de
mí; porque quiero ver la impresión que os causa este espectáculo.

Poco después el Duque se retiró.

Cuando por la tarde Stein y María llegaron a la plaza,
ya estaba llena de gente. Un ruido sostenido y animado
servía de preludio a la función, como las olas del mar se
agitan y mugen antes de la tempestad. Aquella reunión
inmensa, a la que acude toda la población de la ciudad y la
de sus cercanías; aquella agitación, semejante a la de la
sangre cuando se agolpa al corazón en los parasismos de
una pasión violenta; aquella atmósfera ardiente, embriagadora, como la que circunda a una Bacante; aquella función
de innumerables simpatías en una sola; aquella expectación calenturienta; aquella exaltación frenética, reprimida,
sin embargo, en los límites del orden; aquellas vociferaciones estrepitosas, pero sin grosería; aquella impaciencia,
a que sirve de tónico el temor; aquella ansiedad, que
comunica estremecimientos al placer, forman una especie
de galvanismo moral, al cual es preciso ceder, o huír.

Stein, aturdido y con el corazón apretado, habría de
buena gana preferido la fuga. Su timidez le detuvo. Veía

que todos cuantos le rodeaban estaban contentos, alegres y animados, y no se atrevió a singularizarse.

La plaza estaba llena; doce mil personas formaban vastos círculos concéntricos en su circuito. Los espectadores ricos estaban a la sombra; el pueblo lucía a los rayos del sol el variado colorido del traje andaluz.

Salió el despejo y la plaza quedó limpia. Entonces se presentaron los picadores montados en sus infelices caballos, que con sus cabezas bajas y sus ojos tristes parecían — y eran en realidad — víctimas que se encaminaban al sacrificio.

Sólo con ver a estos pobres animales cuya suerte preveía, la especie de desazón que ya sentía Stein se convirtió en compasión dolorosa. En las provincias de la península que había recorrido hasta entonces, desoladas por la guerra civil, no había tenido ocasión de asistir a estas grandiosas fiestas nacionales y populares, en que se combinan los restos de la brillante y ligera estrategia morisca, con la feroz intrepidez de la raza goda. Pero había oído hablar de ellos y sabía que el mérito de una corrida se calcula hoy día por el número de caballos que en ella mueren. Su compasión, pues, se fijaba principalmente en aquellos infelices animales, que, después de haber hecho grandes servicios a sus amos, contribuyendo a su lucimiento y quizás salvándoles la vida, hallaban por toda recompensa, cuando la mucha edad y el exceso del trabajo habían agotado sus fuerzas, una muerte atroz, que por un refinamiento de crueldad, les obliga a ir a buscar por sí mismos; muerte que su instinto les anuncia, y a la cual resisten algunos, mientras otros, más resignados, o más abatidos, van a su encuentro dócilmente, para abreviar su agonía. Los tormentos de estos seres desventurados destrozarían el corazón más empedernido; pero los aficionados no tienen ojos, ni atención, ni sentimientos, sino para el toro. Están sometidos a una verdadera fascinación; y ésta se comunica a muchos de los extranjeros más preocupados contra España, y en particular contra esta feroz diversión ...

Los tres picadores saludaron al presidente de la plaza, precedidos de los banderilleros y chulos espléndidamente vestidos, y con capas de vivos y brillantes colores. Capitaneaban a todos, los primeros espadas y sus sobresalientes, cuyos trajes eran todavía más lujosos que los de aquéllos.

— ¡ Pepe Vera ! ¡ Ahí está Pepe Vera ! — gritó el concurso. — ¡ El discípulo de Montes ! ¡ Qué buen mozo ! ¡ Qué gallardo ! ¡ Qué bien plantado ! ¡ Qué garbo en toda su persona ! ¡ Qué mirada tan firme y tan serena !

— ¿ Saben ustedes — decía un joven que estaba sentado junto a Stein — cuál es la gran lección que da Montes a sus discípulos ? Los empuja cruzados de brazos hacia el toro y les dice: *no temas al toro.*

Pepe Vera se acercó a la valla. Su vestido era de raso color de cereza, con hombreras y profusas guarniciones de plata. De las pequeñas faltriqueras de la chupa salían las puntas de dos pañuelos de olán. El chaleco de rico tisú de plata, y la graciosa y breve montera de terciopelo y alamares completaban su elegante, rico y airoso vestido de majo torero.

Después de haber saludado con mucha soltura y gracia a las autoridades, fué a colocarse, como los demás lidiadores, en el sitio que le correspondía.

Los tres picadores ocuparon los suyos, a igual distancia unos de otros, cerca de la barrera. Los matadores y chulos estaban esparcidos por el redondel. Entonces todo

quedó en silencio profundo, como si aquella masa de gente,
tan ruidosa poco antes, hubiese perdido de pronto la facultad de respirar.

El alcalde hizo la seña; sonaron los clarines, que, como
5 harán las trompetas el día del último juicio, produjeron un
levantamiento general; y entonces, como por magia, se
abrió la ancha puerta del toril, situada en frente del palco
de la autoridad. Un toro colorado se precipitó en la arena
y fué saludado por una explosión universal de gritos, de
10 silbidos, de injurias y de elogios. Al oír este tremendo estrépito, el toro se paró, alzó la cabeza y pareció preguntar
con sus encendidos ojos si todas aquellas provocaciones se
dirigían a él, a él, fuerte atleta que hasta allí había sido generoso y hecho merced al hombre, tan pequeño y débil ene-
15 migo; reconoció el terreno, y volvió precipitadamente la
amenazadora cabeza a uno y otro lado. Todavía vaciló:
crecieron los recios y penetrantes silbidos; entonces se
precipitó, con una prontitud que parecía incompatible con
su peso y su volumen, hacia el picador.

20 Pero retrocedió al sentir el dolor que le produjo la puya
de la garrocha en el morrillo. Era un animal aturdido, de
los que se llaman en el lenguaje tauromáquico, boyantes.
Así es que no se encarnizó en este primer ataque, sino que
embistió al segundo picador.

25 Éste no le aguardaba tan prevenido como su antecesor,
y el puyazo no fué tan derecho ni tan firme; así es que
hirió al animal sin detenerlo. Las astas desaparecieron en
el cuerpo del caballo, que cayó al suelo. Alzóse un grito
de espanto en todo el circo; al punto todos los chulos
30 rodearon aquel grupo horrible; pero el feroz animal se
había apoderado de la presa, y no se dejaba distraer de su
venganza. En este momento los gritos de la muchedumbre

se unieron en un clamor profundo y uniforme, que hubiera llenado de terror a la ciudad entera si no hubiera salido de la plaza de toros.

El trance iba siendo horrible, porque se prolongaba. El toro se cebaba en el caballo; el caballo abrumaba con su peso y sus movimientos convulsivos al picador, aprensado bajo aquellas dos masas enormes. Entonces se vió llegar, ligero como un pájaro de brillantes plumas, tranquilo como un niño que va a coger flores, sosegado y risueño, a un joven cubierto de plata, que brillaba como una estrella. Se acercó por detrás del toro; y este joven, de delicada estructura y de fino aspecto, cogió con sus dos manos la cola de la fiera y la atrajo a sí, como si hubiera sido un perrito faldero. Sorprendido el toro, se revolvió furioso y se precipitó contra su adversario, quien, sin volver la espalda y andando hacia atrás, evitó el primer choque con una media vuelta a la derecha. El toro volvió a embestir, y el joven lo esquivó segunda vez con un recorte a la izquierda, siguiendo del mismo modo hasta llegar cerca de la barrera. Allí desapareció a los ojos atónitos del animal y a las ansiosas miradas del público, el cual, ebrio de entusiasmo, atronó los aires con inmensos aplausos; porque siempre conmueve ver que los hombres jueguen así con la muerte, sin baladronada, sin afectación y con rostro inalterable.

— ¡ Vean ustedes si ha tomado bien las lecciones de Montes ! ¡ Vean ustedes si Pepe Vera sabe jugar con el toro ! — clamó el joven sentado junto a Stein, con voz que, a fuerza de gritar, se había enronquecido.

El Duque fijó entonces su atención en Marisalada. Era la primera vez, desde su llegada a la capital de Andalucía, que notó alguna emoción en aquella fisonomía fría y des-

deñosa. Hasta aquel momento nunca la había visto animada. La organización áspera de María, demasiado vulgar para entregarse al exquisito sentimiento de la admiración, y demasiado indiferente y fría para entregarse al de la
5 sorpresa, no se había dignado admirar ni interesarse en nada. Para imprimir algo, para sacar algún partido de aquel duro metal, era preciso hacer uso del fuego y del martillo.

Stein estaba pálido y conmovido.

10 — Señor Duque — le dijo con aire de suave reconvención. — ¿ Es posible que esto os divierta ?

— No — respondió el Duque con bondadosa sonrisa; — no me *divierte*, me *interesa*.

Entretanto habían levantado el caballo. El pobre
15 animal no podía tenerse en pie. De su destrozado vientre colgaban hasta el suelo los intestinos. También estaba en pie el picador, agitándose entre los brazos de los chulos, furioso contra el toro, y queriendo a viva fuerza, con ciega temeridad y a pesar del aturdimiento de la caída, volver a
20 montar y continuar el ataque. Fué imposible disuadirle; y volvió, en efecto, a montar sobre la pobre víctima, hundiéndole las espuelas en sus destrozados ijares.

— Señor Duque — dijo Stein — quizás voy a pareceros raro; pero en realidad me es imposible asistir a este espec-
25 táculo. ¿ María, quieres que nos vayamos ?

— No — respondió María, cuya alma parecía concentrarse en los ojos. — ¿ Soy yo alguna melindrosa, y temes por ventura que me desmaye ?

— Pues entonces — dijo Stein — volveré por ti cuando
30 se acabe la corrida.

Y se alejó.

El toro había despachado ya un número considerable

de caballos. El infeliz de que acabamos de hacer mención
se iba dejando arrastrar por la brida, con las entrañas
colgando, hasta una puerta, por la que salió. Otros, que
no habían podido levantarse, yacían tendidos con las
convulsiones de la agonía; a veces alzaban la cabeza, en 5
que se pintaba la imagen del terror. A estas señales de
vida, el toro volvía a la carga, hiriendo de nuevo con sus
fieras astas los miembros destrozados, aunque palpitantes
todavía, de su víctima. Después, ensangrentadas la frente
y las astas, se paseaba al rededor del circo, en actitud de 10
provocación y desafío, unas veces alzando soberbio la
cabeza a las gradas, donde la gritería no cesaba un momento; otras hacia los brillantes chulos, que pasaban delante de él, a manera de meteoros, clavándole las banderi-
llas . . . 15

A una señal del presidente sonaron otra vez los clarines.
Hubo un rato de tregua en aquella lucha encarnizada, y
todo volvió a quedar en silencio.

Entonces Pepe Vera, con una espada y una capa encarnada en la mano izquierda, se encaminó hacia el palco 20
del Ayuntamiento. Paróse enfrente y saludó, en señal de
pedir licencia para matar al toro.

Pepe Vera había echado de ver la presencia del Duque,
cuya afición a la tauromaquia era conocida. También
había percibido a la mujer que estaba a su lado; porque 25
esta mujer, a quien hablaba el Duque frecuentemente, no
quitaba los ojos del matador.

Éste se dirigió al Duque, y quitándose la montera:
« Brindo — dijo — por V. E. y por la real moza que tiene
al lado. » — Y al decir esto, arrojó al suelo la montera con 30
inimitable desgaire, y partió a donde su obligación le
llamaba.

Los chulillos le miraban atentamente, prontos a ejecutar sus órdenes. El matador escogió el lugar que más le convenía; después, indicándolo a su cuadrilla:

— ¡ Aquí ! — les gritó.

5 Los chulos corrieron hacia el toro para incitarle, y el toro, persiguiéndolos, vino a encontrarse frente a frente con Pepe Vera, que le aguardaba a pie firme. Aquél era el instante solemne de la corrida. Un silencio profundo sucedió al tumulto estrepitoso y a las excitaciones vehe-
10 mentes que se habían prodigado poco antes al primer espada.

El toro, viendo aquel enemigo pequeño que se había burlado de su furor, se detuvo como para reflexionar. Temía sin duda que se le escapase otra vez. Cualquiera
15 que hubiera entrado a la sazón en el circo no habría creído asistir a una diversión pública, sino a una solemnidad religiosa. Tanto era el silencio.

Los dos adversarios se contemplaban recíprocamente.

Pepe Vera agitó la capa que llevaba en la mano iz-
20 quierda. El toro le embistió. Sin hacer más que un ligero movimiento, él le pasó de muleta, volviendo a quedar en suerte, y en cuanto la fiera volvió a acometerle, le dirigió la espada por entre las dos espaldillas, de modo que el animal, continuando su arranque, ayudó poderosamente a
25 que todo el hierro penetrase en su cuerpo hasta la empuñadura. Entonces se desplomó sin vida.

Es absolutamente imposible describir la explosión general de gritos y de aplausos que retumbaron en todo el ámbito de la plaza. Sólo pueden comprenderlo los que
30 acostumbran presenciar semejantes lances. Al mismo tiempo sonó la música militar.

Pepe Vera atravesó tranquilamente el circo en medio de

aquellos frenéticos testimonios de admiración apasionada,
de aquella unánime ovación, saludando con la espada a
derecha e izquierda, en señal de gratitud, sin que excitase
en su pecho sorpresa ni orgullo un triunfo que más de un
Emperador Romano habría envidiado. Fué a saludar al 5
Ayuntamiento, y después al Duque y a la real moza.

El Duque entregó disimuladamente una bolsa de monedas de oro a María, y ésta, envolviéndola en su pañuelo,
la arrojó a la plaza.

Al hacer Pepe Vera la natural demostración de dar las 10
gracias, las miradas de sus ojos negros se cruzaron con las
de María. Al mentar este encuentro de miradas, un escritor clásico diría que Cupido había herido aquellos dos
corazones con tanto tino como Pepe Vera al toro. Nosotros, que no tenemos la temeridad de afiliarnos en aquella 15
escuela severa e intolerante, diremos buenamente que estas
dos naturalezas estaban formadas para entenderse y sim-
patizar una con otra, y que en efecto se entendieron y
simpatizaron ...

CAPÍTULO XIV

[Por una enfermedad del hijo de la Condesa se retardó 20
la presentación de Marisalada a la sociedad de la aristo-
cracia sevillana. Mientras tanto se consagraba ella a la
perfección del arte que le prometía un porvenir brillante.
Por fin, restablecido ya el hijo de la Condesa por la habilidad del doctor Stein, llegó la noche en que La Gaviota y 25
su marido acompañaron al Duque a la tertulia de la
Condesa.]

María, dirigida en su tocador por los consejos de su
patrona, se presentó malísimamente pergeñada. Un ves-

tido de *foular*, demasiado corto y matizado de los más
extravagantes colores; un peinado sin gracia, adornado
con cintas encarnadas muy tiesas; una mantilla de tul
blanco y azulado, guarnecida de encaje catalán, que la
5 hacía parecer más morena: tal era el adorno de su persona,
que necesariamente debía causar, y causó, mal efecto.

La Condesa dió algunos pasos para salir a su encuentro.
Al pasar junto a Rafael, éste le dijo al oído, aplicando las
palabras de la fábula del cuervo de La Fontaine:

10 — Si el gorjeo es como la pluma, será el fénix de estas
selvas.

— ¡Cuánto tenemos que agradeceros vuestra bondad
en venir a satisfacer el deseo que teníamos de oíros! —
dijo la Condesa a María. — ¡ El Duque os ha celebrado
15 tanto !

María, sin responder una palabra, se dejó conducir por
la Condesa a un sillón colocado entre el piano y el sofá.
No demostró el menor síntoma de cortedad ni de encogimiento en presencia de una reunión tan numerosa y tan
20 lucida; ni se desmintieron un solo instante su inalterable
calma y su aplomo. Con la ojeada investigadora y pene-
trante, con la comprensión viva y con el tino exacto de las
españolas, diez minutos le bastaron para observar y juz-
garlo todo.

25 — Ya estoy — decía en sus adentros y dándose cuenta
de sus observaciones. — La Condesa es buena, y desea que
me luzca. Las jóvenes elegantes se burlan de mí y de mi
compostura, que debe ser espantosa. Para los extranjeros,
que me están echando el lente con desdén, soy una doña
30 Simplicia de aldea; para los viejos, soy cero. Los otros se
quedan neutrales, tanto por consideración al Duque que
es mi patrón, como para lanzarse después a la alabanza

o la censura, según la opinión se pronuncie en pro o en contra.

Durante todo este tiempo, la buena y amable Condesa hacía cuantos esfuerzos le eran posibles para ligar conversación con María; pero el laconismo de sus respuestas frustraba sus buenas intenciones.

— ¿ Os gusta mucho Sevilla ? — le preguntó con amabilidad.

— Bastante — respondió María.

— ¿ Y qué os parece la catedral ?

— Demasiado grande.

— ¿ Y nuestros hermosos paseos ?

— Demasiado chicos.

— Entonces, ¿ qué es lo que más os ha gustado ?

— Los toros.

Aquí paró la conversación.

Al cabo de diez minutos de silencio, la Condesa le dijo:

— ¿ Me permitís que ruegue a vuestro marido que se ponga al piano ?

— Cuando gustéis — respondió María.

Stein se sentó al piano. María se puso en pie a su lado, habiéndola llevado por la mano el Duque.

— ¿ Tiemblas, María ? — le preguntó Stein.

— ¿ Y por qué había de temblar ? — contestó María.

Todos callaron.

Observábanse diversas impresiones en las fisonomías de los concurrentes. En la mayor parte, la curiosidad y la sorpresa; en la Condesa, un interés bondadoso; en las mesas de juego, la más completa indiferencia ...

Stein tocó sin floreos ni afectación el ritornelo de *Casta Diva*. Pero apenas se alzó la voz de María, pura, tranquila, suave y poderosa, cuando pareció que la vara de un mágico había tocado a todos los concurrentes. En cada rostro se pintó y se fijó una expresión de admiración y de sorpresa.

Cuando María acabó de cantar, una borrasca de aplausos estalló unánimemente en toda la tertulia. La Condesa dió el ejemplo, palmoteando con sus delicadas manos.

Stein hacía cortesías hacia todos lados. María volvió a su asiento, tan fría, tan impasible como de él se había levantado.

Cantó después unas variaciones verdaderamente diabólicas, en que la melodía quedaba obscurecida en medio de una intrincada y difícil complicación de floreos, trinos y *volatas*. Las desempeñó con admirable facilidad, sin esfuerzo, sin violencia, y causando cada vez más admiración.

— Condesa — dijo el Duque — el Príncipe desea oír algunas canciones españolas, que le han celebrado mucho. María sobresale en este género. ¿ Queréis proporcionarle una guitarra ?

— Con mucho gusto — respondió la Condesa . . .

María, además de su hermosa voz y de su excelente método, tenía, como hija del pueblo, la ciencia infusa de los cantos andaluces y aquella gracia que no puede comprender y de que no puede gozar un extranjero, sino después de una larga residencia en España, y sólo identificándose, por decirlo así, con la índole nacional. En esta música, así como en los bailes, hay una abundancia de inspiración, un atractivo poderoso . . . una cierta cosa que se entiende y no se explica, y todo esto tan determinado, tan arreglado al compás, tan arrullado, si es lícito decirlo así, por la voz en el canto, y por los movimientos en el baile; la exaltación y la languidez se suceden tan rápidamente que suspenden, embriagan y cautivan al auditorio.

Así es que cuando María tomó la guitarra y se puso a cantar:

> Si me pierdo que me busquen
> Al lado del Mediodía,
> Donde nacen las morenas
> Y donde la sal se cría,

5

la admiración se convirtió en entusiasmo. La gente joven llevaba el compás con palmadas, repitiendo *bien*, *bien*, como para animar a la *cantaora*. Los naipes se cayeron de las manos de los formales jugadores ... Pero el gran triunfo de la música nacional fué que el entrecejo del General se desarrugó ...

10

[Después del verano, hacia septiembre, María consiguió hacer su estreno en un teatro de Sevilla. Esta noche de su primera aparición, algunos tertulianos de la casa de la Condesa esperaban ansiosos el resultado.]

15

Las vastas galerías de la casa de la Condesa estaban desiertas. No se veían allí más figuras que las del Antiguo Testamento, como Rafael llamaba a los jugadores de tresillo.

20

— ¡ Cómo tardan ! — dijo la Marquesa. — Las once y media y todavía no parecen.

— El tiempo — dijo su hermano — no parece largo a los filarmónicos, cuando están en la ópera, pasmándose de gusto como unos panarras.

25

— ¿ Quién había de pensar — continuó la Marquesa — que esa mujer tendría los estudios y el valor necesarios para salir tan pronto a las tablas ?

— En cuanto a los estudios — dijo el General — una vez que se sabe cantar, no se necesitan tantos como tú crees. En cuanto al valor, no quisiera más que un regi-

30

miento de granaderos por ese estilo, para asaltar a Numancia o Zaragoza.

— Contaré a ustedes lo que ha pasado — dijo entonces uno de los concurrentes. — Cuando llegó, hace tres meses, esta compañía italiana, nuestra *prima donna* futura tomó por temporada uno de los palcos más próximos al tablado. No faltó a una sola representación, y aun logró asistir a los ensayos. El Duque consiguió de la primera cantatriz que la diese algunas lecciones, y después, del empresario, que la ajustase en su compañía. Pero el ajuste a que se prestó el empresario fué en calidad de segunda, propuesta que fué arrogantemente desechada por ella. Por una de aquellas casualidades que favorecen siempre a los osados, la *prima donna* cayó peligrosamente enferma, y la protegida del Duque se ofreció a reemplazarla. Veremos qué tal sale de este empeño.

En este momento, la Condesa, animada y brillante como la luz, entró en la sala acompañada de algunos tertulianos.

— Madre, ¡ qué noche hemos tenido ! — exclamó. — ¡ Qué triunfo ! ¡ qué cosa tan bella y tan magnífica !

— ¿ Me querrás decir, sobrina, la importancia que tiene, ni el efecto que puede causar, el que una gaznápira cualquiera, que tiene buena garganta, cante bien en las tablas, para que pueda inspirarte un entusiasmo y una exaltación como te la podrían causar un hecho heroico o una acción sublime ?

— Considerad, tío — contestó la Condesa — ¡ qué lauro para nosotros, qué gloria para Sevilla, el ser la cuna de una artista que va a llenar el mundo con su fama !

— ¿ Como el Marqués de la Romana ? — replicó el General; — ¿ como Wellington o como Napoleón ? ¿ No es verdad, sobrina ?

— ¿ Pues qué, señor ? — contestó la Condesa. — ¿ No tiene la fama más que una trompeta guerrera ? ¡ Qué divinamente ha cantado esa mujer sin igual ! ¡ Con qué desenvoltura de buen gusto se ha presentado en la escena ! Es un prodigio. Y luego ¡ cómo se comunican de uno en otro el entusiasmo y la exaltación ! Yo, además, estaba muy contenta, viendo al Duque tan satisfecho, a Stein tan conmovido.

— El Duque — dijo el General — debería satisfacerse con cosas de otro jaez.

— General — dijo el tertuliano que había hablado antes — son flaquezas humanas. El Duque es joven ...

— ¡ Ah ! — exclamó la Condesa. — No hay cosa más infame que sospechar o hacer que se sospeche el mal donde no existe. El mundo lo marchita todo con su pestífero aliento. ¿ No saben todos que el Duque, no satisfecho con practicar las artes, protege a los artistas, a los sabios, y todo lo que puede influir en los adelantos de la inteligencia ? Además ¿ no es ella mujer de un hombre a quien el Duque debe tanto ?

— Sobrina — repuso el General — todo eso es muy santo y muy bueno; pero no alcanza a justificar apariencias sospechosas. En este mundo no basta estar exento de censura; es preciso, además, parecerlo. Por lo mismo que eres joven y bonita, harías bien en no declararte defensora de ciertas causas.

— Yo no tengo la ambición de que se me crea perfecta — dijo la Condesa — erigiendo en mi casa un tribunal de justicia; lo que sí quiero es que se me tenga por leal y sólida amiga, cuando hago respetar y defiendo a los que me dan ese título.

Rafael Arias entró en aquel instante.

— Vamos, Rafael — dijo la Condesa; — ¿ qué dirás ahora ? ¿ Te burlarás de esa encantadora mujer ?

— Prima, para darte gusto, voy a reventar de entusiasmo por imitar al público, como hizo la rana, queriendo alcanzar el tamaño del buey. Acabo de ser testigo de la ovación imperial que se ha hecho a esa octava maravilla.

— Cuéntanos eso — dijo la Condesa. — Cuéntanoslo.

— Cuando bajó el telón, hubo un momento en que se me figuró que íbamos a tener una segunda edición de la torre de Babel.

Diez veces fué llamada a las tablas la *Diva Donna*, y lo hubiese sido veinte, a no haberse puesto los insolentes reverberos, cansados de la prolongación de sus servicios, a echar pestes y suprimir luz.

Los amigos del Duque se empeñaron en que los llevase a dar la enhorabuena a la heroína. Todos nos echamos a sus pies con el rostro en tierra.

— ¿ Tú también, Rafael ? — dijo el General; — yo te creía más sensato bajo esas apariencias de tarambana.

— Si no hubiera ido adonde iban los otros, no tendría ahora la satisfacción de referiros el modo con que nos recibió esta Reina de las Molucas, Emperatriz del Bemol. En primer lugar, todas sus respuestas se hicieron en una especie de escala cromática, de su uso, que consta de los siguientes semitonos: primeramente la calma, o llámese indiferencia; después, la frescura; en seguida la frialdad, y por último el desdén. Yo fuí el primero en tributarle homenaje. Le enseñé mis manos, desolladas a fuerza de aplaudir, asegurándole que el sacrificio de mi pellejo era un débil homenaje a su sobrenatural habilidad. Su respuesta fué una *gravedosa* inclinación de cabeza, digna de la diosa Juno. El Barón le suplicó por todos los santos del cielo que fuese a París, único teatro capaz de aplaudirla dignamente, en vista de que los *bravos* franceses resuenan en todos los ámbitos del universo. A esto respondió con la mayor frescura: « Ya veis que no necesito ir a París para que me aplaudan: y aplausos por aplausos, más quiero 5 los de mi tierra que los de los franceses ».

— ¿ Eso dijo ? — preguntó el General. — ¿ Quién habría pensado que esa mujer dijese una cosa tan racional ? . . .

Con tanto como se hablaba en las tertulias acerca de la nueva cantatriz, se ignoraba un hecho significativo que 10 había ocurrido aquella misma noche.

Pepe Vera no había cesado de seguir los pasos de María; y como era favorito del público, le había sido fácil penetrar en lo interior del templo de las musas, no obstante la enemistad que éstas han jurado a las corridas de toros. 15

María salía a la escena, al ruido de los aplausos, cuando se dió de manos a boca entre bastidores con Pepe Vera y algunos otros jóvenes.

— ¡ Bendita sea ! — dijo el célebre torero, tirando al suelo y extendiendo la capa para que sirviese de alfombra a 20 María; — ¡ bendita sea esa garganta de cristal, capaz de hacer morir de envidia a todos los ruiseñores del mes de mayo !

— Y esos ojos — añadió otro — que hieren a más cristianos que todos los puñales de Albacete. 25

María pasó tan impávida y desdeñosa como siempre.

— ¡ Ni siquiera nos mira ! — dijo Pepe Vera. — Oiga usted, prenda. Un rey es, y mira a un gato. Y cuidado, caballeros, que es buena moza, a pesar de que . . .

— ¿ A pesar de qué ? — dijo uno de sus compañeros. 30

— A pesar de ser tuerta — repuso Pepe Vera.

Al oír estas palabras, María no pudo contener un movimiento involuntario, y fijó en el grupo sus grandes ojos atónitos. Los jóvenes se echaron a reír, y Pepe Vera le envió un beso en la punta de los dedos.

María comprendió inmediatamente que aquella expre-
5 sión no había sido dicha sino para hacerle volver la cara. No pudo menos de sonreírse, y se alejó dejando caer el pañuelo. Pepe lo recogió apresuradamente y se acercó a ella, como para devolvérselo.

— Os lo entregaré esta noche en la reja de vuestra
10 ventana — le dijo en voz baja y con precipitación.

Al dar las doce salió María de su cama con pasos caute-losos, después de asegurarse de que su marido yacía en profundo sueño. Stein dormía, en efecto, con la sonrisa en los labios, embriagado con el incienso que había recibido
15 aquella noche María, su esposa, su alumna, la amada de su corazón. Entretanto un bulto negro se apoyaba en una de las rejas del piso bajo de la casa que habitaba María, y que daba a una de las angostas callejuelas tan comunes en Sevilla. No era posible distinguir las facciones de aquel
20 individuo, porque una mano oficiosa había apagado de antemano los faroles que alumbraban la calle.

CAPÍTULO XV

Era ya Sevilla teatro demasiado estrecho para las miras ambiciosas y para la sed de aplausos que devoraban el corazón de María. El Duque, además, obligado a resti-
25 tuirse a la capital, deseaba presentar en ella aquel portento, cuya fama le había precedido. Pepe Vera, por otra parte, ajustado para lidiar en la plaza de Madrid, exigió de María que hiciese el viaje, y así sucedió en efecto.

El triunfo que obtuvo María al estrenarse en aquella
nueva liza sobrepujó al que había logrado en Sevilla. No
parecía sino que se habían renovado los días de Orfeo y de
Anfión, y las maravillas de la lira de los tiempos mitológicos.
Stein estaba confuso. El Duque embriagado. Pepe Vera 5
dijo un día a la *cantaora:* — ¡ Caramba, María, te palmo-
tean que ni que hubieses matado un toro de siete años !

María estaba rodeada de una corte numerosa. Formaban parte de ella todos los extranjeros distinguidos que se
hallaban a la sazón en la capital y entre ellos había algunos 10
notables por su mérito, otros por su categoría. ¿ Qué
motivos los impulsaba ? Unos iban por darse tono, según
la locución moderna. (¿ Y qué es tono ? Es una imitación
servil de lo que otros hacen.) Otros iban movidos por la
misma especie de curiosidad que incita al niño a examinar 15
los secretos resortes del juguete que le divierte.

María no tuvo que hacer el menor esfuerzo para sentirse
muy a sus anchas en medio de aquel gran círculo. No
había cambiado en lo mas pequeño su índole fría y al-
tanera; pero había más elegancia en su talante y mejor 20
gusto en su modo de vestir; adquisiciones maquinales y
exteriores que, a los ojos de ciertas gentes, pueden suplir
la falta de inteligencia, de tacto y de buenos modales. Por
la noche, en las tablas, cuando el reflejo de las luces blan-
queaba su palidez y aumentaba el realce de sus ojos grandes 25
y negros, parecía realmente hermosa . . .

El Duque pudo entregarse largo tiempo al atractivo que
María ejercía en él, sin que la más pequeña nube empañase
la paz sosegada y, como el cielo, pura, del corazón de su
mujer. Sin embargo el Duque, hasta entonces tan afec- 30
tuoso, la descuidaba cada día más. La Duquesa lloraba,
pero callaba.

Después llegó a sus oídos que aquella cantatriz que
alborotaba a todo Madrid era protegida de su marido; que
éste pasaba la vida en casa de aquella mujer. La Duquesa
lloró, pero dudando todavía.

5 Después el Duque llevó a Stein a su casa para dar lecciones a su hijo, y luego quiso que María las diese a su
hija, preciosa criatura de once años de edad.

Leonor se opuso con vigor a esto último, alegando no
poder permitir que una mujer de teatro tuviese el menor
10 punto de contacto con aquella inocente. El Duque, acostumbrado a las fáciles condescendencias de su mujer, vió
en esta oposición un escrúpulo de devota, una falta de
mundo, y persistió en su idea. La Duquesa cedió, siguiendo
el dictamen de su confesor; pero lloró amargamente, im-
15 pulsada por un doble motivo.

Recibió, pues, a María con excesiva circunspección; con
una reserva fría aunque urbana.

Leonor, que vivía, según sus propensiones tranquilas,
muy retirada, no recibía sino pocas visitas, la mayor parte
20 de parientes; los demás eran sacerdotes y algunas otras
personas de confianza. Así, pues, asistía con no desmentida
perseverancia a las lecciones de su hija; y tanto empeño
puso en no alejarla de sus miradas maternas, que este
sistema no pudo menos de ofender a María. Las personas
25 que iban a ver a la Duquesa no hacían más que saludar fríamente a la maestra, sin volver a dirigirla la palabra. De
este modo llegaba a ser en extremo humillante la posición
que ocupaba en aquella noble y austera casa la mujer que el
público de Madrid adoraba de rodillas. María lo conocía,
30 y su orgullo se indignaba: pero como la exquisita cortesía
de la Duquesa no se desmintió jamás; como en su grave,
modesto y hermoso rostro no se había manifestado nunca

una sonrisa de desdén ni una mirada de altanería, María no podía quejarse. Por otra parte el Duque, que era tan digno y tan delicado, ¿cómo había de permitir que nadie se le quejase de su mujer? María tenía bastante penetración para conocer que debía callar y no perder la amistad del Duque, que la lisonjeaba, ni su protección que le era necesaria, ni sus regalos, que le eran muy gratos. Tuvo, pues, que tascar el freno, hasta que ocurriese algún suceso que pusiese término a tan tirante situación.

Un día en que, vestida de seda y deslumbrando a todos con sus joyas, cubierta con una magnífica mantilla de encajes, entraba en casa de la Duquesa, se encontró allí con el padre de ésta, el Marqués de Elda, y con el Obispo de . . .

Cuando María entró en la sala, la Duquesa se levantó con intención de darle gracias y despedirla por aquel día, en vista del respeto debido a las personas presentes. Pero el Obispo, que ignoraba todo lo que pasaba, manifestó deseos de oír cantar a la niña, que era su ahijada. La Duquesa se volvió a sentar; saludó a María con su urbanidad acostumbrada y mandó llamar a su hija, quien no tardó en presentarse.

Apenas terminaba la niña los últimos compases de la plegaria de Desdémona, cuando se oyeron tres golpes suaves a la puerta.

— Adelante, adelante — dijo la Duquesa, dando a entender que conocía a la persona en su modo de llamar, y con una viveza nueva a los ojos de María, se puso en pie y salió obsequiosamente al encuentro de aquella visita.

Pero María se sorprendió todavía más al ver este nuevo personaje. Era una mujer fea, de unos cincuenta años de edad y de aspecto común. Su traje era tan basto como desairado y extraño.

La Duquesa la recibió con grandes muestras de consideración y una cordialidad tanto más notable, cuanto más contrastaba con la reserva glacial que con la maestra había usado; la tomó de la mano y la presentó al Obispo.

5 María no sabía qué pensar. Jamás había visto un vestido semejante ni una persona que le pareciese menos en armonía con la posición que parecía ocupaba cerca de gentes tan distinguidas y elevadas.

Después de un cuarto de hora de una conversación 10 animada, aquella mujer se levantó. Estaba lloviendo. El Marqués la ofreció su coche, con grandes instancias; pero la Duquesa le dijo:

— Padre, ya he mandado que pongan el mío.

Dijo estas palabras acompañando a la recién venida, 15 que ya se retiraba, y que se negó tenazmente a hacer uso del carruaje.

— Ven, hija mía — dijo la Duquesa a su hija — ven, con permiso de tu maestra, a saludar a tu buena amiga.

María no sabía qué pensar de lo que estaba viendo y 20 oyendo. La niña abrazó a aquella que la Duquesa llamaba su buena amiga.

— ¿ Quién es esa mujer ? — la preguntó María, cuando volvió a su puesto.

— Es una hermana de la Caridad — respondió la niña.

25 María quedó anonadada. Su orgullo, que desafiaba con la frente erguida toda superioridad, la dignidad de la nobleza, la rivalidad de los artistas, el poder de la autoridad, y aun las prerrogativas del genio, se dobló como un junco ante la grandeza y la superioridad de la virtud.

30 Poco después se levantó para irse; seguía lloviendo.

— Tiene usted un coche a su disposición — le dijo la Duquesa al despedirla.

Al bajar al patio, María observó que estaban quitando los caballos del de la Duquesa. Un lacayo bajó con aire respetuoso el estribo de un coche de alquiler. María entró en él henchido el corazón de impotente rabia.

Al día siguiente declaró resueltamente al Duque que no 5 continuaría dando lecciones a su hija. Tuvo buen cuidado de ocultarle el verdadero motivo y la astucia de dar a esta reserva todo el aspecto de un acto de prudencia. El Duque, alucinado, tanto por el entusiasmo que María le inspiraba, como por los amaños de que ella supo valerse, supuso que 10 su mujer habría dado motivo para aquella determinación, y se mostró aun más frío con ella.

CAPÍTULO XVI

[Mientras la Gaviota obtenía grandes triunfos en la escena por su voz maravillosa, su padre cayó gravemente enfermo. La tía María, viendo que estaba muriéndose, 15 decidió mandar a Momo a Madrid para que trajese al doctor Stein y a la hija del pescador.]

Momo, renegando del tío Pedro y de su casta, no tuvo más remedio que emprender su viaje, y uniéndose a los arrieros de la sierra de Aracena que venían a Villamar por 20 pescado, llegó a Valverde, y de allí, pasando por Aracena, la Oliva y Barcarota, a Badajoz, por el cual pasa la antigua carretera de Madrid a Andalucía. De allí, sin detenerse, siguió a Madrid. Don Modesto había copiado con letras tamañas como nueces las señas de la casa en que vivía 25 Stein, y que éste había enviado cuando llegaron a Madrid. Con esta papeleta en la mano, salió Momo para la corte, entonando nuevas letanías de imprecaciones contra la Gaviota.

Una tarde salía la tía María, más desazonada que nunca, de en casa del pobre pescador.

— Dolores — dijo a su nuera — el tío Pedro se nos va. Esta mañana enrollaba las sábanas de su cama; y esto es que está liando el hato para el viaje de que no se vuelve. ¡ Y esa gente no viene ! Estoy que no se me calienta la camisa en el cuerpo. Me parece que Momo debería ya estar de vuelta; diez días lleva de viaje.

— Madre — contestó Dolores — hay mucha tierra que pisar hasta Madrid. Manuel dice que no puede estar de vuelta sino de aquí a cuatro o cinco días.

Pero ¡ cuál no sería el asombro de ambas cuando de repente vieron ante sí, con aire azorado y mal gesto, al mismísimo Momo en persona !

— ¡ Momo ! — exclamaron las dos a un tiempo.

— Él mismo en cuerpo y alma — contestó éste.

— ¿ Y Marisalada ? — preguntó ansiosa la tía María.

— ¿ Y don Federico ? — preguntó Dolores.

— Ya los pueden ustedes aguardar hasta el día del juicio — respondió Momo. — ¡ Vaya que ha estado bueno mi viaje ! Gracias a madre abuela, que me he visto metido en un berengenal, que ya . . .

— ¿ Pero qué es lo que hay ? ¿ Qué te ha sucedido ? — preguntaron su abuela y su madre.

— Lo que van ustedes a oír, para que admiren los juicios de Dios y le bendigan por verme aquí salvo y libre; gracias a que tengo buenas piernas.

La abuela y la madre se quedaron sobresaltadas al oír aquellas palabras, que anunciaban serios y tristes acontecimientos.

— Cuenta, hombre, di, ¿ qué ha sucedido ? — volvieron ambas a exclamar; — mira que tenemos el alma en un hilo.

— Cuando llegué a Madrid — dijo Momo — y me ví
solo en aquel cotarro, se me abrieron las carnes. Cada
calle me parecía un soldado; cada plaza una patrulla. Con
la papeleta que me dió el Comandante, que era un papel
que hablaba, fuí a dar en una taberna, donde topé con un 5
achispado, amigo de complacer, que me llevó a la casa que
rezaba el papel. Allí me dijeron los criados que sus amos no
estaban en casa; y con eso iban a darme con la puerta en
los hocicos; pero no sabían esas almas de cántaro con quién
se las tenían que haber. ¡ Eh ! — les dije; — miren ustedes 10
con quién hablan, que yo no soy criado de nadie, ni nada
vengo a pedir; aunque pudiera hacerlo, porque en mi casa
fué donde recogimos a don Federico, cuando se estaba muriendo y no tenía ni sobre qué caerse muerto.

— ¿ Eso dijiste, Momo ? — exclamó su abuela. — ¡ Quita 15
allá ! ¡ Esas cosas no se dicen ! ¡ Qué vergüenza ! ¿ Qué
habrán pensado de nosotros ? ¡ Echar en cara un favor !
¿ Quién ha visto eso ?

— ¿ Pues qué, no se lo diría ? ¡ Vaya ! Y dije más;
para que ustedes se enteren, dije que mi abuela había sido 20
quien se había traído a su casa a su ama, cuando se puso
mala de puro correr y desgañitarse sobre las rocas, como
una Gaviota que era. Los mostrencos aquellos se miraban
unos a otros riéndose, y haciendo burla de mí, y me dijeron
que venía equivocado, que era hija de un general de las 25
tropas de don Carlos. ¡ Hija de un general ! ¿ Se entera
usted ? ¡ Por *vía* de los moros ! ¿ Puede darse más descarada embustera ? ¡ Decir que el tío Pedro es general !
¡ El tío Pedro, que ni ha servido al rey ! — Al avío — les
dije; — que la razón que traigo urge, y lo que quiero yo es 30
largarme presto, y perder a ustedes, a sus amos y a Madrid
de vista.

« Nicolás — dijo entonces una moza que tenía trazas de ser tan farota como su ama; — lleva ese ganso al *treato:* allí podrá ver a la señora. »

Noten ustedes que cuando hablaba de mí, decía la muy
5 deslenguada *ganso*, y cuando hablaba de la tuna de la Gaviota, decía *señora.* ¿ Podría eso creerse ? ¡ Cosas de Madrid ! ¡ Confundío se vea !

Pues señor, el criado se puso el sombrero y me llevó a una casa muy grandísima y muy alta, que era a *moo* de
10 iglesia; sólo que en lugar de cirios, tenía unas lámparas que alumbraban como soles. En rededor había como unos asientos, en que estaban sentadas, más tiesas que husos, más de diez mil mujeres, puestas en feria, como redomas en botica. Abajo había tanto hombre que parecía un
15 hormiguero. ¡ Cristianos ! ¡ yo no sé de donde salió tanta criatura ! Pues no es nada, dije para mi chaleco, ¡ las hogazas de pan que se amasarán en la villa de Madrid ! . . . Pero asómbrense ustedes; toda esa gente había ido allí, ¿ a qué? . . . ¡ a oír cantar a la Gaviota ! ! !
20 Momo hizo una pausa, teniendo las manos extendidas y abiertas a la altura de su cara.

La tía María bajó y levantó la cabeza en señal de satisfacción.

— En todo esto no veo motivo para que te hayas vuelto
25 tan de prisa y tan azorado — dijo Dolores.

— Ya voy, ya voy, que no soy escopeta — repuso Momo. — Cuento las cosas como pasaron.

Pues cate usted ahí, que de repente, y sin que nadie se lo mandase, suenan a la par más de mil instrumentos, trom-
30 petas, pitos y unos violines tamaños como confesionarios, que se tocaban para abajo. ¡ María Santísima, y qué atolondro ! yo dí una encoginada, que fué floja en gracia de Dios.

— Pero ¿ de dónde salió tanto músico ? — preguntó su madre.

— ¡ Qué sé yo ! Habría leva de ciegos por toda España. Pero no es esto lo mejor; sino que cate usted ahí, que sin saber ni cómo, ni por dónde, desaparece un a *moo* de jardín que había al frente. No parecía sino que el demonio había cargado con él.

— ¿ Qué estás diciendo, Momo ? — dijo Dolores.

— *Naïta* más que la purísima verdad. En lugar de la arboleda había al frente un a *moo* de estrado, con redondeles de trapo, que sería de un palacio. Allí se presenta una mujer más *ajicalada*, con más terciopelos, bordaduras de oro y más dijes que la Virgen del Rosario.

— Esta es la Reina doña Isabel Segunda — dije yo para mi chaleco. — Pues no, señor, no era la Reina. ¿ Saben ustedes quién era ? ¡ Ni más ni menos que la Gaviota, la malvada Gaviota, que andaba aquí descalza de pies y piernas ! Lo primero que sucedió con el vergel había sucedido con ella; la Gaviota, descalza de pies y piernas, se la había llevado el demonio, y en su lugar había puesto una *principesa*. Yo estaba cuajado. Cuando menos se pensaba, entra un señor mayor muy engalanado. Estaba que echaba bombas. ¡ Qué enojado ! Ponía unos ojos . . . ¡ Caramba ! — dije yo para mi chaleco — no quisiera yo estar en el pellejo de esa Gaviota. A todo esto, lo que me tenía parado era que reñían cantando. ¡ Vaya ! será la *moa* por allá, entre la gente de fuste. Pero con eso no me enteraba yo bien de lo que platicaban : lo que vine a sacar en limpio fué que aquél sería el general de don Carlos, porque ella le decía *padre*, pero él no la quería reconocer por hija, por más que ella se lo pidió de rodillas.

— ¡ Bien hecho ! — le grité; — duro a la embustera descarada.

— ¿ A qué te metiste en eso ? — le dijo su abuela.

— ¡ Toma ! como que yo la conocía y podía atestiguarlo.
¿ No sabe usted que quien calla otorga ? Pero parece que
allá no se puede decir la verdad, porque mi vecino, que era
un celador de policía, me dijo: — ¿ Quiere usted callar,
amigo ?

— No me da la gana — le respondí; — y he de decir en
voz y en grito que ese hombre no es su padre.

— ¿ Está usted loco, o viene de las Batuecas ? — me dijo
el polizonte.

— Ni uno ni otro, so desvergonzado — le respondí; —
estoy más cuerdo que usted, y vengo de Villamar, donde
está su padre *legítimo*, tío Pedro Santaló.

— Es usted — me dijo el madrileño — un pedazo de alcornoque muy basto; vaya usted a que lo descorchen.

Me amostacé y levanté el codo para darle una *guantáa*,
cuando Nicolás me cogió por un brazo y me sacó fuera
para ir a echar un trago.

— Ya he caído en la cuenta — le dije; — ese general es
el que quiere esa renegada Gaviota que sea su padre. De
muchas iniquidades había yo oído hablar: de muertes,
robos, hasta de piratas; pero eso de renegar de su padre,
en mi vida he oído otra.

Nicolás se desternillaba de risa; por lo visto, esa *indiniá*
no les coge allá de susto.

Cuando volvimos a entrar es de presumir que le habría
mandado el general a la Gaviota que se quitase los arrumacos, porque salió toda vestida de blanco que parecía amortajada. Se puso a cantar, y sacó una guitarra muy grande
que puso en el suelo y tocó con las dos manos, (¡ qué no es

capaz de inventar esa Gaviota ! ! !); y ahora viene lo gordo,
pues de repente sale un moro.

— ¿ Un moro ?

— ¡ Pero qué moro ! ! Más negro y más feróstico que
el mismísimo Mahoma; con un puñal en la mano, tamaño
como un machete. ¡ Yo me quedé yerto!

— ¡ Jesús, María ! — exclamaron su madre y su abuela.

— Pregunté a Nicolás que quién era aquel Fierabrás y
me respondió que se llamaba *Telo*. Para acabar presto;
el moro le dijo a la Gaviota que la venía a matar.

— ¡ Virgen del Carmen ! — exclamó la tía María; —
¿ Era acaso el verdugo ?

— No sé si era el verdugo, ni sé si era un matador
pagado — respondió Momo; — lo que sí sé es que la aga-
rró de los cabellos y la dió de puñaladas: lo ví con estos
ojos que ha de comer la tierra, y puedo dar testimonio.

Momo apoyaba sus dos dedos debajo de sus ojos con tal
vigor de expresión, que aparecieron como queriendo salirse
de sus órbitas.

Las dos buenas mujeres lanzaron un grito. La tía
María sollozaba y se retorcía las manos de dolor.

— ¿ Pero qué hicieron tantos como presentes estaban ?
— preguntó Dolores llorando; — ¿ no hubo nadie que pren-
diese a ese desalmado ?

— Eso es lo que yo no sé — contestó Momo; — pues
al ver aquello, cogí dos de luz y cuatro de traspón, no fuese
que me llamasen a declarar, y no paré de correr hasta no
poner algunas leguas entre la villa de Madrid y el hijo de
mi padre.

— Preciso es — dijo entre sus sollozos la tía María —
ocultarle esta desdicha al pobre tío Pedro. ¡ Ay ! ¡ qué
dolor ! ¡ qué dolor ! !

— ¿ Y quién había de tener valor para decírselo? — repuso Dolores. — ¡ Pobre María ! Hizo lo del español, que estando bien quiso estar mejor, y cate usted ahí las resultas.

5 — Cada uno lleva su merecido — dijo Momo; — esa embrollona descastada había de parar en mal: no podía eso marrar. Si no estuviese cansado, iba sobre la marcha a contárselo a Ratón Pérez.

CAPÍTULO XVII

[Pocos días después murió el tío Pedro sin que los de
10 Madrid se enterasen de ello. Mientras la buena gente de Villamar lloraba su muerte, Marisalada estaba preparándose en el vestuario de un teatro madrileño para salir a la escena. A la puerta del teatro unos jóvenes hablaban con gran entusiasmo de la voz de la cantatriz
15 y también de su belleza personal. Cerca de ellos y escuchándolos, estaba otro joven, embozado hasta los ojos en su capa. Disgustado éste por las alabanzas que los jóvenes hacían de Marisalada, se dirigió bruscamente a la puerta del escenario.]

20 MARÍA, en traje de Semíramis, estaba preparada para salir a la escena. Rodeábanla algunas personas.

El embozado, que no era otro que Pepe Vera, entró a la sazón, se aproximó a ella, y sin que nadie lo oyese, le dijo al oído:

25 — No quiero que cantes — y siguió adelante con impasible aire de indiferencia.

María se puso pálida de sorpresa, y enrojeció de indignación en seguida.

— Vamos — dijo a su doncella; — Marina, ajusta bien

los pliegues del vestido. Van a empezar (añadió en voz
alta para que lo oyese Pepe Vera, que se iba alejando);
con el público no se juega.

— Señora — le dijo uno de los empleados — ¿ puedo
mandar que alcen el telón ?

— Estoy lista — respondió.

Pero, no bien hubo pronunciado estas palabras, cuando
lanzó un grito agudo.

Pepe Vera había pasado por detrás, y cogiéndole el
brazo con fuerza brutal, había repetido:

— No quiero que cantes.

Vencida por el dolor, María se había arrojado en una
silla llorando. Pepe Vera había desaparecido.

— ¿ Qué tiene ? ¿ Qué ha sucedido ? — preguntaban
todos los presentes.

— Me ha dado un dolor — respondió María llorando.

— ¿ Qué tenéis, señora ? — preguntó el director, a quien
habían dado aviso de lo que pasaba.

— No es nada — contestó María, levantándose y en-
jugándose las lágrimas. — Ya pasó; estoy pronta. Vamos.

En este momento, Pepe Vera, pálido como un cadáver,
y ardiéndole los ojos como dos hornillos, vino a interponerse entre el director y María.

— Es una crueldad — dijo con mucha calma — sacar
a las tablas a una criatura que no puede tenerse en pie.

— ¡ Pero qué ! Señora — exclamó el director, — ¿ estáis enferma ? ¿ Desde cuándo ? ¡ Hace un momento que
os he visto rozagante, alegre y animada !

María iba a responder, pero bajó los ojos, y no desplegó
los labios. Las miradas terribles de Pepe Vera la fascina-
ban, como fascinan al ave las de la serpiente.

— ¿ Por qué no ha de decirse la verdad ? — continuó

Pepe Vera sin alterarse. — ¿ Por qué no habéis de confesar que no os halláis en estado de cantar ? ¿ Es pecado por ventura ? ¿ Sois esclava, para que os arrastren a hacer lo que no podéis ?

5   Entretanto el público se impacientaba. El director no sabía qué hacer. La autoridad envió a saber la causa de aquel retardo; y mientras el director explicaba lo ocurrido, Pepe Vera se llevaba a María, bajo el pretexto de necesitar asistencia, agarrándola por el puño con tanta fuerza que

10 parecía romperle los huesos, y diciéndola con voz ahogada, pero firme:

— ¡ Caramba ! ¿ No basta decir que no quiero ?

Cuando estuvieron solos en el cuarto que servía de vestuario a María, estalló la rabia de ésta.

15   — Eres un insolente, un infame — exclamó con voz sofocada por la ira. — ¿ Qué derecho tienes para tratarme de esta suerte ?

— El quererte — respondió Pepe Vera con flema.

— Maldito sea tu querer — dijo María.

20 Pepe Vera se echó a reír.

— ¡ Lo dices eso, como si pudieras vivir sin él ! — dijo volviéndose a reír.

— ¡ Vete, vete ! — exclamó María — y no vuelvas jamás a ponérteme delante.

25   — Hasta que me llames.

— ¡ Yo a ti ! Antes llamaría al demonio.

— Eso puedes hacer; que no tendré celos.

— ¡ Vete, vete al instante; déjame !

— Concedido — dijo el torero; — de hilo me voy en

30 casa de Lucía del Salto. (María estaba celosísima de aquella mujer, que era una bailarina a quien Pepe Vera cortejaba antes de conocer a María.)

— ¡ Pepe ! ¡ Pepe ! — gritó María. — ¡ Villano ! ¡ La traición después del vejamen !

— Aquélla — dijo Pepe Vera — no hace más que lo que yo quiero. Tú eres demasiado señorona para mí. Si quieres que hagamos buenas migas, se han de hacer las cosas a mi voluntad. Para mandar tú y no obedecer, ahí tienes a tus duques, a tus embajadores, a tus desaboridas y achacosas excelencias.

Dijo y echó a andar hacia la puerta.

— ¡ Pepe ! ¡ Pepe ! — gritó María, desgarrando su fino pañuelo entre sus crispados dedos.

— Llama al demonio — le respondió irónicamente Pepe Vera.

— ¡ Pepe ! ¡ Pepe ! ten presente lo que voy a decirte. Si te vas con la Lucía, me dejo enamorar por el Duque.

— ¿ A que no te atreves ? — respondió Pepe, dando algunos pasos atrás.

— ¡ A todo me atrevo yo por vengarme !

Pepe se quedó plantado delante de María, con los brazos cruzados y los ojos fijos en ella.

María sostuvo sin alterarse aquellas miradas penetrantes como dardos.

En aquel corto instante, aquellas dos naturalezas se sondearon recíprocamente, y conocieron que eran del mismo temple y fuerza. Era preciso cortar sus relaciones o suspender la lucha. Por mutuo instinto de esto cada cual renunció el triunfo.

— Vamos, Maruja — dijo Pepe Vera, que había sido el agresor — seamos amigos, y pelillos a la mar. No iré en casa de Lucía; pero en cambio, y para estar seguros uno de otro, me vas a esconder esta noche en tu casa, de modo que pueda ser testigo de la visita del Duque, y convencerme por mí mismo de que no me engañas.

— No puede ser — respondió fríamente María.

— Pues bien — dijo Pepe — ya sabes donde voy en
5 saliendo de aquí.

— ¡ Infame ! — repuso María apretando los puños con
rabia — me pones entre la espada y la pared.

Una hora después de esta escena, María estaba en su
casa medio recostada en un sofá; el Duque estaba sentado
10 cerca de ella; Stein, en pie, tenía en sus manos las de su
mujer, observando el estado del pulso.

— No es nada, María — dijo a ésta. — No es nada,
señor Duque: un ataque de nervios que ya ha pasado.
El pulso está perfectamente tranquilo. Reposo, María,
15 reposo. Te matas a fuerza de trabajo. Hace algún
tiempo que tus nervios se irritan de un modo extraordi-
nario. Tu sistema nervioso se resiente del impulso que das
a los papeles. No tengo la menor inquietud, y así me
voy a velar un enfermo grave. Toma el calmante que voy
20 a recetar; cuando te acuestes, una horchata, y por la mañana leche de burra; — y dirigiéndose al Duque — mi
obligación me fuerza, mal que me pese, a ausentarme,
señor Duque.

Y volviendo a recomendar a su mujer el sosiego y el
25 reposo, Stein se retiró, haciendo al Duque un profundo
saludo.

El Duque, sentado enfrente de María, la miró largo
tiempo.

María parecía extraordinariamente aburrida.

30 — ¿ Estáis cansada ? — dijo aquél con la suavidad que
sólo el amor puede dar a la voz humana.

— Estoy descansando — respondió ella.

— ¿ Queréis que me vaya ?

— Si os place . . .

— Al contrario, me disgustaría mucho.

— Pues, entonces, quedáos.

— María — dijo el Duque después de algunos instantes de silencio, y sacando un papel del bolsillo — cuando no puedo hablaros, canto vuestras alabanzas. Hé aquí unos versos que he compuesto anoche; porque de noche, María, sueño sin dormir. El sueño ha huído de mis ojos, desde que la paz ha huído de mi corazón. Perdón, perdón, María, si estas palabras que rebosan de mi corazón ofenden la inocencia de vuestros sentimientos, tan puros como vuestra voz. También he padecido yo, cuando padecíais vos.

— Ya veis — repuso ella bostezando — que no ha sido cosa de cuidado.

— ¿ Queréis, María — le preguntó el Duque — que os lea los versos ?

— Bien — respondió fríamente María.

El Duque leyó una linda composición.

— Son muy hermosos — dijo María algo más animada: — ¿ van a salir en *El Heraldo?*

— ¿ Lo deseáis ? — preguntó el Duque suspirando.

— Creo que lo merecen — contestó María.

El Duque calló, apoyando su cabeza en sus manos.

Cuando la levantó vió en los ojos de María, fijos en la puerta de cristales de su alcoba, un vivo rayo, inmediatamente apagado. Volvió la cara hacia aquel lado; pero no vió nada.

El Duque, en su distracción, había hecho un rollo del papel en que estaban escritos sus versos, que María no había reclamado.

-- ¿ Vais a hacer un cigarro con el soneto ? — preguntó María.

— Al menos, así serviría para algo — respondió el Duque.

5   — Dádmelos, y los guardaré — repuso María.

El Duque pasó en el papel enrollado una magnífica sortija de brillantes.

— ¡ Qué ! — dijo María — ¿ la sortija también ?

Y se la puso en el dedo, dejando caer al suelo el papel.

10   — ¡ Ah ! — pensó entonces el Duque; — ¡ no tiene corazón para el amor, ni alma para la poesía ! ¡ ni aun parece que tiene sangre para la vida ! Y sin embargo, el cielo está en su sonrisa; el infierno en sus ojos; y todo lo que el cielo y la tierra contienen, en los acentos de su soberana
15 voz.

El Duque se levantó.

— Descansad, María — le dijo. — Reposad tranquila en la venturosa paz de vuestra alma, sin que la importune la idea de que otros velan y padecen.

CAPÍTULO XVIII

20   APENAS cerró el Duque la puerta cuando Pepe Vera salió por la de la alcoba, riéndose a carcajadas.

— ¿ Quieres callar ? — le dijo María haciendo reflejar los rayos de la luz en el solitario que el Duque acababa de regalarle.

25   — No — respondió el torero — porque me ahogaría la risa. Ya no estoy celoso, Mariquita. Tantos celos tengo como el sultán en su serrallo. ¡ Pobre mujer ! ¿ Qué sería de ti, con un marido que te enamora con recetas, y

un cortejo que te obsequia con coplas, si no tuvieras quien
supiera camelarte con zandunga ? Ahora que el uno se ha
ido a *soñar despierto* y el otro a *velar dormido*, vámonos tu
y yo a cenar con la gente alegre, que aguardándonos está.

— No, Pepe. No me siento buena. El sofocón que he   5
tomado, el frío que hacía al salir del teatro, me han cor-
tado el cuerpo. Tengo escalofríos.

— Tus dengues de princesa — dijo Pepe Vera. — Vente
conmigo. Una buena cena te sentará mejor que no esa
zonzona horchata, y un par de vasos de buen vino te 10
harán más provecho que la asquerosa leche de burra;
vamos, vamos.

— No voy, que hace un Norte de Guadarrama, de esos
que no apagan una luz y matan a un cristiano.

— Pues bien — dijo Pepe — si ésa es tu voluntad y 15
quieres curarte en salud, buenas noches.

— ¡ Cómo ! — exclamó María. — ¿ Te vas a cenar y me
dejas ? ¿ Me dejas sola y mala como lo estoy, por tu
causa ?

— ¡ Pues qué ! — replicó el torero; — ¿ quieres que yo 20
también me ponga a dieta ? Eso no, morena. Me aguar-
dan y me largo. Buen rato te pierdes.

María se levantó con un movimiento de coraje, dejó
caer una silla, salió del cuarto cerrando la puerta con estrépito, y volvió en breve, vestida de negro, cubierta de una 25
mantilla cuyo velo le ocultaba el rostro, y envuelta en un
pañolón, y salieron los dos juntos.

Muy entrada la noche, al volver Stein a su casa, el
criado le entregó una carta. Cuando estuvo en su cuarto,
la abrió. Su contenido y su ortografía eran como sigue: 30

« Señor dotor:

» No creha usted que ésta es una carta nónima; yo

hago las cosas claras; comienzo por decirle mi nombre, que es Lucía del Salto; me parece que es nombre bastante conocido.

» Señor marío de la Santaló, es menester ser tan bueno
o tan bolo como usted lo es, para no caher en la qüenta de que su muger de usted está mal entretenía por Pepe Vera, que era mi novio, que yo lo puedo decir, porque no soy casada y a nadie engaño. Si usted quiere que se le caigan las cataratas, vaya usted esta noche a la calle
de ... número 13, y allí ará usted como santo Tomás. »

— ¡ Puede darse una infamia semejante ! — exclamó Stein, dejando caer la carta al suelo. — Mi pobre María tiene envidiosas, y lo son mujeres de teatro. ¡ Pobre María ! Enferma, quizás durmiendo ahora sosegadamente.
Pero veamos si su sueño es tranquilo. Anoche no estaba bien. Tenía el pulso agitado, y la voz tomada. ¡ Hay tantas pulmonías ahora en Madrid !

Stein tomó una luz, salió de su cuarto, pasó a la sala, por la cual comunicaba con la alcoba de su mujer, entró
en ella, pisando con las puntas de los pies, se acercó a la cama, entreabrió las cortinas ... ¡ no había nadie !

En un ser íntegro, tan confiado como Stein, no era fácil que penetrase de pronto, y sin combate, la convicción de tan infame engaño.

— No — dijo después de algunos instantes de reflexión.
— ¡ No es posible ! Debe haber alguna causa, algún motivo imprevisto.

— Sin embargo — continuó después de otra pausa — es preciso que no me quede nada sobre el corazón. Es
preciso que yo pueda responder a la calumnia, no sólo con el desprecio, sino con un solemne mentís y con pruebas positivas.

Con el auxilio de los serenos, Stein pudo hallar fácilmente el lugar indicado en la carta.

La casa indicada no tenía portero; la puerta de la calle estaba abierta. Stein entró, subió un tramo de la escalera, y al llegar al primer descanso, no supo dónde dirigirse.

Debilitado el primer ímpetu de su resolución, empezó a avergonzarse de lo que hacía. Espiar — decía — es una bajeza. Si María supiera lo que estoy haciendo, se resentiría amargamente, y tendría razón. ¡Dios mío! ¿Sospechar a la persona que amamos, no es crear la primera nube en el puro cielo del amor? ¡Yo espiar! ¿A esto me ha rebajado el despreciable escrito de una mujer más despreciable aún? Vuélvome. Mañana le preguntaré a María cuanto saber deseo, que este medio es el debido, el natural y el honrado. Alto allá, corazón mío; limpia mi pensamiento de sospechas, como limpia el sol la atmósfera de negras sombras.

Stein lanzó un profundo suspiro, que parecía estarle ahogando, y pasó un pañuelo por su humedecida frente. — ¡Oh! — exclamó. — ¡La sospecha, que crea la idea de la posibilidad del engaño que no existía en nuestra alma! ¡Oh! La infame sospecha, hija de malos instintos o de peores insinuaciones, por un momento este monstruo ha envilecido mi alma, y ya para siempre tendré que sonrojarme ante María.

En aquel instante se abrió una puerta que daba al descanso en que se había parado Stein, y dió salida a un rumor de vasos, de cantos y de risas; una criada que salía de adentro, sacando botellas vacías, se hizo atrás, para dejar pasar a Stein cuyo aspecto y traje le inspiraron respeto.

— Pasad adelante — le dijo; — aunque venís tarde, porque ya han cenado. — Y siguió su camino.

Stein se hallaba en una pequeña antesala. Estaba
abierta una puerta que daba a una sala contigua. Stein
se acercó a ella. Apenas habían echado sus ojos una mirada a lo interior de aquella pieza, cuando quedó inmóvil
y como petrificado.

Si todos los sentimientos que elevan y ennoblecen el
alma cegaban al Duque, todos los impulsos buenos y
puros del corazón cegaban a Stein con respecto a María.
¡ Cuál sería, pues, su asombro al verla sentada a la mesa
en un taburete, teniendo a sus pies una silla baja, en que
estaba Pepe Vera, que tenía una guitarra en la mano y
cantaba:

> Una mujer andaluza
> Tiene en sus ojos el sol;
> Una aurora en su sonrisa,
> Y el Paraíso en su amor.

— ¡ Bien, bien, Pepe ! — gritaron los otros comensales.
— Ahora le toca cantar a Marisalada. Que cante Marisalada. Nosotros no somos gente de levita ni de paletós;
pero tenemos oídos como los tienen ellos; que en punto a
orejas, no hay pobres ni ricos. Ande usted, Mariquita;
cante usted para sus paisanos que lo entienden; que las
gentes de bandas y cruces no saben jalear sino en francés.

María tomó la guitarra que Pepe Vera le presentó de
rodillas, y cantó:

> Más quiero un jaleo pobre
> Y unos pimientos asados,
> Que no tener un usía
> Desaborío a mi lado.

A esta copla respondió un torbellino de aplausos, vivas
y requiebros, que hicieron retemblar las vidrieras.

Stein se puso rojo como la grana, menos de indignación que de vergüenza.

— ¡ Sobre que ese Pepe Vera nació de pie ! — dijo uno de sus compañeros.

— ¡ Tiene más suerte que quiere !

— Como que, hoy por hoy, no la cambio por un imperio — repuso el torero.

— ¿ Pero qué dice a eso el marido? — preguntó un picador, que contaba más años que todos los demás de la cuadrilla.

— ¿ El marido? — respondió el torero. — No conozco a su mercé sino para servirlo. Pepe Vera no se las aviene sino con toros bravos.

Stein había desaparecido.

CAPÍTULO XIX

EL DÍA siguiente, el Duque estaba sentado en su librería enfrente de su carpeta. Tenía en la mano la pluma inmóvil y derecha, semejante a un soldado de ordenanza que no aguarda más que una orden para ponerse en movimiento.

Abrióse lentamente la puerta, por la que se vió aparecer la hermosa cabeza de un niño de seis años, casi sumergida en una profusión de rizos negros.

— Papá Carlos — dijo. — ¿ Estáis solo ? ¿ Puedo entrar ?

— ¿ Desde cuándo, Ángel mío — respondió el padre — necesitas tú licencia para entrar en mi cuarto ?

— Desde que no me queréis tanto como antes — respondió el niño apoyándose en las rodillas de su padre. —

Y eso que soy bueno: estudio bien con don Federico, como me lo habéis mandado, y en prueba de ello voy a hablar en alemán.

— ¿ De veras? — dijo el Duque tomando a su hijo en brazos.

— De veras; escuchad: *Gott segne meinen guten Vater*, que quiere decir: Dios bendiga a mi buen padre.

El Duque estrechó entre sus brazos a la hermosa criatura, la cual, poniendo sus manecitas en los hombros de su padre y echándose atrás, añadió:

— *Und meine liebe mutter*, que quiere decir: y a mi querida madre. Ahora dadme un beso — prosiguió el niño echándose al cuello del Duque.

— Pero — dijo de repente — se me olvidaba que traigo un recado de don Federico.

— ¿ De don Federico? — preguntó el Duque con extrañeza.

— Dice que quisiera hablaros.

— Que entre, que entre. Ve a decírselo, hijo mío. Su tiempo es precioso y no debe perderlo.

El Duque guardó el papel en que había trazado algunos renglones, y Stein entró.

— Señor Duque — le dijo — voy a causaros una gran sorpresa, porque vengo a tomar vuestras órdenes, a daros gracias por tantas bondades y a anunciaros mi inmediata partida.

— ¡ Partir! — exclamó el Duque, con la expresión de la más viva sorpresa.

— Sí, señor; sin demora.

— ¿ Sin demora? ¿ Y María?

— María no viene conmigo.

— Vamos, don Federico, os chanceáis. No puede ser.

— Lo que no puede ser, señor Duque, es que yo permanezca aquí.

— ¿ La razón ?

— ¡ Ah ! no me la preguntéis; porque no puedo decirla.

— No puedo concebir una sola — dijo el Duque — que sea bastante a justificar semejante locura.

— Bien imperiosa debe de ser — respondió Stein — la que me pone en el caso de tomar este partido extremo.

— Pero . . . amigo Stein, ¿ qué razón es ésa ?

— Debo callarla, señor.

— ¿ Que debéis callarla ? — exclamó el Duque cada vez más atónito.

— Así lo creo — dijo Stein; — y este deber me priva del único consuelo que me quedaba, el de poder desahogar mi corazón en el del noble y generoso mortal que me abrió su mano poderosa y se dignó llamarme su amigo.

— ¿ Y a dónde vais ?

— A América.

— Eso es imposible, Stein; lo repito; ¡ es imposible ! — exclamó el Duque, levantándose en un estado de agitación que crecía por momentos. — Nada puede haber en el mundo que os obligue a abandonar vuestra mujer, a separaros de vuestros amigos, a desertar de vuestro empleo y a dejar plantada vuestra clientela, como podría hacerlo un tarambana. ¿ Tenéis ambición ? ¿ Os han prometido mayores ventajas en América ?

Stein sonrió amargamente.

— ¡ Ventajas, señor Duque ! ¿ No ha sobrepujado la fortuna todas las esperanzas que pudo haber soñado vuestro compañero de viaje ?

— Me confundís — dijo el Duque. — ¿ Es capricho ? ¿ Es un rapto de locura ?

Stein callaba.

— De todos modos — añadió el Duque — es una ingratitud.

Al oír esta palabra cruel y tierna al mismo tiempo, Stein se cubrió el rostro con las manos, y su dolor, largo rato comprimido, estalló en hondos sollozos.

El Duque se acercó a él, le tomó la mano y le dijo:

— No hay indiscreción en desahogar sus penas en el corazón de un amigo, ni puede existir deber alguno que prohiba a un hombre recibir los consejos de las personas que se interesan en su bienestar, particularmente en las circunstancias graves de la vida. Hablad, Stein. Abridme vuestro corazón. Estáis harto agitado para obrar con sangre fría; vuestra razón está demasiado ofuscada, para poder aconsejar cuerdamente. Sentémonos en este diván. Abandonaos a mis consejos en una circunstancia que parece de trascendencia, como yo me abandonaría a los vuestros, si me hallara en el mismo caso.

Stein se dió por vencido; sentóse cerca del Duque, y los dos quedaron por algún tiempo en silencio. Stein parecía ocupado en buscar el modo de hacer la declaración que exigía la amistad del Duque. Por fin, levantando pausadamente la cabeza:

— Señor Duque — le dijo — ¿ qué haríais si la señora Duquesa os prefiriese otro hombre ? . . . ¿ si os fuera infiel ?

El Duque se puso en pie de un salto, erguida la frente y mirando severamente a su interlocutor.

— Señor Doctor, esa pregunta . . .

— Respondedme, respondedme — dijo Stein, cruzando las manos en actitud de un hombre profundamente angustiado.

— ¡ Por Cristo Santo ! — dijo el Duque; — ¡ ambos morirían a mis manos !

Stein bajó la cabeza.

— ¡ Yo no los mataré — dijo; — pero me dejaré morir !

El Duque empezó entonces a columbrar la verdad, y un temblor que no pudo contener, recorrió sus miembros.

— ¡ María ! . . . — exclamó al fin.

— María — respondió Stein sin levantar la frente, como si la infamia de su mujer fuese un peso que se la oprimiera.

— ¡ Y la habéis sorprendido ! — dijo el Duque, pudiendo apenas pronunciar estas palabras, con una voz que la indignación ahogaba.

— En una verdadera orgía — respondió Stein — tan licenciosa como grosera, en que el vino y el tabaco servían de perfumes, y en que el torero Pepe Vera se jactaba de ser su amante. ¡ Ah María, María ! — prosiguió, cubriéndose el rostro con las manos.

El Duque, que como todos los hombres serenos tenía un gran imperio sobre sí mismo, dió algunas vueltas por el aposento. Parándose después delante de su pobre amigo, le dijo con solemnidad:

— Partid, Stein.

Stein se levantó; apretó entre sus manos las del Duque; quiso hablar, y no pudo.

El Duque le abrió los brazos.

— Valor, Stein — le dijo; — y hasta la vista.

— ¡ Adios, y . . . para siempre ! — murmuró Stein, arrojándose fuera del cuarto.

Cuando el Duque estuvo solo, se paseó largo rato. A medida que se calmaba la agitación producida por la terrible sorpresa que se había apoderado de su alma al oír la revelación de Stein, se iba asomando a sus labios la sonrisa del desprecio. El Duque no era uno de esos hombres de torpes inclinaciones, estragados y vulgares, para los cuales los desórdenes de la mujer, lejos de ser motivo de desvío y repugnancia, sirven de estimulante a sus toscas pasiones. En su temple elevado, altivo, recto y noble, no podían albergarse juntos el amor y el desprecio; los sentimientos más delicados al lado de los más abyectos.

El desprecio iba, pues, sofocando en su corazón toda ilusión como la nieve apaga la llama del holocausto en el altar en que arde. Ya no existía para él la mujer a quien había cantado en sus versos y que en sus sueños le había seducido.

— ¡ Y yo — decía — yo que la adoraba, como se adora a un ser ideal; que la honraba como se honra a la virtud; que la respetaba, como debe respetarse a la mujer de un amigo !... ¡ Y yo, que enteramente absorto en ella, me alejaba de la noble mujer, que fué mi primero, mi único amor !... ¡ la casta, la pura madre de mis hijos ! ¡ mi Leonor, que todo lo ha sobrellevado en silencio y sin quejarse !

Por un movimiento repentino, y cediendo al influjo poderoso de sus últimas reflexiones, el Duque salió de su gabinete y se encaminó a las habitaciones de su mujer. Entró en ellas por una puerta secreta. Al aproximarse a la pieza en que la Duquesa solía pasar el día, oyó hablar y pronunciar su nombre. Entonces se detuvo.

— ¿ Con que se ha hecho invisible el Duque ? — decía una voz agridulce. — Hace quince días que he llegado a Madrid, y no sólo no se ha dignado venir a verme mi querido sobrino, sino que no le he visto en ninguna parte.

— Tía — respondió la Duquesa — puede ser que no sepa vuestra llegada.

— ¡ No saber que la marquesa de Gutibamba ha llegado a Madrid ! No es posible, sobrina. Sería la única persona de la corte que lo ignorase. Además, me parece que has tenido sobrado tiempo para decírselo.

— Es verdad, tía; soy culpable de ese olvido. 5

— Pero no hay que extrañarlo — continuó la voz agridulce. — ¿ Cómo ha de gustar de mi sociedad, ni de las personas de su clase, cuando todo el mundo dice que no trata más que con cómicas ?

— Es falso — respondió con sequedad la Duquesa. 10

— O eres ciega — dijo la marquesa exasperada — o eres consentidora.

— Lo que no consentiré jamás — dijo la Duquesa — es que la calumnia venga a hostilizar a mi marido, aquí, en su misma casa, y a los oídos de su mujer. 15

— Mejor harías — continuó la voz, perdiendo mucho en lo dulce y ganando mucho en lo agrio — en impedir que tu marido diese lugar a lo mucho que se habla en Madrid sobre su conducta, que en defenderlo, alejando de aquí a todos tus amigos con esas asperezas y repulsivas 20 sentencias, que sin duda tienes prevenidas por orden de tu confesor.

— Tía — respondió la Duquesa — mejor haríais en consultar al vuestro sobre el lenguaje que ha de usarse con una mujer casada, sobrina vuestra. 25

— Bien está — dijo la Gutibamba; — tu carácter austero, reservado y metido en ti, te priva ya del corazón de tu marido, y acabará por alejar de ti a todos tus amigos.

Y la marquesa salió muy satisfecha de su peroración.

Leonor se quedó sentada en su sofá, inclinada la cabeza, 30 y humedecido su hermoso y pálido rostro con las lágrimas que por largo tiempo había logrado contener.

De repente se volvió, dando un grito. Estaba en los brazos de su marido. Entonces estallaron sus sollozos; pero sus lágrimas eran dulces. Leonor conocía que aquel hombre, siempre franco y leal, al volver a ella, le restituía un corazón y un amor sincero que ya nadie le disputaba.

— ¡ Leonor mía ! ¿ Querrás y podrás perdonarme ? — dijo, dejándose caer de rodillas ante su mujer.

Ésta selló con sus lindas manos los labios de su marido.

— ¿ Vas a echar a perder lo presente con el recuerdo de lo pasado ? — le dijo.

— Quiero — dijo el Duque — que sepas mis faltas, juzgadas por el mundo con demasiada severidad, mi justificación y mi arrepentimiento.

— Hagamos un pacto — dijo la Duquesa interrumpiéndole. — No me hables nunca de tus faltas y yo no te hablaré nunca de mis penas.

En este momento entró Ángel corriendo. El Duque y la Duquesa se separaron por un movimiento pronto y simultáneo; porque en España, en donde el lenguaje es libre por demás, hay una extremada reserva en las acciones.

— ¿ Llora mamá ? ! ¿ llora mamá ? ! — gritó el niño, poniéndose colorado y llenándosele los ojos de lágrimas.

— ¿ La habéis reñido, papá Carlos ?

— No, hijo mío — respondió la Duquesa. — Lloro de alegría.

— ¿ Y por qué ? — preguntó el niño, en cuyo rostro la sonrisa había sucedido inmediatamente a las lágrimas.

— Porque mañana sin falta — respondió el Duque, tomándole en brazos y acercándose a su mujer — salimos todos para nuestras posesiones de Andalucía, que tu madre desea ver, y allí seremos felices, como los ángeles en el cielo.

El niño lanzó un grito de alegría, enlazó con un brazo
el cuello de su padre, y con el otro el de su madre, acer-
cando sus cabezas y cubriéndolas sucesivamente de be-
sos ...

CAPÍTULO XX

MARÍA, indispuesta desde antes de ir a la cena, había
empeorado, y tenía calentura a la mañana siguiente.

— Marina — dijo a su criada, después de un inquieto
y breve sueño — llama a mi marido, que me siento mala.

— El amo no ha vuelto — respondió Marina.

— Habrá estado velando a algún enfermo. ¡Tanto
mejor! Me recetaría una cáfila de cosas y de remedios,
y yo los aborrezco.

— Estáis muy ronca — dijo Marina.

— Mucho; y es preciso cuidarme. Me quedaré hoy
en cama y tomaré un sudorífico. Si viene el Duque, le
dirás que estoy dormida. No quiero ver a nadie. Tengo
la cabeza loca.

— ¿Y si viene alguien por la puerta falsa?

— Si es Pepe Vera, déjale entrar, que tengo que decirle.
Echa las persianas y vete.

Salió la criada, y a los pocos pasos volvió atrás, dándose
un golpe en la frente.

— Aquí — dijo — hay una carta que el amo ha dejado
a Nicolás para entregárosla.

— Vete a paseo con tu carta — dijo María; — aquí no
se ve, y además quiero dormir. ¿Qué me dirá? Me
indicará el sitio donde le *llama el deber*. ¿Qué se me da
a mí de eso? Deja la carta sobre la cómoda, y vete de
una vez.

Algunos minutos después volvió a entrar Marina.

— ¡ Otra te pego ! — gritó su ama.

— Es que el señor Pepe Vera quiere veros.

— Que entre — dijo María volviéndose con prontitud.

5   Entró Pepe Vera, abrió las persianas para que entrase la
luz, se echó sobre una silla sin dejar de fumar, y mirando a
María, cuyas mejillas encendidas y cuyos ojos hinchados
indicaban una seria indisposición:

— ¡ Buena estás ! — le dijo. — ¿ Qué dirá Poncio Pi-
10 lato ?

— No está en casa — respondió María cada vez más
ronca.

— Tanto mejor; y quiera Dios que siga andando como
el judío errante, hasta el día del juicio. Ahora vengo de
15 ver los toros de la corrida de esta tarde. ¡ Ya nos darán
que hacer los tales bichos ! Hay uno negro que se llama
Medianoche, que ya ha matado un hombre en el encierro.

— ¿ Quieres asustarme y ponerme peor de lo que estoy ?
— dijo María. — Cierra las persianas, que no puedo aguan-
20 tar el resplandor.

— ¡ Tonterías ! — replicó Pepe Vera. — ¡ Puros remil-
gos ! No está aquí el Duque para temer que te ofenda la
luz, ni el *mata-sanos* de tu marido, para temer de que
entre un soplo de aire y te mate . . . Deja que entre el aire
25 y que se oree el cuarto, que eso te hará provecho. Dime,
prenda ¿ irás esta tarde a la corrida ?

Al decir estas palabras se levantó y abrió de par en par
la ventana.

— ¿ Acaso estoy capaz de ir ? — respondió María. —
30 Cierra esa ventana, Pepe. No puedo soportar esa luz tan
viva ni ese aire tan frío.

— Y yo — dijo Pepe — no puedo soportar tus dengues.

Lo que tienes es poco mal y bien quejado. Con Dios;
¡ no parece sino que vas a echar el alma ! Pues, Señá de la
media almendra, voy a mandar hacerte el ataúd, y después
a matar a Medianoche, brindándoselo a Lucía del Salto,
que se pondrá poco hueca en gracia de Dios.

— ¡ Dale con esa mujer ! — exclamó María, incorporándose con un gesto de rabia. — ¿ No dicen que se iba con
un inglés ?

— ¿ Que se había de ir a aquellas tierras, donde no se
ve el sol sino por entre cortinas, y donde se duerme la
gente en pie ?

— Pepe, no eres capaz de hacer lo que dices. ¡ Sería una
infamia !

— La infamia sería — dijo Pepe Vera, plantándose delante de María con los brazos cruzados — que, cuando yo
voy a exponer mi vida, en lugar de estar tú allí para ani-
marme con tu presencia, te quedases en tu casa para recibir
al Duque con toda libertad, bajo el pretexto de estar res-
friada.

— ¡ Siempre el mismo tema ! — dijo María. — ¿ No te
basta haber estado espiando oculto en mi cuarto para
convencerte por tus mismos ojos, de que entre el Duque y
yo no hay nada ? Sabes que lo que le gusta en mí es la voz,
no mi persona. En cuanto a mí, bien sabes . . .

— ¡ Lo que yo sé — dijo Pepe Vera — es que me tienes
miedo ! ¡ Y haces bien, por vida mía ! Pero Dios sabe lo
que puede suceder, quedándote sola y segura de que no
puedo sorprenderte. No me fío de ninguna mujer ; ni de
mi madre.

— ¡ Miedo yo ! — replicó María. — ¡ Yo !
Pero sin dejarla hablar, Pepe Vera continuó:

— ¿ Me crees tan ciego que no vea lo que pasa ? ¿ No

sé yo que le estás haciendo buena cara, porque se te ha
puesto en el testuz que ese desaborido de tu marido tenga
los honores de cirujano de la Reina, como acabo de saberlo
de buena tinta ?

5 — ¡ Mentira ! — gritó María con toda su ronquera.

— ¡ María ! ¡ María ! No es Pepe Vera hombre a quien
se da gato por liebre. Sábete que yo conozco las mañas de
los toros bravos, como las de los toros marrajos.

María se echó a llorar.

10 — Sí — dijo Pepe — suelta el trapo, que ése es el *Refugium peccatorum* de las mujeres. Tú te fías del refrán:
« mujer, llora, y vencerás. » No, morena; hay otro que
dice, « en cojera de perro y lágrimas de mujer, no hay que
creer. » Guarda tus lágrimas para el teatro; que aquí no
15 estamos representando comedias. Mira lo que haces; si
juegas falso, peligra la vida de un hombre. Con que,
cuenta con lo que haces. Mi amor no es cosa de recetas
ni de décimas. Yo no me pago de hipíos, sino de hechos;
y ten entendido que si no vas esta tarde a los toros, te ha
20 de pesar.

Diciendo esto, salió de la habitación.

Estaba a la sazón combatido por dos sentimientos de
una naturaleza tan poderosa, que se necesitaba un temple
de hierro para ocultarlos, como él lo estaba haciendo, bajo
25 la exterioridad más tranquila, el rostro más sereno y la
más natural indiferencia. Había examinado los toros que
debían correrse aquella tarde; jamás había visto animales
más formidables y feroces. La vista de uno de ellos le
había causado una impresión siniestra y de mal agüero.

30 Además, estaba celoso; ¡ celoso él, que no sabía más que
vencer y recibir aplausos ! Le habían dicho que le estaban
burlando, y dentro de pocas horas iba a verse entre la

vida y la muerte, entre el amor y la traición. Así lo creía al menos.

Cuando salió Pepe Vera de la alcoba de María, ésta desgarró las guarniciones bordadas de las sábanas, riñó ásperamente a Marina, lloró; después se vistió, mandó recado a una compañera de teatro, y se fué con ella a los toros.

María, temblando con la calentura y con la agitación, se colocó en el asiento que Pepe Vera le había reservado.

El ruido, el calor y la confusión aumentaron el malestar que sentía. Sus mejillas, siempre pálidas, estaban encendidas; un ardor febril animaba sus negros ojos. La rabia, la indignación, los celos, el orgullo lastimado, la ansiedad, el terror y el dolor físico se esforzaban en vano por arrancar una queja, un suspiro de aquella boca tan cerrada y muda como el sepulcro.

Pepe Vera la vió. En su rostro se bosquejó una sonrisa que no hizo en María la menor impresión, resbalando en su aspecto glacial, debajo del cual su orgullo herido juraba venganza.

El traje de Pepe Vera era semejante al que sacó en la corrida de que en otra parte hemos hecho mención, con la diferencia de ser el raso verde y las guarniciones de oro.

Ya se había lidiado un toro, y lo había despachado otro primer espada. Había sido *bueno;* pero no tan bravo como habían creído los inteligentes.

Sonó la trompeta; abrió el toril su ancha y sombría boca, y salió un toro negro a la plaza.

—¡ Ése es Medianoche ! — gritaba el gentío. Medianoche era el toro de la corrida; como si dijéramos, el rey de la función.

Medianoche, sin embargo, no salió de carrera cual salen

todos, como si fuese a buscar su libertad, sus pastos, sus
desiertos. Él quería, antes de todo, vengarse; quería
acreditar que no sería juguete de enemigos despreciables;
quería castigar. Al oír la acostumbrada gritería que lo
5 circundaba, se quedó parado.

No hay la menor duda de que el toro es un animal
estúpido. Pero con todo, sea que la rabia sea poderosa a
aguzar la más torpe inteligencia, o que tenga la pasión
la facultad de convertir el más rudo instinto en perspicacia,
10 ello es, que hay toros que adivinan y se burlan de las
suertes más astutas de la tauromaquia.

Los primeros que llamaron la atención del terrible
animal fueron los picadores. Embistió al primero y le
tiró al suelo. Hizo lo mismo con el segundo, sin detenerse
15 y sin que la pica bastase a contenerle, ni hiciese más que
herirle ligeramente. El tercer picador tuvo la misma
suerte que los otros.

Entonces el toro, con las astas y la frente teñidas en
sangre, se plantó en medio de la plaza, alzando la cabeza
20 hacia el tendido, de donde salía una gritería espantosa,
excitada por la admiración de tanta bravura.

Los chulos sacaron a los picadores a la barrera. Uno
tenía una pierna rota, y se le llevaron a la enfermería. Los
otros dos fueron en busca de otros caballos. También
25 montó el sobresaliente; y mientras que los chulos llamaban
la atención del animal con las capas, los tres picadores ocuparon sus puestos respectivos, con las garrochas en ristre.

Dos minutos después de haberlos divisado el toro, yacían
los tres en la arena. El uno tenía la cabeza ensangrentada,
30 y había perdido el sentido. El toro se encarnizó en el
caballo, cuyo destrozado cuerpo servía de escudo al malparado jinete.

Entonces hubo un momento de lúgubre terror.

Los chulillos procuraban en vano, y exponiendo sus personas, distraer la atención de la fiera; mas ella parecía tener sed de sangre, y querer saciarla en su víctima. En aquel momento terrible un chulo corrió hacia el animal y le echó la capa a la cabeza para cegarle. Lo consiguió por algún instante; pero el toro sacó la cabeza, se desembarazó de aquel estorbo, vió al agresor huyendo, se precipitó en su alcance, y en su ciego furor pasó delante, habiéndole arrojado al suelo. Cuando se volvió, porque no sabía abandonar su presa, el ágil lidiador se había puesto en pie y saltado la barrera, aplaudido por el concurso con alegres aclamaciones. Todo esto había pasado con la celeridad del relámpago.

El heróico desprendimiento con que los toreros se auxilian y defienden unos a otros, es lo único verdaderamente bello y noble en estas fiestas crueles, inhumanas, inmorales, que son un anacronismo en el siglo que se precia de ilustrado. Sabemos que los aficionados españoles y los exóticos ahogarán nuestra opinión con sus gritos de anatema. Por esto nos guardamos muy bien de imponerla a otros y nos limitamos a mantenernos en ella.

El toro estaba todavía enseñoreándose solo, como dueño de la plaza. En la concurrencia dominaba un sentimiento de terror. Pronunciábanse diversas opiniones: los unos querían que los cabestros entrasen en la plaza y se llevasen a la formidable fiera para evitar nuevas desgracias; otros querían que se le desjarretase para poder matarle sin peligro. Por desgracia, la gran mayoría gritaba que era lástima, y que un toro tan bravo debía morir con todas las reglas del arte.

El Presidente no sabía qué partido tomar. Dirigir y

mandar una corrida de toros no es tan fácil como parece.
Más fácil a veces es presidir un cuerpo legislativo. En fin
lo que acontece muchas veces en esto, sucedió en la ocasión
presente. Los que más gritaban, pudieron más; y quedó
5 decidido que aquel poderoso y terrible animal muriese en
regla, y dejándole todos sus medios de defensa.

Pepe Vera salió entonces armado a la lucha. Después de
haber saludado a la autoridad, se plantó delante de María
y la brindó el toro.

10 Él estaba pálido; María encendida, y los ojos saltán-
dosele de las órbitas. Su respiración era ruidosa y agitada
como el estertor del que agoniza. Apoyaba su cuerpo en
la barandilla, y tenía clavadas en ella las uñas; porque
María amaba a aquel hombre, joven y hermoso, a quien
15 veía tan sereno delante de la muerte ...

El toro, entretanto, se mantenía en medio de la arena
con la tranquilidad de un hombre valiente, que, con los
brazos cruzados y la frente erguida, desafía arrogantemente a sus adversarios.

20 Pepe Vera escogió el lugar que le convenía, con su calma
y desgaire acostumbrados, y señalándoselo con el dedo a
los chulos:

— ¡ Aquí ! — les dijo.

Los chulos partieron volando, como los cohetes de un
25 castillo de pólvora. El animal no vaciló un instante en
perseguirlos. Los chulos desaparecieron. El toro se encontró frente a frente con el matador.

Esta formidable situación no duró mucho. El toro
partió instantáneamente, y con tal rapidez, que Pepe Vera
30 no pudo prepararse, y solo pudo rehuír la embestida. Pero
aquel animal no seguía, como lo hacen comúnmente los
de su especie, el empuje que les da su furioso ímpetu.

Volvióse de repente, se lanzó sobre el matador como el rayo, y lo cogió ensartado en las astas.

Millares de voces humanas lanzaron entonces un grito, como sólo hubiera podido concebirlo la imaginación de Dante: ¡ un grito hondo, lúgubre, prolongado ! 5

Los chulos, como bandada de pájaros, a quienes el cazador arrebata su nido, rodearon a la fiera que alzaba sobre sus astas, como un trofeo, al desmayado matador.

— ¡ Las medias lunas ! ¡ las medias lunas ! — gritó la concurrencia entera. El Alcalde repitió el grito. 10

Salieron aquellas armas terribles, y el toro quedó en breve desjarretado; dió un rugido de dolor, sacudió la cabeza con rabia, lanzó a Pepe Vera a distancia y cayó al golpe del puñal que le clavó en la nuca el innoble cachetero. 15

Los chulos levantaron a Pepe Vera.

— ¡ Está muerto ! — Tal fué el grito que exhaló unánime el brillante grupo que rodeaba al desventurado joven, y que de boca en boca subió hasta las últimas gradas, cerniéndose sobre la plaza a manera de fúnebre bandera. 20

* * *

Transcurrieron quince días después de aquella funesta corrida.

En una alcoba, en que se veían todavía algunos muebles decentes, aunque habían desaparecido los de lujo; en una cama elegante, pero cuyas guarniciones estaban marchitas 25 y manchadas, yacía una joven pálida, demacrada y abatida. Estaba sola.

Esta mujer pareció despertar de un largo y profundo sueño. Incorporóse en la cama, recorriendo el cuarto con miradas atónitas. Apoyó su mano en la frente, como si 30 quisiese fijar sus ideas, y con voz débil y ronca dijo:

¡ Marina ! — Entró entonces, no Marina, sino otra mujer, trayendo una bebida que había estado preparando.

La enferma la miró.

— ¡ Yo conozco esta cara ! — dijo con sorpresa.

— Puede ser, hermana — respondió con mucha dulzura la que había entrado. — Nosotras vamos a las casas de los pobres como a las de los ricos.

— Pero ¿ dónde está Marina ? ¿ Dónde está ? — dijo la enferma.

— Se ha huído con el criado, robando cuanto han podido haber a las manos.

— ¿ Y mi marido ?

— Se ha ausentado sin saberse a dónde.

— ¡ Jesús ! — exclamó la enferma, aplicándose las manos a la frente.

— ¿ Y el Duque ? — preguntó después de algunos instantes de silencio. — Debéis conocerle, pues en su casa fué donde creo haberos visto.

— ¿ En casa de la Duquesa de Almansa ? Sí, en efecto, esa señora me encargaba de la distribución de algunas limosnas. Se ha ido a Andalucía con su marido y toda su familia.

— ¡ Con que estoy sola y abandonada !

— ¿ Y qué ? ¿ No soy yo nadie ? — dijo la buena hermana de la Caridad, circundando con sus brazos a María. — Si antes me hubieran avisado, no os hallaríais en el estado en que os halláis.

De repente salió un ronco grito del dolorido pecho de la enferma.

¡ Pepe ! . . . ¡ el toro ! . . . ¡ Pepe ! . . . ¡ muerto ! . . . ¡ ah ! Y cayó sin sentido en la almohada.

CAPÍTULO XXI

Si EL lector quiere, antes de que nos separemos para siempre, echar otra ojeada sobre aquel rinconcillo de la tierra llamado Villamar, le conduciremos allá sin que tenga que pensar en fatigas ni gastos de viaje ...

La torre del fuerte de San Cristóbal se había derrum- 5 bado, y con ella las últimas esperanzas que abrigaba don Modesto de ver figurar su fuerte en la misma línea que Gibraltar, Brest, Cádiz, Dunquerque, Malta y Sebastopol.

Pero nada había causado tanta admiración en nuestros amigos, los habitantes de Villamar, como la mudanza que 10 se observaba en la tienda del barbero Ramón Pérez.

Ramón Pérez, después de la muerte de su padre, que acaeció algunos meses después de la partida de María, no había podido resistir al deseo de ir también a la capital, siguiendo los pasos de la ingrata, que le había sacrificado 15 a un *desaborío* extranjero. Emprendió, pues, su marcha, y volvió al cabo de quince días, trayendo consigo:

Primero: un caudal inagotable de mentiras y fanfa- rronadas.

Segundo: una infinidad de canciones a la italiana, a 20 cuál más detestables.

Tercero: un aire de taco, un gesto de *¿ qué se me da a mí ?* ...

Cuarto: las más funestas aspiraciones a imitar al león de los barberos, Fígaro, que, por desgracia, vió ejecutar 25 en el teatro de Sevilla ...

Ramón Pérez había traído de sus viajes otra cosa, que no reveló a nadie, y cuya adquisición hizo del modo si- guiente:

Una noche que rondaba la calle en que vivía Marisalada, suspirando como una ballena, llamó la atención de un joven que guardaba una esquina, embozado en su capa hasta los ojos, y que acercándose a él, le dijo esta sola
5 palabra: — ¡ Largo !

Ramón quiso replicar; pero recibió tan vigoroso puntapié, que el cardenal que le resultó contribuyó poderosamente a que su viaje de vuelta fuera sumamente penoso, puesto que había recaído en el lugar que estaba en contacto
10 con el albardón.

Por una circunstancia que se aclarará más adelante, el barbero había conseguido reunir una buena suma de dinero. Entonces los recuerdos de Sevilla y de Fígaro se habían despertado con nuevo ardor en su mente. Había her
15 moseado su tienda con lujo asiático; magníficas sillas pintadas de verde esmeralda; clavos romanos, tamaños como platos soperos, para colgar las toallas de tela de un dedo de grueso; grabados que representaban un Telémaco muy largo, un Mentor muy barbudo, y una Calipso muy
20 descarnada: tales eran los adornos que rivalizaban en dar esplendor al establecimiento. Ramón Pérez había afirmado, con tanta más certeza, cuanto que él mismo lo creía así, que aquellas figuras eran San Juan, San Pedro y la Magdalena. Algunos mal contentadizos habían observado,
25 meneando la cabeza, que todo se había renovado en el laboratorio de Ramón Pérez, menos las navajas; pero él respondía que eran hombres del otro jueves, y que no habían perdido la antigua maña de observar el fondo de las cosas, cuando la regla del día era dar únicamente im
30 portancia a la exterioridad y a la apariencia.

Pero lo que pasmó de admiración a los villamarinos fué una formidable muestra que cubría gran parte de la fa

chada de la casa barbería. En medio figuraba, pintado
con arte maravilloso, un pie, que parecía un pie chinesco,
de color amarillento, del cual brotaba un chorro de sangre,
digno de rivalizar con las fuentes de Aranjuez y de Versalles. A los dos lados estaban dos enormes navajas de 5
afeitar entreabiertas, que formaban dos pirámides; en el
centro de éstas, había dos muelas colosales. En torno
reinaba una guirnalda de rosas, semejantes a ruedas de
remolachas, y de la guirnalda colgaba un monstruoso par
de tijeras. Para colmo de ostentación y de lujo, Ramón 10
Pérez había recomendado al pintor el uso del dorado, y el
artista había recomendado el uso del dorado de la manera
siguiente: en las espinas de las rosas, en las hojas de las
navajas y en las uñas del pie. Esta muestra indicaba lo
que todos sabían: es decir, que su poseedor ejercía en 15
Villamar las cuádruples funciones de barbero, sangrador,
sacamuelas, y *pelador* . . .

Enterado ya el lector de las cosas pasadas, volvemos a
tomar el hilo de las actuales.

Era tan profundo el silencio en aquel rincón del mundo, 20
que se oía desde lejos la voz de un hombre, que se acom-
pañaba con la guitarra, no las rondeñas, ni las mollares, ni
el contrabandista, ni la caña, ¡ ah ! no: sino una canción
llorona, ¡ la Atala ! Y lo peor era que la adornaba con
tales gorgoritos, con tan descabelladas *fioriguras*, con ca- 25
dencias tan detestables, y que los versos eran tan malos,
que Chateaubriand hubiera podido citar con harto derecho a juicio de conciliación, al poeta, al compositor y al
cantor, como reos de un abuso de popularidad.

Este canto infernal salía de la tienda cuya descripción 30
ya hemos presentado; y quien lo ejecutaba era el poseedor
de aquel establecimiento, el insigne Ramón Pérez.

Entonaba las palabras *Triste Chactas*, etc. con una expresión, con un entusiasmo, que le conmovían a él mismo hasta llenarle los ojos de lágrimas. Enfrente del cantor estaba, erguido como siempre, don Modesto Guerrero, escuchando en actitud grave y recogida, idéntico al Mentor respetable que adornaba la pared, sin más diferencia que estar muy bien afeitado, y con su hopito muy liso, tieso y perpendicular.

De repente se abrió de par en par la puerta que estaba en el fondo de la tienda, y se vió salir por ella a una mujer con un niño en los brazos y otro que la seguía llorando, agarrándose a sus enaguas. Esta mujer, pálida, delgada, de gesto altanero e indigesto, estaba cubierta con un pañolón de espumilla, desteñido y viejo. Sus largos cabellos, mal trenzados, desaliñados y sin peineta, colgaban hasta el suelo. Calzaba zapatos de seda en chancletas y llevaba largos pendientes de oro.

— ¡ Cállate, cállate, Ramón ! — dijo con voz ronca al entrar en la tienda. — No me desuelles los oídos. Más quisiera oír los graznidos de todos los cuervos del coto y los maullidos de todos los gatos del pueblo, que tu modo de destrozar la música seria. Te he dicho mil veces que cantes los cantos de la tierra. Eso, tal cual; se puede tolerar. Tu voz es flexible, y no te falta la gracia que ese género requiere. Pero tu malhadada manía de cantar a lo fino, no hay quien la resista. Te lo digo y sabes que lo entiendo. Tus disparatados floreos me afectan de tal modo los nervios, que si persistes en imponerme este tormento, me marcho para siempre de esta casa. Calla — añadió, dando un golpe en la cabeza al niño que lloraba, — calla, que berreas lo mismo que tu padre.

— Vete con mil santos; y desde ahora — respondió el

barbero, picado en lo más vivo de su amor propio. — Vete, echa a correr, y no vuelvas hasta que yo te llame, que de esta suerte podrás correr sin parar.

— ¿ Que no me llamarás, dices ? — replicó la mujer; — ¡ sería quizás demasiado favor que harías a la que tantas veces ha sido llamada por los Grandes, por los Embajadores, por la corte entera ! ¿ Sabes tú, rústico, ganso, zopenco, el dineral que se daba sólo por oírme ?

— Si esos mismos — dijo el barbero — te vieran ahora con esa cara de vinagre, y te oyeran esa voz de pollo ronco, estoy para mí que pagarían doble por no verte ni oírte.

— ¿ Quién me ha metido a mí en este virrollo, entre este hato de villanos ? — exclamó la mujer furiosa. — ¿ Quién me ha casado con este rapa-barbas, con este mostrenco, que después de haberse comido la dote que me envió el Duque, se atreve a insultarme ? ¡ A mí, la célebre María Santaló, que ha hecho tanto ruido en el mundo !

— Más te hubiera valido no haber hecho tanto — dijo Ramón, a que daba un valor inaudito el entusiasmo que le inspiraba la canción de Atala, y su indignación al verla menospreciada.

Al oír estas palabras, la mujer se abalanzó a su diminuto marido, el cual, lleno de espanto, sólo tuvo tiempo de poner la guitarra sobre una silla y echarse a correr.

A la puerta tropezó con un personaje, a quien por poco derriba en tierra, el cual se paró en el umbral.

Apenas lo percibió María, su cólera cedió a un impulso de risa, no menos violento.

El personaje que lo ocasionaba era Momo, uno de cuyos carrillos estaba horrorosamente hinchado. Traía un pañuelo atado al rededor de su deforme rostro y venía a que el barbero le sacase una muela.

— ¡ Qué horrenda visión ! — exclamó María, entre sus carcajadas. — Dicen que el Sargento de Utrera reventó de feo. ¿ Cómo es que no te sucede a ti otro tanto ? Capaz eres de pegar un susto al miedo. ¿ Conque tienes preñado el cachete ? Pues parirá un melón, y podrás enseñarlo por dinero. ¡ Qué espantoso estás ! ¿ Vienes a que te retraten para que te pongan en la *Ilustración*, que anda a caza de curiosidades ?

— Vengo — dijo Momo — a que tu Ratón Pérez me saque una muela dañada, y no a que me hartes de desvergüenzas; pero Gaviota fuiste, Gaviota eres, y Gaviota serás.

— Si vienes a que te saquen lo que tienes dañado — repuso María — bien pueden empezar por el corazón y las entrañas.

— ¡ Por vía de los gatos ! ¡ Miren quién habla de corazón y de entrañas ! — replicó Momo; — la que dejó morir a su padre en manos extrañas, sin acordarse del santo de su nombre, ni de enviarle siquiera un mal socorro.

— ¿ Y quién tuvo la culpa, malvado ganso ? — respondió María. — Nada de eso habría sucedido si no hubieras sido tú un salvaje, que te volviste de Madrid, sin haber desempeñado tu encargo, y esparciendo la nueva de mi muerte; de modo que cuando volví al lugar, creyendo que mi padre vivía, todos me tomaron por ánima del otro mundo. Solamente en tus entendederas, que son tan romas como tus narices, cabe el haber creído que una representación era una realidad.

— ¡ Representación ! — repuso Momo; — siempre dices que aquello era fingido. Lo cierto es, que si aquel *Telo* hubiera sabido darte la puñalada en regla, y si no te hubiera curado tu marido, a quien todo el mundo llora, menos tú, estarías ahora roída de gusanos, para descanso de cuantos te conocen. Lo que es a mí, no me la cuelas, pedazo de embustera.

— Pues sábete, cara y media — dijo María abriendo la mano y poniéndola delante de su nariz — que he de vivir cien años, para que rabies, y hacer que tu nariz roma se ponga tamaña.

Momo miró a María con toda la despreciativa dignidad compatible con su tuerta cara, y dijo en voz profunda y tono concluyente, alzando y bajando alternativamente el dedo índice:

— ¡ Gaviota fuiste, Gaviota eres, Gaviota serás !

Y le volvió arrogantemente la espalda . . .

FIN

NOTES

Page 1. — 8. **estado actual,** *present condition,* that is, in 1836, the date of the opening of the story.

12. **pudiera llamarse,** *could be called.* Note the use of the imperfect subjunctive for the conditional.

16. **lo natural y lo exacto = lo que es natural y lo que es exacto.**

17. **novela de costumbres.** See Introduction, Part II.

Page 2. — 10. **no lo es.** When **lo** refers to a preceding word or phrase, it may be translated by *so, one, any,* etc., according to context; or it may be left untranslated.

Page 3. — 19. **pintados.** Note that **pintados** modifies **nos,** and not the noun immediately preceding.

20–21. **tengan . . . a bien perdonarnos,** *let them then be good enough to forgive us for . . .*

22. **los tipos de ellos.** In several of the chapters omitted from this edition four or five eccentric foreigners appear. In them, particularly in two Englishmen, Major Fly and Sir John Burnwood, and a French nobleman, are satirized certain traditional characteristics of the English and French.

24. **háse = se ha.** The enclitic use of the personal pronoun object is much commoner than the elementary rules of grammar would seem to indicate. Some forms of the verb (infinitive, gerund, and positive imperative) require the enclitic use; in many other cases it is optional. Most Spanish writers avoid beginning a sentence with a personal pronoun object; **sónlo,** for example, line 26. The enclitic use is frequent, too, if the verb is preceded only by an adverb of time, as in the present case.

25. **lo son.** See note to page 2, line 10.

26. **Sónlo = lo son.** See note to line 24.

Page 4. — 6. **lo primero** refers to **el inconveniente de constituírnos,** etc.; **lo segundo, el (inconveniente) de hacer desconfiados,** etc.

Page 6. — 8. **los molinos de viento.** The allusion is to the incident in Cervantes' famous novel, in which Don Quixote attacks the windmills, believing them to be giants. "To attack windmills" means "to combat evils that are imaginary."

24. **los ángeles . . . Virgen.** In many of the famous paintings of the Virgin Mary angels are to be seen in the lower part of the pictures.

27. **abiertos . . . eran = tan grandes como eran;** that is, *wide-open*.

Page 8. — 3. **Debéis,** second person plural, agreeing grammatically with **vos** understood. Spanish has three forms of address for the second person singular, **tú, vos** and **usted. Vos** (not to be confused with the second person plural, intimate, **vosotros**) is less formal than **usted** and less intimate than **tú.** Although the grammarians consider this use of **vos** as obsolete, it is frequently found in the plays and novels of the 19th century and is quite common in illiterate Spanish, particularly in South America. In *La Gaviota* it is to be noted that its use is much commoner with the educated persons of the story than with the illiterate country people, who use **usted** as the ordinary form of address. It should be noted, too, that the verb agreeing with **vos,** although referring to one person only, has the second plural ending and that the corresponding possessive adjectives are **vuestro, vuestra,** etc.

20–21. **A la guerra civil . . . a Navarra.** Even before the death of Ferdinand VII, the clerical and conservative parties attempted to depose the king and place his brother Carlos on the throne. In 1830 Ferdinand was persuaded by his wife, María Cristina, to abolish the Salic Law that excluded the succession of a daughter to the throne. The Carlists, supporters of Don Carlos, protested, and the death of Ferdinand in 1833 became the signal for Civil War. The greater part of the country accepted the young princess Isabella as queen, under the regency of her mother, María Cristina; northern Spain took up arms in behalf of Carlos. In the Civil War that followed, waged for the most part in Navarre and carried on with great bitterness and much bloodshed, the Carlists were at first successful; finally, however,

in 1839 they were defeated by the Cristinos, the supporters of
María Cristina, and forced to acknowledge Isabella as queen.
At the beginning of the novel, November, 1836, Stein was on
his way to Navarre to serve as surgeon in the army of María
Cristina.

28. **la independencia de Alemania.** German territory was
invaded again and again by Napoleon, and Prussia was defeated
in many battles during the early years of the 19th century.
Finally, in 1813 and 1814, Germany, with the aid of England,
Russia and Austria, drove out the French and regained her independence.

Page 9. — 4. **tendréis,** future of conjecture.

26. **la,** *that,* i.e. **la educación del que vamos conociendo,** *of
the one we are getting acquainted with.*

Page 10. — 2. **la sangrienta guerra del Norte.** See note to
page 8, lines 20–21.

8–9. **bañado en lágrimas.** Stein's emotionalism and prone-
ness to weeping become apparent in the course of the novel
(cf. page 14, line 21, page 80, line 9, page 88, line 31, etc.). We
must remember that he was born and grew up during the period
of Romanticism and that he came from the country that produced one of the most important Romantic novels, the sentimental *Werther,* by Goethe (1749–1832).

23–24. **os (tomará),** dative of interest. Translate, *for you.*

32. — **Page 11.** — 1. **No . . . en mi vida,** *Never . . . in my life.*

4. **podrían no llegar,** *might not reach.*

9. **condado de Niebla,** *county of Niebla,* in Huelva, the most
western of the provinces of Andalusia. The capital of the same
name and the nearby port of Palos are the seaports associated
with Columbus and the discovery of the New World. The little
village that is supposedly the scene of the first part of the novel
lies a short distance to the southeast of Huelva on the shore of
the Gulf of Cadiz; hence the name, Villamar.

Page 13. — 8–9. **más fuerzas . . . tenía = más fuerzas de las
que tenía,** the more usual form.

27. **era = sería.** The imperfect indicative is sometimes used for the conditional for greater vividness.

Page 16. — 24. **¡ Jesús, María!** Since no blasphemy is intended in such exclamations as this, they should not be translated literally. See Vocabulary for suggested translations.

Page 17. — 9. **la del candil,** *the one holding the oil lamp.*

21. **¡ Tendría que ver!** *The idea of such a thing!*

22. **¡ No faltaba más ... decir a ...!** *The very idea that a son should find fault with ...*

Page 18. — 7. **¡ Alabado sea Dios!** Merely a conventional greeting, especially among people of the lower class.

27. **Es que me acordaba de ...,** *Well, I was reminded of ...*

Page 19. — 6. **¡ Pues está bueno!** *A fine idea, that!*

7. **me paso.** When the reflexive pronoun is used, as here, merely to give greater emphasis to the verb, it cannot be translated literally.

8. **¿ Quieres que sea ... = ¿ Quieres que sea yo. — el sastre del Campillo ...** There are many versions of this proverb. Campillo does not, probably, refer to any particular place and is sometimes written as a common noun, diminutive of **campo.** It sometimes takes the form of **cantillo;** in this case **el sastre del cantillo** might mean *the tailor at the corner,* or *around the corner.*

13. **¿ qué se me da a mí?** *What do I care?* or *"I should worry!"*

22. **su merced,** *her grace, her ladyship,* referring to **tu madre.** This is one of the many courteous formalities in Spanish that have to be freely translated. Translate here by *she.*

31. **hubieras = habrías.**

32. **¡ Que no! = Digo que no (hubiera hecho lo mismo que tú).** Translate, *I shouldn't have (done it).*

Page 20. — 1–2. **ya que ... los conventos,** *now that there are no more monasteries.* See note to page 25, lines 17–18.

12. **colérico.** Note that an adjective is frequently used with adverbial force. See **gozosa,** line 25.

14. **Caérsete ... vergüenza de ...** *You should have blushed with shame for ...*

26. **podías = podrías.**

32. **Anda con Dios.** This expression usually means *good-bye, farewell;* here it is used rather in the sense of *well, Heaven help you!*

Page 21. — 15. **Brown,** John (1735–1788), Scottish physician, author of *Elements of Medicine* (1780). According to his theory physical weakness, as in fever, should be overcome by means of tonics.

18. **Broussais,** François Joseph Victor (1772–1838), French physician. Unlike Brown, who believed that most ailments are due to lack of stimulation, Broussais held that diseases are generally caused by excitation and favored, therefore, sedatives.

27. **será.** Future of probability or conjecture. Since this use of the future tense is not usually found in English, the ingenuity of the translator is called upon to express the idea in some roundabout way. *Probably, perhaps, I wonder if, can it be that, some, about,* etc. are some of the words used for this purpose.

Page 22. — 14. **¿ Si será un contrabandista?** *I wonder if he is a smuggler.* See note to page 21, line 27.

Page 23. — 27–28. **se le quitaba ... cristiano,** *was taken from him by the fact that he was not a Christian.*

Page 24. — 15–16. **para lo que ... mandar,** *at your orders.*

Page 25. — 9. **¿ de Don Carlos o de los otros?** See note to page 8, lines 20–21. María's sympathy with the Carlists is apparent in her disrespectful reference to the Cristinos, the supporters of María Cristina and Queen Isabella, as **los otros.**

13. **Éste no es de los buenos,** *This man does not belong to the right party.* Most of the Carlists lived in northern Spain where the Civil War was fought out; they had many sympathizers, however, in all parts of the country, especially among the religious.

17–18. **un convento ... convento.** Because of the aid given to the Carlists by the clerical party and the opposition of the religious orders to reforms in constitutional government, the liberal party in power decided to close the monasteries, confiscate their property, and sell it to the highest bidders. Between 1836 and 1844 more than a hundred million dollars were raised by the government through the sale of monastic property. An effort was made to provide for the living of the 50,000 and more friars and clergy dispossessed, but because of unsettled political conditions and lack of money in the state treasury much suffering followed the suppression of religious orders.

Page 26. — 9. **comeremos más,** *more of us shall eat.*

17. **como iba diciendo,** *as I was saying.* **Ir** is frequently used instead of **estar** in progressive verb forms.

18. **¡ Habrá picardía !** *Can you imagine such wickedness!* — **Nada, lo que ellos dicen,** *Well, just as they say.*

Page 28. — 8. **exvotos.** Many Roman Catholic churches contain votive offerings to God in testimony of benefits received from prayer. They are usually suggestive of the kind of divine aid received.

14. **fué arrancada a,** *was snatched from.* Note that the preposition **a,** coming from the Latin *ab* as well as *ad,* has often the meaning *from.*

17. **Señor del Socorro,** one of the many attributes of Christ. See note to page 30, lines 9–10.

23. **de alta razón,** etc. The words in italics are intended, of course, to be ironical. New religious ideas and the revelations of natural science were bitterly opposed by Fernán Caballero, for the reason that she believed that they were undermining the traditional Catholic faith.

24. **los que dicen ser los más,** *those who say that they are in the majority.*

25. **no creen que ... es.** This is a good example of the use of the indicative after **creer,** used negatively. **La oración es un lazo entre Dios y el hombre,** even though **los ilustrados no lo creen.**

Page 30. — 2. se echaron a la cara al ladrón, *they came face to face with the thief.*

6. quien quedó ... mundo, *the one who lost his life.*

9–10. Señor ... del Socorro. The story of the miracle performed by Christ explains the advocación, the name given to a church or chapel, dedicated to Christ, the Virgin Mary, or a saint, because of some miracle.

Page 31. — 28–29. para lo ... mandar, *in any way that you command.*

Page 32. — 13. Marisalada. This nickname is composed of the Christian name María and the adjective salada, *witty, clever.* Salt in Spanish, as in Latin and Greek, stands for wit, cleverness, and la sal andaluza is little less famous than the "Attic salt" of the ancient Athenians. Note that salada (from sal) means literally 'salty'; hence the interpretation given to the name by Momo in the following lines.

Page 33. — 13. Rosita. In the conversation omitted from this chapter the *Comandante* had mentioned the name of his landlady.

23. labrador. Note that labrador (from labrar, *to till, cultivate*) means *farmer.* Un honrado labrador, *a country gentleman.*

25. la guerra de la Independencia. In 1808, believing that Spain was completely in his control, Napoleon set aside Charles IV and his son Ferdinand, and placed his brother Joseph on the throne. On May 2nd of the same year, still celebrated as the national holiday, the War of Independence began with the uprising of Madrid against the invader, and lasted until 1814, when the last of Napoleon's armies was driven from Spanish soil. Because of the part played by English armies under the Duke of Wellington in the defeat of Napoleon in Spain, the Guerra de la Independencia is known in English history as the Peninsular War.

Page 34. — 1–2. a los pergaminos ... Fénix, *to the titles of nobility was not given the fate of the Phoenix,* a fabulous bird that lived for 500 years, was consumed by fire and then rose, with all the freshness of youth, from its own ashes.

3. **Modesto cayó soldado,** *Modesto was drafted for the army.*
Anyone who could afford to do so was permitted to hire a substitute to take his place among the recruits.

19. **Céfiro,** *Zephyrus* or *Zephyr*, in Greek mythology, the god
of the west wind; usually represented as a beautiful youth, quick
and graceful in his movements.

Page 35. — 1. **sitio de Gaeta en 1805.** Gaeta, an Italian
seaport northwest of Naples, is famous for its many sieges in
ancient and modern times. It was taken in 1806 by Masséna,
one of Napoleon's greatest generals.

4. **mereció una cruz,** *he received as a reward a cross* (or *medal*)
of honor. The reference here is probably to the Legion of Honor
created in 1802 by Napoleon, although the medal given by the
order has the form of a star rather than that of a cross.

6. **la** *Gaceta* **(de Madrid),** official newspaper of Spain, established in 1661; in it official information is published.

12. **hacía, pues, cuarenta años.** There is some inconsistency
here. At the time we first meet him in the story, he could not
have been commandant of the fort for more than thirty years.

22. **insurgentes americanos.** Spain was at war with her colonies in America during the years from 1810 to 1824, with the
result that she lost all her colonies in the New World except
Cuba and Porto Rico.

23. **carlistas.** See note to page 8, lines 20–21.

Page 36. — 20. **le pedía una carta para,** *asked him to write a
letter for her to* . . .

21–22. **mientras salía a una diligencia,** *while she ran an errand.*

29. **los empleados cesantes.** With each change in the government almost all office-holders are dismissed in order to give jobs
to the army of politicians belonging to the party that has come
into power. The **cesantes,** those who have lost their jobs, remain
in idleness until another political change puts them back in office.
The frequent changes of ministry in Spain have been caused to
some extent by the efforts of the **cesantes** to get back their
political jobs.

31. **con cuarenta . . . contados,** *forty-five years old or more.*

Page 38. — 11. **Rosa Mística y Turris Davídica.** In the Roman Catholic litany, among the many titles given to the Holy Virgin are the two here mentioned, **Turris Davídica** (*the tower of David*) immediately following the **Rosa Mística** (*mystic rose*).

Page 39. — 1. *Ora pro nobis.* In the litany, each of the titles given to the Holy Virgin is followed by the supplication in Latin *Ora pro nobis, Pray for us.*

6. **entre usted y yo.** More strictly correct would be **entre usted y mí,** but the use of the nominative in this construction has become so general that it can hardly be considered a grammatical error. Compare the corresponding, although less common, construction in English. See *Bello-Cuervo,* 957.

10-11. **a no haberla sorprendido = si (yo) no la hubiese sorprendido.**

27. ¡ **Ésta es otra!** *That's another foolish idea!*

Page 41. — 3. **Llegados que fueron = Llegado que hubieron** or **cuando hubieron llegado.** The use of **ser** in the compound tense of an intransitive verb of motion may be considered either an archaic construction or a Gallicism.

30. **hubiese yo venido = habría** or **hubiera yo venido.** The –ra subjunctive is frequently used instead of the conditional; the –se form is unusual and hardly permissible, according to the best authorities. See *Bello-Cuervo,* 721.

32. **se ... a usted.** This is the so-called dative of interest and may be translated by *for you.*

Page 42. — 12-13. **con un aquel que ... comer,** *with the appearance of one who is going to eat ...*

18. **del santo de su nombre,** Saint Peter. For reference to Peter's lack of faith while walking on the water, see *Matthew xiv,* 25-31.

Page 43. — 11-12. **tío Pedro de mis pecados.** There is a reproach in **mis pecados** difficult to translate. *My dear fellow* perhaps suggests the meaning.

17-18. **Y no que lo que come no son más que ... ,** *And instead, she goes and eats nothing but ...*

Page 44. — 5. **como los murciélagos.** This seems to refer to the cruel sport of children in nailing a bat, with wings spread out, upon a board. Its squeals of agony are its death song.

16. **un arca.** **Un,** instead of **una,** may be used before a feminine noun beginning with stressed **a** or **ha.**

25. **No me dieran ... ése,** *I only wish that they would give me nothing else to do but that.*

32. **¡ Cuando yo le decía a usted ...!** *Well, didn't I tell you ...!*

Page 45. — 4. **¡ Que no vuelva yo a oírla !** *Just to think that I'll never hear her again!*

7. **Deje usted ... buena,** *Just wait until she gets well.*

Page 48. — 12. **¡ El rey Melchor !** Melchior, one of the Three Wise Men (**Los Reyes Magos**), was a Negro, according to an early tradition. Spanish children are familiar with the Three Wise Men for the reason that they are to them what Santa Claus is to children of Protestant countries; they bring their gifts, however, on January 6th, **el día de los Reyes** (Twelfth Night).

25. **romance,** the popular ballad of Spain, usually in octosyllabic lines, with stress on the seventh syllable, and the even lines in assonance.

Page 50. — 29–30. **que había ciertos hombres ...** According to an old German legend, a reward was promised to the Pied Piper if he would rid the town of Hameln, Westphalia, of the rats that were infesting it. With the music of his pipe he drew them after him to the river, where they were drowned. For the revenge that he took upon the people of the town when they refused to give him the promised reward, see Browning's well-known poem, *The Pied Piper of Hamelin* (1842).

Page 52. — 1–2. **con tanta más razón ... innata, sino ... ,** *all the more readily for the reason that it* (patience) *was not an instinctive virtue in her but ...*

8. **las rosas de a libra,** *bought* (or *cut*) *roses;* literally, 'at so much a pound.'

Page 53. — 1. **A las rosas secas.** The preposition **a** is not generally used before a direct object referring to an inanimate object. Sometimes, however, when the object precedes the verb, as here, the **a** is used to indicate at once the direct object relationship. Another reason for the preposition in this case is the fact that the children have Señá Rosa in mind when they repeat their dislike for various kinds of **rosas.**

23. **este chicharra de Ramón,** *this cricket Ramón.* **De** is used idiomatically between a noun and a modifying adjective or noun that precedes it. **Chicharra** is treated as a masculine noun here because it refers to Ramón.

29–30. **vea usted lo que es . . . ,** *and as a matter of fact . . .*

Page 54. — 3–4. **ni viene a qué,** *nor is there any reason for it.*

10. **¡ Ciertos son los toros !** *There can be no doubt!* Literally, 'There'll be a bullfight today,' or as one might say, 'There'll be a game today.'

Page 55. — 7. **¡ Cuál no se quedaría . . . !** *What was her astonishment . . . !*

11–12. **¡ Sobre que ya no hay niñas !** *It seems to me that girls are no longer girls,* that is, they are grown up before they have reached the age of maturity.

Page 57. — 9. **los sentía, y . . . el músico,** *she felt them, and they were inspired in her by the musician* (not the man).

Page 58. — 13. **la inseparable alianza.** Soldiers are, traditionally, quite susceptible to love.

19–20. **esa gente de . . . arriba,** *those people up yonder* (that is, in northern Europe).

20. **quiéreme parecer = me parece.**

21. **dos años ha.** More usually **hace dos años.**

30–31. **por mi buena cara,** *without charge, because of who I am.*

Page 59. — 2. **si no se casaba con Marisalada.** The imperfect subjunctive is ordinarily used in a construction of this kind. The clause may be considered as the statement of a fact rather than a mere supposition; or the use of the indicative may be here a Gallicism.

Page 60. — 3. **¡ Que las vacas...!** *To think that cows...!*

7. **lo inventó un suizo.** An English physician, Edward Jenner (1749–1823), is generally credited with the discovery of vaccination as a preventative of smallpox.

8. **los suizos, que son ... Papa.** The Vatican Palace, Rome, the residence of the Popes, is guarded by Swiss soldiers, known as the Swiss Guard.

8–9. **me dijo ser ...,** *told me that he was ...*

11. **hubiese premiado = habría** or **hubiera premiado.** See note to page 41, line 30.

12. **Saladilla ...** See note to page 32, line 13.

27. **ponía = pondría.** See note to page 13, line 27.

Page 61. — 1. **Ratón Pérez.** According to a popular story for children, Ratón Pérez, a greedy mouse, falls into the **olla** and is drowned.

18, 20. **flaaaaco, aaaalto.** Assonance, the identity of final accented vowels and any unaccented vowels following, is much commoner in Spanish popular poetry than consonantal rhyme, the identity of final consonants as well as vowels.

Page 62. — 27. **¿ Qué no sería que ...?** *Wouldn't it be fine if ...?*

31–32. **Estarías ... comida y bebida = Comerías y beberías.**

Page 63. — 2–3. **que llueva, que ventee,** *whether it rain or whether the wind blow.*

15. **¡ No he oído otra !** *I never heard the like!*

25. **había de huír a = huiría a ...** See note to page 13, line 27. For the use of **a** see note to page 28, line 14.

26–27. **tu alma en ... avengas,** *that is your affair; settle it in your own way.*

28–29. **tienes que dar ... llave,** *you'll have to learn by experience;* literally, 'you'll have to make more turns than a key.'[2]

Page 64. — 2. ¿ A que no sufría ... ? = Apuesto a que no sufriría ...

5–6. **lo que quiera ... antoje,** *whatever I wish and whatever I take a fancy to.*

13. **de todos los diablos,** *the deuce take her!*

22–23. ¡ **sobre que ... potaje!** *the first thing we know, we're going to find you in the soup-pot!*

27. **Oyes = Oye.** The interrogative form of this verb has come, colloquially, to have sometimes the meaning of the imperative.

Page 65. — 18. **Por vía del ...,** *The deuce take ...* Note the dropping of intervocalic **d.**

22. **los versos.** The translation of a German poem is to be found in the complete novel.

Page 66. — 21. **te asustasen.** Note omission of **que.**

Page 67. — 8. **la = le.** Le is generally used as the feminine indirect object, third person; many writers, however, use **la** in order to distinguish the feminine pronoun from the masculine.

17–19. ¿ **y para qué sirven ... en la reja?** *what's the good of window love-making?* **Peladero** takes its meaning here from the idiom **pelar la pava,** *to make love at the window.*

Page 68. — 11. **sirenas.** According to the Greek and Latin poets the sirens were sea-nymphs who lured sailors to destruction by their beauty and by the sweetness of their singing.

23. **lo que se asegura ... en él,** *what we are sure of having engraved upon it.*

Page 69. — 10. **impone ... está.** Note that the subject is **él,** namely, **nuestro amor. En sus aras,** i.e. **en las aras de Dios.**

28–29. ¡ **sobre que hay gustos ... palos!** *well, this goes to prove that there are tastes so bad that they deserve a beating!*

29. ¡ **Mire usted, prendarse de ...!** *Just imagine any one falling in love with . . .!*

32. **se cumplió aquello de que,** *was fulfilled that saying that . . .*

Page 70. — 4–5. ¡ Que no haya tenido ... ingrata de que ... !
To think that that ungrateful girl has not kept in mind that . . .!

14–15. **te has quedado ... espada,** *you have received a cruel
disappointment,* or, *they have played you a nasty trick.* More usual
forms of the idiom are: **dejar a uno con un palmo de narices;
dejar a uno con tantas narices.**

20. **Tal día hará un año.** This, like **tal día hizo un año,** is
used colloquially to indicate indifference. It might be translated,
Well, I should worry! — **a rey muerto rey puesto,** *the king is dead,
long live the (new) king!*

Page 71. — 11. **el agua de Juvencio,** *water from the fountain
of youth.* **Juvencio** seems to be the hispanicized form of the
French word **Jouvence;** the feminine ending would be expected.
According to mythology, whoever bathed in the fountain of
youth became young again.

Page 72. — 4. **por aquello de que,** *as the proverb says.*

7. **meica = médica,** *the doctor's wife.* Intervocalic **d** is feebly
pronounced and usually disappears in spoken Spanish, especially
in Andalusia.

Page 73. — 1–2. **en la casa de ... María.** This is the house
of María in the village, in which she and her family lived before
they became caretakers of the abandoned monastery.

21–22. **vaya esta copa,** *here, take this cup.*

Page 74. — 4–5. **viva la Mancha ... agua.** La Mancha (from
the Arabic *manxa,* dry, desert land) is the popular name for the
province of Ciudad Real, in south central Spain. Water is very
scarce, but by means of irrigation a great quantity of wine is
produced. Its windmills, made famous by Cervantes' *Don Quijote de la Mancha,* are a characteristic feature of the arid land-
scape.

Page 75. — 17. **del San Cristóbal = del fuerte de San Cristóbal.**

25. **no te se quita = no se te quita,** *never leaves you;* literally,

'does not take itself from you.' Although the order of **se te** is now well established in literary Spanish, it has not always been so.

Page 76. — 16. **diste calabazas. Dar calabazas** means, idiomatically, *to refuse to marry, turn down, give the mitten.* Ramón uses the word **calabazas** in this idiomatic sense and also in its literal sense, 'pumpkins.'

Page 77. — 10. **como más antiguo en la cofradía,** *as an older brother of the order* (of married men).

Page 78. — 16. ¡ **Cuál no sería, pues, la sorpresa . . . !** *One can imagine, then, the great surprise . . . !*

22–23. **es un Usía . . . Esencia,** *he is a nobleman whom they address as your Excellency.* **Usía** is an abbreviation of **useñoría, vuesa señoría, vuestra señoría. Esencia** is, of course, intended for **Excelencia.**

27–28. **aquello se ha . . . Babilonia,** *the whole place has been turned upside down.* For Biblical reference, see *Genesis xi,* 9.

Page 79. — 10. **ni en . . . Dios,** *either in this world or in the next . . .*

10–11. **hay de . . . sino de mí,** *there's no one to get to do anything but me.*

12. **iba = iría.** For use of imperfect indicative see note to page 13, line 27.

Page 84. — 13. **hoy somos . . . junio = hoy estamos a . . . junio.** The first construction is a literal translation of the French, *nous sommes le 15 juin,* and is therefore another example of the frequent Gallicisms in the style of Fernán Caballero.

14. **día de mi santo.** In Spain the day of the saint from whom a person gets his Christian name is celebrated, rather than his own birthday.

28. **S. E. = Su Excelencia.**

Page 85. — 3. **V. E. = Vuestra Excelencia.**

12. **guerra con el Emperador de Marruecos.** The Sultan, or Emperor, of Morocco was at war with France intermittently

BERGEN JUNIOR COLLEGE LIBRARY

from 1830 to 1846. War with Spain threatened during these same years, but did not actually begin until 1839.

Page 86. — 15–16. **acreditarle ... dejarles.** Note that **le** refers to the family as a whole and **les** refers to the family individually.

Page 87. — 7. **si te vide = si te vi.** Vide, Latin *vidi*, became **vi** in modern Spanish; the archaic form is still sometimes heard in proverbial or colloquial expressions.

9–10. **se habían = se habrían.** Se habían de echar ... a **vuelo,** *the bells would all have to be rung in celebration.* For the use of **habían** instead of **habrían**, see note to page 13, line 27.

16. **¡ Cuando les digo a ustedes que ... !** *Haven't I already told you that . . . !*

16–17. **¡ Vaya, que esto ... gitanos !** *Upon my word, this seems to be a regular gipsy wake!* Gipsies are notably demonstrative in their expression of grief at the death of one of their band.

Page 88. — 10. **al llegar al Calvario.** On a hill near Villamar stood the cross and chapel referred to earlier in the novel; it received its name **Calvario,** *Calvary,* from the small hill in Jerusalem on which Christ was crucified.

Page 90. — 19. **la guerra de Navarra.** See note to page 8, lines 20–21. The war came to an end officially with the Treaty of Vergara, August 31, 1839; in Navarre and Aragon guerrilla skirmishes continued for some months longer.

25. **ya con tres galones,** *already with three stripes,* or *galloons,* to indicate his rank as colonel.

32. — **Page 91.** — 1. **en el Rosellón, en América,** etc. The General, beginning his military career in the last decade of the 18th century, had plenty of opportunity for active service in the many international and civil wars that followed the French Revolution. Roussillon, near the Spanish border, was the scene of the war between Spain and France in 1793 and 1794. Later, as an ally of France, Spain was forced into a war with Portugal and England. The War of Independence (see note to page 33,

line 25) began in 1808. The reference to America is not clear, since the revolutionary wars that gave independence to the Spanish colonies in the New World did not begin until 1810.

2. **de vuelta del Norte con La Romana.** After gaining a reputation as an able ally of the French in the Napoleonic wars, General La Romana returned to his own country to help drive out the invader in the Peninsular War (**La guerra de la Independencia,** for which see note to page 33, line 25).

10. **ya pareció.** After **ya** the preterite is frequently used where the past indefinite would be expected.

16. **sus.** Note that **sus** refers to **ruinas.**

Page 92. — 1–2. Ninguno ... dudoso. The General lengthens somewhat the title of the play in order to make of it **una sentencia.** The play referred to is probably *Lo Cierto por lo dudoso* by Lope de Vega Carpio (1562–1635).

9–10. **di tanti palpiti.** These words occur in the aria sung by Tancredi, Act I, sc. 14, in Rossini's opera of the same name. "Di tanti palpiti, di tante pene, Da te mio bene Spero mercè." Translate, "For so many palpitations, for so many pangs, from thee, my beloved, I await the reward."

17. **avalancha,** from the French *avalanche,* is a Gallicism for **alud, lurte.**

Page 93. — 23–24. Salomón ha dicho ... See *Ecclesiastes i, 9.*

Page 94. — 5. Filomena, *Filomela, Philomela,* the nightingale. According to mythology Philomela, an Athenian princess, was changed into a nightingale.

7. **no pasan de correctas,** *are no more than regular.*

Page 95. — 12. Os aplazo ... meses, *I summon you to answer the charge six months from now;* or, *I'll give you six months from now.*

Page 97. — 9. Ceán, Ponz y Zúñiga, three of the many writers who have written of the historical and artistic attractions of Seville, the Queen City of southern Spain. Ceán Bermúdez

(1749–1829); Ponz (1725–1792); Zúñiga († 1680). In the complete edition of the novel, all the following chapter is given up
to a description of the city.

Page 98. — 5. **a la sombra.** The seats on the shady side of
the bull ring cost much more than those in the sun.

7. **Salió el despejo ... limpia,** *The people were driven to their
seats* (by the **alguaciles**) *and the arena was cleared.* Then, keeping
time to a military march, the bullfighters entered in a ceremonious
procession and crossed the arena to the official in charge of the
bullfight.

17. **en que se combinan ...** Bullfighting was formerly a
chivalrous sport in which a mounted knight, armed with a lance,
met the bull on fairly equal terms. About the beginning of the
17th century it began to lose its original character, and with the
construction of the first Plaza de Toros in Madrid in 1749 it
became a public spectacle in which only professionals took part.

Page 99. — 9–10. **Capitaneaban a todos ...** All those who
are to take part in the bullfight enter the arena in formal procession, to the accompaniment of martial music. In this brilliant
paseo de la cuadrilla first come the **espadas,** then the **banderilleros,** then the mounted **picadores,** and finally the attendants,
chulos, with a team of mules to drag out the dead horses and the
bulls.

13. **Montes,** Francisco, the most famous of Spanish bullfighters in the first half of the 19th century.

28. **la autoridad = el presidente de la plaza,** *presiding official,*
usually the mayor of the city, his representative or some high
authority.

Page 100. — 14. **hecho merced.** Note that **había** is understood before **hecho.**

20. **Pero retrocedió ...** The picador prods the bull with his
pike (**garrocha**) and tries to keep him from goring the horse.

Page 106. — 9. **la fábula del cuervo.** The fable of the crow,
the fox, and the piece of cheese belongs to all literatures. The

best known treatment of it is that of La Fontaine (1621–1695), the great French poet and fabulist. The lines referred to in the text are the following:

> Sans mentir, si votre ramage
> Se rapporte à votre plumage,
> Vous êtes le phénix des hôtes
> de ces bois.

Translate, "To tell the truth, if your singing is in keeping with your fine feathers, you are the Phoenix of all these forests."

Page 107. — 30-31. **Casta Diva.** These are the two first words of the prayer of Norma in Bellini's opera of the same name, Act I, sc. 4. The prayer is addressed to the Moon and begins:

> Casta Diva, che inargenti
> Queste sacre antiche piante,
> A noi volgi il bel sembiante
> Senza nube e senza vel . . .

Translate, "Chaste Goddess, who dost cover with thy silvery rays these old and sacred trees, turn towards us thy beautiful face, unclouded and unveiled . . ."

Page 108. — 15. **el Príncipe,** an Italian prince for whose entertainment in Seville Rafael Arias was responsible.

Page 110. — 1-2. **Numancia, Zaragoza,** two cities famous in Spanish history for the bravery of their inhabitants. Numantia, on the river Duero, was taken by the Romans, in 133, only after all the male inhabitants had been killed or wounded. Saragossa, in Aragon, gained immortal fame in the War of Independence by its heroic defense of many months against a large French army. Famine and the death of its defenders forced the city to surrender February 20, 1809.

Page 111. — 29. **lo que sí quiero,** *what I do want.*

Page 112. — 4. **como hizo la rana,** in the well-known fable of the frog that, trying to equal the ox in size, kept puffing itself out until it finally burst.

6. **esa octava maravilla.** There is considerable unanimity as to the Seven Wonders of the World in ancient times and the seven of the Middle Ages; as to the eighth, individual enthusiasm is given free play.

9–10. **la torre de Babel.** Cf. *Genesis xi*, 1–9: "Therefore is the name of it called Babel, because the Lord did there confound the language of all the earth." The tower of Babel has come to mean *confusion of many voices and languages.*

11–12. **lo hubiese sido veinte.** Note that **lo** refers to **llamada a las tablas** and that **veces** is understood after **veinte.** For the careless use of **hubiese** for **habría** or **hubiera,** see note to page 41, line 30.

12. **a no haberse puesto . . .** = si no se hubiesen puesto . . .

32. **El Barón.** This, a French nobleman, is one of the eccentric foreign types of character presented in the novel. He appears frequently in the parts omitted in this edition.

Page 113. — 2. **los bravos franceses,** *French applause, in the French fashion, plaudits of the French.* **Bravo** is an Italian word used in France to express approval.

14–15. **no obstante la enemistad . . .** The drama and opera compete, not very successfully, with the **corrida de toros** for popular favor; the Muses, then, presiding over poetry, art and science, resent the favor shown to the national sport.

28. **Un rey es, y mira a un gato,** *Even a queen deigns to look at a cat.* Note that in Spanish the masculine form of such words as **rey, dueño, señor** may be used with feminine meaning if only the central idea of the word is considered, irrespective of gender.

Page 114. — 26. **le había precedido.** Note that **le** refers to **portento,** namely, María.

Page 115. — 3. **Orfeo,** *Orpheus,* a legendary musician of ancient Greece who charmed wild beasts and moved trees by his music.

4. **Anfión,** *Amphion.* According to mythology, he built the walls of Thebes with the music of his lute, so melodious that the stones danced into their places.

7. **que ni que . . .** = que no parece sino que, or como si . . .

Page 116. — 8. **Leonor,** that is, **la Duquesa.**

Page 117. — 22–23. **la plegaria de Desdémona.** This prayer is the second scene of the third act of Rossini's opera *Otello*, one of the many operatic treatments of Shakespeare's *Othello*. See note to page 123, line 11.

Page 119. — 20. **sierra de Aracena,** a range of mountains to the north of the seaport of Huelva, famous for its copper mines.
21. **Valverde, Aracena,** etc. The route followed by Momo may be easily followed on the map. He goes north through the villages of Valverde, Aracena, La Oliva, Barcarota to Badajoz, an important frontier city of considerable historical importance. From there he makes his way to Madrid by the old highway that connects western Andalusia and the national capital. The distance from Villamar to Madrid is approximately 400 miles, so that, if he made the return journey in ten days, he did not loiter by the way.

Page 120. — 2. **de en casa.** In this colloquial expression there is apparently a confusion of the two phrases **de casa** and **en casa.**
6. **esa gente,** that is, Stein, Marisalada and Momo.
8. **diez días lleva de viaje,** *he has already taken ten days for the journey.*
26–27. **gracias a que . . . ,** *thanks also to the fact that . . .*

Page 121. — 2–3. **Cada calle . . . soldado.** Because of the political struggles and frequent civil wars during the reign of Isabella II (1833–1868), many soldiers were to be seen in the streets of Madrid.
25–26. **de las tropas de don Carlos.** See note to page 8, lines 20–21.

Page 122. — 6–7. **¡ Cosas . . . vea !** *That's how they do it in Madrid, confound the place !* Note the dropping of intervocalic **d** in **confundío** (confundido), **moo** (modo), **naíta** (nadita), etc.
8. **Pues señor.** Compare English *Well, sir,* as an exclamation, with the accent on *well.*

9. **una casa muy grandísima.** Momo, having never heard of theaters and grand operas, is very much bewildered by what he sees in the opera house and on the stage. With regard to his description of the audience, it should be noted that until quite recently women were not admitted to the lower floor of a Madrid theater, one of the galleries being reserved for them.

17. **la villa de Madrid.** Madrid was formerly a **villa**, that is, a town with special privileges; later, when it became the capital of the Spanish monarchy, it came to be known as **la villa y corte.** Different titles have been granted to Madrid by various kings from the 15th to the 19th century: **muy noble y muy leal, imperial y coronada,** and **muy heroica.**

26. **ya voy ... escopeta,** *I'm coming to that in good time; I can't go off like a gun.*

31. **que se tocaban para abajo,** *that were played low down.*

32. **que fué floja ... Dios,** *and it was some jump too.*

Page 123. — 3. **Habría leva ... España,** *There was probably a levy of all the blind beggars in Spain.* The only professional musicians that Momo was acquainted with were the blind beggars singing and playing for alms in the street.

11. **que sería de un palacio,** *which must have belonged to a palace.*

11–12. **Allí se presenta una mujer ...** María, in the rôle of Desdemona. Shakespeare's *Othello* has been turned into grand opera by several composers; the one in question is probably that of Rossini, presented for the first time in 1816. The story, much simplified and changed in some of its details, is essentially that of Shakespeare's play. Othello, the Moorish commander of the Venetian army, returns in triumph to Venice, having driven the Turks from the island of Cyprus. He finds that Desdemona, whom he had married in secret before leaving on the military expedition, is being forced into marriage with his rival by her father, unaware that she is already married to the Moor. The father, discovering the truth, casts her off with bitter reproaches. Meanwhile Othello, listening to the treacherous insinuations of Iago, becomes convinced that Desdemona has been unfaithful to him and decides to kill her. This he does in the last act in a fit of mad jealousy; then, her innocence proved, he kills himself.

Apparently, Momo enters the theater near the close of Act II. By the time he recovers from his first bewilderment, the last scene of the act is in progress, the scene in which Desdemona's father reproaches her bitterly for her actions. Naturally, Momo is somewhat at a loss to know just what it is all about, in view of the fact that they are singing in Italian. He sees María in a supplicating attitude, and when he hears her sing *Se il padre m'abbandona, Da chi sperar pietà?* (*Si mi padre me abandona, ¿ de quién puedo esperar piedad?*), he believes that she is being rightly punished for having pretended that her father was a Carlist general.

19. **Lo primero que sucedió** = Lo que sucedió primero.

26–27. **lo que ... parado,** *the thing that kept me guessing.*

Page 124. — 11. **¿ viene de las Batuecas?** *do you come from the backwoods?* Las Batuecas is an isolated district south of Salamanca; its sparse inhabitants are noted for their stupidity and ignorance.

17. **vaya ... descorchen,** *go and let them knock off some of your bark.*

25. **en mi vida.** Note that **nunca** or **jamás** is understood when **en mi vida** or a similar expression precedes its verb. — **otra,** *anything like it.*

30. **toda vestida de blanco.** Act III of the opera takes place in the bedroom of Desdemona.

31. **una guitarra muy grande.** Apparently a harp.

Page 125. — 8. **Fierabrás,** a gigantic warrior of romances of chivalry and popular legends.

9. **Telo** = Otelo, *Othello.*

26. **cogí dos de luz y cuatro de traspón,** *I took to my heels.*

26–27. **no fuese que me llamasen,** *lest they might call me.*

Page 126. — 2. **Hizo lo del español,** *He followed the example of the Spaniard.*

20. **Semíramis,** legendary queen of Assyria and Babylon, to whom is usually attributed one of the seven wonders of the

world, the Hanging Gardens of Babylon. The reference in the text is to Rossini's opera *Semiramide*, 1823.

Page 133. — 14. **que no apagan ... cristiano.** Because of the elevation of Madrid and the nearness of the Guadarrama mountains to the north, the temperature is subject to sudden changes, so that the **madrileños** have a wholesome fear of pneumonia. Another form of the often quoted proverb is: **el aire de Madrid es tan sutil, que mata a un hombre y no apaga un candil.**

30. **su ortografía.** The following words are misspelled: **doctor, crea, anónima, marido, caer, cuenta, mujer, entretenida, hará.**

Page 134. — 10. **como santo Tomás.** The Apostle Thomas was the original man from Missouri; he had to be 'shown.' See *John xx, 25.*

Page 137. — 3. ¡ **Sobre que ese Pepe ... pie!** *I'll say that that fellow Pepe Vera was born lucky!*

5. **Que = De la que.**

Page 139. — 11. ¿ **Que debéis callarla?** Note that **decís** is understood before **que.**

Page 141. — 9. **se la oprimiera.** Note that **la** refers to **frente.**

Page 145. — 25–26. **aquí no se ve,** *it is too dark here to see.*

Page 146. — 2. ¡ **Otra te pego!** This expression is used to denote the repetition of something disagreeable. Translate, *Well, here you are again!*

9–10. ¿ **Qué dirá Poncio Pilato?** *What does Pontius Pilate have to say about it?* By giving Stein the name of the Roman governor of Judea who failed to protect Jesus against his enemies (*Matthew xxvii*), Pepe Vera is apparently expressing his contempt for the weak character of María's husband.

Page 148. — 10–11. *Refugium peccatorum.* In the litany the Holy Virgin is called *the Refuge of sinners.* See note to page 38, line 11.

Page 153. — 9. ¡ las medias lunas! The **media luna** (*crescent*) is the name given to a crescent-shaped knife fastened to the end of a pole. If a bull cannot be killed in the usual way, he is hamstrung by a **media luna** and then killed by the **cachetero** who pierces his spinal marrow with a dagger.

Page 155. — 25. **Fígaro,** the barber-hero of the *Barbier de Séville*, a famous play by the French dramatist Beaumarchais (1732–1799). Figaro reappears in several operas, the one referred to in the text being probably that of Rossini, *Il Barbiere di Seviglia*.

Page 156. — 2–3. **un joven,** i.e. Pepe Vera.

Page 157. — 3. **del cual brotaba ... sangre.** Until comparatively recent times the village barber performed the minor operations of surgery. Since it was believed that excess of blood was the cause of many ailments, blood-letting or bleeding was the common practice, and much of this was usually performed by the barber. The barber's pole is a reminder of the barber's former association with blood-stained bandages.

18–19. **volvemos ... actuales.** Four years have passed since Ramón returned from Madrid.

24. **Atala,** the Indian heroine of a romantic novel of the same name (1801) by Chateaubriand (1768–1848). In its poetic sentiments, its tenderness and melancholy, it is one of the most important precursors of French Romanticism. Atala and her sad lover, Chactas (see page 158, line 1), were much favored by musicians for half a century.

27–28. **hubiera podido ... al poeta ...,** *might have been entirely justified in seeking judgment against the poet ...*

Page 159. — 19. **a que** = a quien.

Page 160. — 2. **el Sargento de Utrera.** The extreme ugliness of Sargento Utrera or de Utrera is proverbial in Spain. The name would seem to associate him with the city of Utrera in Andalusia, but the origin of the expression is not known.

7. *Ilustración,* a periodical published in Madrid from 1849 to 1857.

18-19. **del santo de su nombre,** *her saintly name,* that is María (the name of the Virgin Mary). For the use of **santo** instead of **santa,** see note to page 113, line 28.

32. **a quien todo el mundo llora.** In the preceding chapter, omitted in this edition, we are told that Stein had gone to Cuba and died there of yellow fever. His last act was to write the following letter to his wife: « María, tú a quien tanto he amado, y a quien amo aún; si mi perdón puede ahorrarte algunos remordimientos, si mi bendición puede contribuír a tu felicidad, recibe ambos desde mi lecho de muerte. »

VOCABULARY

Words that are identical or almost identical in English and Spanish are not contained in this vocabulary. The articles, pronouns, numerals, names of the months, common prepositions, and several words that are usually found in the most elementary texts are omitted, unless used idiomatically.

The parts of speech are not indicated except for clearness. The gender of nouns is not indicated in the case of those that are easily recognized as masculine or feminine by their meanings or by their endings, those in –o being regularly masculine and those in –a, –dad, –tad, –tud, –ión feminine. Adjectives are given in the masculine singular; the feminine form is not indicated if it is sufficiently covered by the usual rules.

As regards the verbs in the text, usually the infinitive only is to be found in the vocabulary; other parts are given, however, in the case of very irregular verbs, or in idioms that can be explained more easily by retaining the tense, mood and person.

Adverbs regularly formed from corresponding adjectives are omitted if the adjectives are given.

ABBREVIATIONS

aug. augmentative
cf. compare
coll. colloquial
dim. diminutive
f. feminine
fig. figurative
Fr. French
Gall. Gallicism
Ger. German
Ital. Italian

imp. imperative
inf. infinitive
m. masculine
n. noun
p. p. past participle
pl. plural
pres. present
pret. preterit
sing. singular
subj. subjunctive

VOCABULARY

A

abajo below, downstairs; **de arriba** —, from top to bottom, from head to foot

abalanzar to dart; —**se** rush impetuously

abandonar to abandon, desert; —**se** give oneself up

abandono neglect

abanico fan

abatido dejected, spiritless, discouraged, downcast

abierto p. p. of **abrir** opened; open; frank, sincere

aborrecer to hate

abotonar to button

abrazar to embrace

abreviar to shorten

abrigado wrapped; protective

abrigar to wrap; shelter; cherish

abrigo wrap, overcoat; shelter; **ropa de** —, see **ropa**

abrir to open; —**se camino** make one's way; —**se las carnes** tear one's heart; — **tantos ojos** open the eyes wide

abrumar to crush, overwhelm

absoluto absolute; imperious, despotic

absorto absorbed in thought, pensive

absurdo absurd, ridiculous

abuela grandmother

abultado bulky, massive, big

abundar to abound, have plenty

aburrido bored

abuso abuse; misuse

abyecto abject

acabar to finish, come to an end; — **por** end up by

academia academy

acaecer to happen

acaso perhaps; *n.* chance

accesible accessible, approachable

accidentado broken, uneven

acción action; deed

acebuche *m.* wild olive tree

acechar to spy, eavesdrop

aceite *m.* oil; olive oil

aceleradamente hurriedly

acento accent; note, sound; inflection

aceptar to accept

acercar to draw near; —**se** come near, approach

acertado fitting, proper; effective

acertar to hit the mark; guess right

acierto a good hit *or* guess; knack, ability

aclarar to explain, elucidate

acoger to receive, welcome; take in, accept

acogida reception

acometer to attack

acompañar to accompany, go with

aconsejar to counsel, advise

acontecer to happen

acontecimiento event, happening

acordar to remind; —se de remember

acortar to shorten

acostado lying; sleeping

acostar to lay down, cause to lie down; stretch out; —se lie down; go to bed

acostumbrado accustomed; usual

acostumbrar to accustom; —se be used

acreditar to assure, verify, prove, guarantee

acritud acrimony, sourness

actitud attitude

acto act; en el —, at once

actual present

acudir to hasten to; be present, go

acurrucarse to cuddle up, huddle oneself up

acusar to accuse, denounce

achacoso sickly, unhealthy

achispado tipsy

Adán Adam

adaptar to adapt; fit

adelantar to advance; progress; —se come forward

adelante ahead; ¡—! come in! más —, later, further on

adelanto progress, improvement

ademán m. manner, gesture

además moreover, besides; — que moreover, besides

adentro inside; n. —s innermost thoughts

adivinar to guess

adjunto included, inclosed

admirable admirable, splendid

admitir to admit; accept

adoctrinar to teach, instruct

adorador admirer

adorno adornment, ornaments; attire

adquirir to acquire

aducir to adduce, mention

adular to flatter

adversario adversary, opponent, enemy

advertir to warn

advocación appellation, name, title

afectar to feign, pretend; affect

afecto affection, fondness, love

afectuoso affectionate, kind

afeitar to shave

afición fondness, inclination; —es likes and dislikes; tener — a to be fond of, be a "fan"

aficionado amateur, "fan"

aficionar to inspire fondness; —se a grow or be fond of

afiliar to affiliate; —se join, count oneself among

afín related; sympathetic

afirmar to affirm, assert

afligido afflicted, grieved, sad

afuera outside

agachado squatted, in a crouching position

agarrar to grasp, hold on; seize

agitación agitation

agitado agitated, excited

agitar to agitate, stir, shake up; —se wave; struggle

agolparse to crowd, rush

agonizar to be dying

agotar to exhaust

agradable agreeable, pleasing

agradar to please

agradecer to thank for, be grateful for

agradecido grateful

agradecimiento gratitude

agrado pleasure, agreeableness

agresor *m.* aggressor, assaulter

agridulce bitter sweet

agrio sour

agua water; — rosada rose water; bañarse en — rosada to be much pleased

aguacero heavy shower

aguantar to bear, endure

aguar to mar pleasure, dampen, throw a wet blanket on

aguardar to await; wait

agudeza sharpness, penetration; sharp *or* smart saying

agudo sharp

agüero omen

aguijón *m.* prick, sting

agujereado pierced; pierced with a hole *or* holes

aguzar to sharpen, stimulate

ahijado godchild

ahogado stifled

ahogar to stifle, choke, drown

ahora now; but then

ahorrar to save, spare

ahorro saving

ahuyentar to drive away, put to flight

aire *m.* air; con — respetuoso with an air of respect; respectfully

airoso graceful, genteel

aislamiento isolation

ajar to spoil, crumple, soil; fade

ajicalada *for* acicalada dressed up

ajustar to adjust, fit; fix, arrange

ajuste *m.* adjustment, agreement

ala wing; brim

alabanza praise

alabar to praise

alabastro alabaster

alamar *m.* braid trimming, ornamental fastening

alambre *m.* wire

alba dawn

Albacete *city in southeastern Spain, famous for its cutlery*

albardón *m.* big packsaddle

albergar to lodge, harbor

albor *m.* dawn

alborotar to disturb, excite

alborozado excited

alcalde mayor

alcaldesa mayor's wife

alcance *m.* reach; precipitarse en su —, to rush after him; al —, within reach

alcancía money box

alcanzar to reach; — de obtain, succeed

alcoba bedroom

alcornoque *m.* bark of cork tree; pedazo de —, blockhead

aldea village

alegar to allege, maintain

alegre happy, cheerful, gay

alegría joy, glee, happiness

alejar to remove, separate, draw *or* drive away; —se go *or* move away, draw away

alemán German

Alemania Germany

alerta on the alert

aletargado drowsy; **estar —,** to be in a trance

alfombra rug, carpet

alforja knapsack, saddle-bag

algo something; somewhat

algodón *m.* cotton

algún, alguno some; some or other; **— tanto** somewhat

alianza alliance, union

aliento breath

alimentar to nourish, feed

alimento nourishment, food

aliviar to alleviate, relieve

alivio relief, recovery

alma soul, spirit; **echar el —,** to die; **no poder con el —,** be tired out *or* "all in"

Almagro *city in New Castile, famous for its laces*

almena turret of a fort

almendra almond; **señá de la media —,** *see* **señá**

almidón *m.* starch

almidonado starched, stiff

almohada pillow

almorzar to breakfast, lunch

alojar to lodge, dwell

alquiler *m.* rent; hire; **coche de —,** coach for hire

altanería haughtiness

altanero haughty, mighty

altar *m.* altar

alteración alteration, change

alterar to alter, change; **sin — el paso** without getting excited; **—se** change countenance

altivo proud, haughty, lofty

alto high, tall; **lo —,** height, top; **por lo —,** in the air; **¡ —allá !** halt !

altura height, altitude

alucinado fascinated, infatuated

alud *m.* avalanche

alumbrar to light, illuminate

alumno student

alzar to raise; erect; rise

allí there; **hasta —,** until then

ama nurse, governess; mistress, lady of the house

amabilidad amiability, affability

amable amiable, kind

amado beloved, dear

amante loving; *n.* lover

amaño clever way of doing a thing; **—s** wiles

amargo bitter

amarillento yellowish

amarillo yellow

amarrar to tie

amasar to knead

ambiente *m.* atmosphere, air

ámbito circuit, space

ambos both

amenaza threat

amenazador threatening, menacing

ameno pleasant, delightful

americano American, South American

amiga school for young girls

amilanar to frighten; **—se** be frightened; be cowed

aminorar to lessen

amistad friendship

amo master; owner

amodorrado drowsy, sleepy

amontonar to pile

amor *m.* love; **—es** love, love

affair; **en** — **y compañía** in loving fellowship; — **propio** self-love, vanity

amoroso loving, pertaining to love, of love

amortajado shrouded; in grave-clothes

amortecido lifeless

amostazar to be peeved

amparo shelter; protection

anacronismo anachronism

análogo similar

anatema *m.* anathema

anciano old; *n.* old man

ancho wide; capacious; lusty; **a sus —as** at ease; at home

Andalucía Andalusia (*the southern region of Spain*)

andar to move, go, go about; walk; ¡ **Anda con Dios!** well! upon my word!

ángel *m.* angel; fine person

angosto narrow

ángulo angle

anguloso angular, zigzag; staggering

angustia anguish; anxiety; grief

angustiado painful, sorrowful; worried

ánima soul

animado animated, lively

animar to animate, enliven; encourage; —**se** liven up; grow lively

ánimo mind, spirit, intention; ¡ —! cheer up! courage!

animosidad animosity

anochecer to grow dark

anonadado humbled, humiliated

ansia anxiety; desire

ansiedad anxiety

ansioso anxious, eager; eagerly

antecesor *m.* predecessor; the foregoing

antemano: de —, beforehand, in advance

anteponer to place before; prefer

antesala antechamber

antiguo old, ancient; former

antojarse to fancy, have a whim for

antojo caprice, fancy

antorcha torch

anudar to knot, tie

anular to annul, make void

anunciar to announce, tell; warn

anuncio announcement

añadir to add

año year

apacible peaceful, serene

apadrinar to be godfather; act as a second

apagado extinguished; dull, colorless, lifeless

apagar to extinguish, put out

aparecer to appear

aparejar to get ready; saddle *or* harness

aparente apparent

aparición appearance

apariencia appearance

apartar to separate, remove, put aside, draw away

aparte aside

apasionado impassioned; blind

apegado attached

apegarse to be *or* become attached

apenas hardly, scarcely

apesadumbrar to grieve, cause grief

apiñar to crowd

aplaudir to applaud; approve; extol

aplauso applause

aplazar to defer; summon

aplicación application

aplicar to apply

aplomo self-possession; confidence

apoderarse to take possession

apodo nickname

aposento room

apostura carriage, bearing

apoyar to lean upon, press, rest; hold up, protect; —**se** lean against

apreciar to appreciate, esteem

aprecio appreciation

aprensar to press, crush

apresuradamente hurriedly

apresurar to hasten, hurry

apretado tightened; oppressed

apretar to squeeze, tighten, press; hasten, hurry, quicken; clench

aprobación approval

aprobar to approve

aprovechar to take advantage, use, profit by; —**se de** take advantage of

aproximar to approach, draw near; —**se** approach

apuntar to aim, point at

apurado needy; difficult

apurar to consume, exhaust, empty

apuro want; hardship

aquél, aquélla that, that one

aquello that; that thing, matter *or* saying

Aquiles Achilles (*hero of Homer's "Iliad"*)

ara altar

Aranjuez *small town thirty-one miles south of Madrid, famous for its royal palace, gardens, and fountains*

arañar to scratch; paw

arboleda grove

arbusto shrub

arca ark, chest

arcángel *m.* archangel

arco arch; — **iris** *m.* rainbow

archivar to file; put away

arder to burn

ardiente ardent, burning

ardor *m.* heat; vigor

arena sand; arena, bull ring

arisco shy; surly

arma arm, weapon

armado armed

armadura armor

armar to arm; set, get ready; fix up

armonizar to harmonize

arquear to arch

arrancar to pull out, wrest, carry off, draw out, pull off; force out; —**se get away**

arranque *m.* sudden start, impulse, spring

arrastrar to drag; crawl, creep

arrebatar to snatch

arrebato fit

arreciar to grow stronger, increase in strength

arreglar to fix

arrepentimiento repentance

arrepentirse to regret

arriba above, up, overhead; upstairs; **de — abajo** *see* **abajo**; — **de** more than

arriero muleteer, mule driver
arriesgado risky, perilous
arrodillar(se) to kneel
arrojar to throw, dash; dismiss; —se throw oneself
arrollar to fold
arropar to clothe; bundle
arrostrar to face; dare
arrugar to wrinkle
arruinar to ruin
arrullar to lull, coo
arrumaco(s) finery
arte *m. in sing.; f. in pl.* art
arteria artery
artesano artisan
articular to say
artillero artilleryman
asado roasted
ascendiente *m.* ascendancy, influence
ascético ascetic
ascua live coal; **poner en —s** to fill with uneasiness, cause to be uneasy
asegurar to assert, affirm, vouch; —se be sure of, believe
aseo tidiness, neatness, cleanliness
aserto assertion, statement
así so, thus, in this way; **— como para** as well; **— que** when, the moment that; **— es que** thus it is that, and so, therefore; **y —,** and besides
asiático Asiatic, oriental
asistencia assistance, help, care
asistir to assist; tend, help, go, be present; witness
asomar to look out, peek; appear

asombrar to frighten, astonish, amaze; —se be surprised
asombro astonishment, surprise
aspecto aspect, appearance, mien
ásperamente harshly
aspereza asperity, ruggedness, gruffness, snappishness
áspero rough, rugged
aspiración aspiration, ambition
aspirar to aspire
asqueroso dirty, filthy
asta horn
astro heavenly body, star
astucia cunning, craft
asunto matter, subject, business
asustar to frighten
atacar to attack, assail
ataque *m.* attack, assault; fit
atar to tie, bind, knot
ataúd *m.* coffin
atemorizar to frighten, cause fear
atento attentive, polite
atesorar to treasure, hoard up
atestiguar to be a witness to, swear to
atleta *m.* athlete
atmósfera atmosphere; air
atolondro confusion
atónito paralyzed; amazed; speechless
atormentar to torment; afflict
atractivo attraction, charm
atraer to attract, draw
atrás back; backward, behind; **hacia —,** backward; **hacerse —,** to step back
atrasado behind; in arrears

atravesado crossed, crooked

atravesar to cross; —**se a uno** go the wrong way

atrever to dare; —**se** dare

atrevido bold, audacious, daring

atribuír to attribute

atronar to thunder

atroz atrocious, cruel

aturdido confused, rattled

aturdimiento bewilderment, shock

aturrullado confused

audacia audacity, boldness

auditorio audience

aumentar to augment, increase

aumento augmentation, increase

aún, aun still, yet, even

aunque although, even if

aurora dawn of day

ausencia absence

ausentarse to absent oneself, not to be in a place

auténtico authentic, real, true

autoridad authority; presiding official *or* officials

auxiliar auxiliary

auxilio help

avalancha (*Gall.*) avalanche

ave *f.* bird

avenir to reconcile; —**se** settle differences; agree; be willing; —**selas** be concerned with, have to do with

avergonzarse to feel ashamed

avidez *f.* eagerness

ávido eager, anxious; — **de** eager for

avío preparation; ¡al —! hurry up!

aviso notice, information

avispa wasp

axioma *m.* axiom

ayer yesterday

ayuda help

ayudar to help

ayuntamiento town council

azorado excited, confounded, confused, discomfited, perplexed

azotar to whip, lash

azucena white lily

azul blue; — **turquí** indigo

azulado bluish

B

bacante bacchante (*priestess of Bacchus, god of wine*)

bailar to dance

bailarín, bailarina dancer

baile *m.* dance; ball; — **de máscaras** masked ball

bajar to descend, go down; alight; lower

bajeza meanness; a "low-down" trick *or* deed

bajito *dim. of* **bajo**

bajo under; low; short, small; lowered, hanging; — **de cuerpo** short

baladronada boast, bravado

balancear to balance, sway

balanceo swaying, balancing

balde: de —, free, gratis

ballena whale

balleta thick *or* coarse flannel

banco bench

banda band, flock

bandada flock

bandera banner, flag

banderillero banderillero, bull-

fighter who puts the darts on
the bull

bañar to bathe; **—se en agua
rosada** *see* **agua**

barandilla balustrade

barbería barber's shop; **casa
—,** barber's shop

barberillo *dim. of* **barbero**

barbero barber, shaver

barbilampiño beardless

barbudo with a long beard

barca boat

barranco ravine

barrer to sweep

barrera barrier

base *f.* base, basis, foundation

basta enough

bastante enough; rather, quite
well

bastar to be enough *or* sufficient; suffice

bastidor *m.* wing (*of stage
scenery*); **entre —es** off
stage, behind the scenes

basto coarse

batacazo tumble, fall; **darse
un —,** to stumble

batallón *m.* battalion

batería battery

batir to beat, strike; **—se** fight
(*a duel*)

bayeta baize, thick flannel

bayetón *m.* thick woolen cloth

beato pious; very religious

bebedor *m.* drinker

beber to drink

bebida drink, beverage

belicoso belligerent, warlike

bello beautiful

bemol *m.* flat (*music term*);
Emperatriz del Bemol, Empress of Sharps and Flats

bendecir to bless

bendición benediction, blessing

bendito *p. p. of* **bendecir**
blessed; **ser un —,** to be a
good man; **— sea** blessed be

beneficio benefit; favor; kindness

benevolencia benevolence,
good will

benévolo benevolent, kind

benigno benign, merciful,
friendly, mild

berenjenal *m.* bed of eggplants;
meterse en un —, to be *or*
find oneself in a nice scrape
or in trouble

berrear to howl, bellow, cry

berrido shout, howl

besar to kiss

beso kiss; **estampar un —,** to
kiss

bestia beast, animal, wild
animal

bicho insect, animal

bien well; well off; **más —,**
see **más**; **si —,** *see* **si**

bien *m.* good; welfare; **en —
de** for the benefit *or* welfare
of

bienestar *m.* welfare, well-
being

bigote *m.* mustache

billarda, billalda *a children's
game*

billete *m.* note

biombo screen

bizarro brave

bizco cross-eyed

bizcocho cake, biscuit

blanco white; **de —,** dressed
in white; **ir de —,** to be
dressed in white

blanco *n.* target
blancura whiteness
blando soft, tender
blandón *m.* large candlestick
blanquear to whiten
blonda silk lace
boca mouth; **de — en —,** from mouth to mouth
bocado bite, mouthful
boda marriage
bofetada slap
bolera (*usually* **bolero**) *a popular dance in Spain and music accompanying it*
bolo stupid
bolsa purse
bolsillo pocket
bomba bomb; bulb, globe; ¡ —! a toast!; **a prueba de —,** *see* **prueba**; **estar que echa una —,** to be very mad
bondad kindness
bondadoso kind, good-natured, generous
bonito pretty
bordado embroidered; *n.* embroidery, fancy work
bordadura embroidery, embroidery work
bordo board; **a —,** on board ship; **virar de —,** *see* **virar**
borrar to erase, efface, blot
borrasca storm
borrico donkey, ass
bosquejar to outline, sketch, draw; paint
bosquejo sketch, outline
bostezar to yawn
botella bottle
botica drug store
boyante oxlike, tame; easy (to fight)

bravío wild, untamed
bravo brave; wild; fine
bravura bravery
brazo arm; (*fig.*) paddle wheel, paddle; **a — partido** hand to hand; **luchar a — partido** to wrestle; **estrechar en los —s** embrace; **—s cruzados** folded arms
Brest *a seaport and fortified city in northwestern France*
breve brief; short; concise; **en —,** soon, in a short time *or* while
brida bridle
brigante brigand, bandit
brillante brilliant, shining
brillante *m.* jewel, diamond
brillar to shine
brincar to jump
brindar to drink (a toast), toast; invite; allure; offer
brindis *m.* toast; **echar un —,** to drink a toast
brío vigor, force
brisa breeze
broma joke
bromista joker
bronce *m.* bronze
bronco rough, coarse
brotar to spring, sprout
bruscamente abruptly; peevishly
brusco abrupt, rough, rude
bruto brute; *n.* beast, animal
buenamente merely, simply
bueno good; **— está** all right, fine, that's all very well; **— mozo** *see* **mozo**
buey ox
buitre *m.* vulture
bulto mass, form, outline

buque *m.* boat, vessel, ship

burla joke, scoff, gibe

burlar to make fun of, ridicule, mock; **—se de** make fun of, laugh at

burlón, –a mocking, derisive, jesting

burro donkey, burro

buscar to look for, search, seek

C

cabalgar to ride

caballería riding animal

caballero gentleman; sir

caballo horse

cabaña cabin, hut

cabecera upper end; head of a bed; seat of honor

cabellera hair; head of hair

cabello hair

caber to contain, fit, be contained in; fall to one's lot; be possible; **— en mí** enter my head

cabestro halter; bell ox (*that leads the drove*)

cabeza head; **no saber dónde dar de —**, not to know what in the world to do; **tener la — loca** feel light-headed

cabezón stubborn, obstinate

cabida content; space; place

cable *m.* cable, rope

cabo end; rope, cord, ribbon; **al —**, finally

cachete blow on the cheek; cheek

cachetero bullfighter who kills the bull with a dagger

cada each; **— cual** each one; each person

cadáver *m.* corpse

cadena chain; **echarse una — encima** get *or* become entangled

Cádiz *seaport in southern Spain, once well fortified*

caer to fall; droop; **poder — en** realize; **— en (la) cuenta** realize, see the point, understand; **— soldado** be conscripted

café *m.* coffee

cáfila multitude

caída fall

caimiento despondency

caja box, case

cajita *dim. of* **caja**

cal *f.* lime

calabaza pumpkin; **dar —s** to reject a man's proposal, give the mitten

calañés of Calañas (*small town in southwestern Spain*); **sombrero —**, Andalusian hat (*a kind of hat with turned up brim and a crown like a truncated cone*)

calcular to calculate, reckon, compute

caldo broth

calentar to warm; **no —se la camisa en el cuerpo** be very much worried

calentura fever

calenturiento feverish

calidad quality; condition; rank, state

calificar to certify, attest, call

Calipso Calypso (*a sea nymph who kept Ulysses seven years on her island*)

calma calm, calmness, composure; **en —,** calm

calmante *m.* soothing draft

calmar to quiet

calor *m.* heat, warmth; ardor

calumnia slander

caluroso hot

calva bald crown, bald pate

Calvario Calvary

calvo baldheaded

calzado footwear of any kind; shoes

calzar to put on shoes, wear, have on

callado silent

callandito *dim. of* **callando** very quietly

callar to hush, keep quiet *or* silent; remain silent *or* still

calle *f.* street

callejuela *dim. of* **calle**

cama bed

cámara hall, drawing-room

camarada *m.* comrade, chum, friend

camarote *m.* stateroom; berth

cambiar to change, exchange

cambio change, exchange; **en —,** in exchange, on the other hand

camelar to flirt, court, woo

camino road, highway; **ponerse en —,** to set out, start off; **de —,** on the way

camisa shirt, chemise; *see* **calentar**

camisolín *m.* shirt-front; tucker

campana bell

campanario bell tower

campaña campaign

campestre rural, rustic

campo field, plain; **gente de —,** country people

cana gray hair

canario canary bird

canasto basket; **— de colar ropa** clothes-basket

canción song

cándido candid, innocent

candil *m.* oil lamp

candor *m.* candor, innocence

cano gray; white-headed

cansado tired; tiresome, tedious

cantaora *for* **cantadora** singer

cantar to sing; praise

cántaro pitcher; **alma de —,** fool

cantatriz *fem. of* **cantor**

cantidad quantity

canto song, singing; crowing; stone

cantor singer

caña cane, reed; *an Andalusian song once popular*

cañada glen, dale

cañón *m.* cannon

caoba mahogany

capa cape, cloak

capacidad capability, ability

caparazón *m.* caparison; carcass, shell

capaz capable; able

capilla chapel

capital *f.* capital

capitanear to head, be at the command of, lead

capote *m.* raincoat

capricho caprice, whim

caprichoso capricious, whimsical, fanciful

cara face; **echar en —,** to throw in one's face; **saltar a**

la —, be very evident; **volver la — atrás** look back

caracol *m.* snail; shell of snail; **se me da tres —es** I don't care a fig

carácter, *pl.* **caracteres** *m.* character, nature, disposition, temperament; type (of character)

¡caramba! the deuce!

carcajada loud laughter; **soltar la —,** to burst out laughing

cardenal *m.* wale, black and blue spot

cardo thistle

carecer to lack

carga charge, load

cargar to load, carry; rest *or* press down; **querer —,** take the burden *or* blame; **— con** carry, carry away

cargo weight; charge, duty, responsibility; **a — de** in the hands of; **tomar a —,** to take into one's charge; **hacerse — de** take charge of

caridad charity

cariño affection, love

cariñosamente affectionately

cariparejo having an impassive countenance; **estar —,** to be calm, take coolly

caritativo charitable, kind

carlista Carlist (*follower of Don Carlos*)

Carmen Carmel (*mountain in central Palestine*); order of Carmelites

carne *f.* flesh, meat; **no ser ni — ni pescado** to be neither flesh, fish nor fowl; **se me**

abrieron las —s my flesh began to creep

caro expensive; dear

carpeta writing-desk cover; portfolio

carrasca pin-oak

carrera race; profession; **de —,** swiftly, rashly

carreta cart

carretera road, highway

carril *m.* rail, rut; beaten track

carrillo cheek

carruaje *m.* carriage, vehicle

carta letter

cartón *m.* cardboard, pasteboard

casado married; **recién —s** newly-weds

casamiento marriage

casar to marry; **—se con** marry

casi almost

caso case, matter, attention, situation; necessity; **hacer — de** to pay attention to

casquivano light-headed, empty-headed

casta caste; type, kind; lineage; race, generation

castaña chestnut; hair knot, chignon

castañuela castanet

castigar to punish

castigo punishment

castillo castle

castizo pure; traditional; typically Spanish

casto chaste, pure

casualidad coincidence

catadura gesture, countenance

catalán Catalan (*pertaining to Catalonia, a Spanish province on the northeastern coast*)

catar to behold; try, taste; inspect; **cáteme** here you have me; **cate Vd. ahí (que)** lo and behold!

catarata cataract; **que se le caigan las —s** that the scales fall from your eyes

categoría category, rank, class

caudal *m.* capital, fortune, wealth, stock

causa cause, principle

causar to cause; produce, occasion

cauteloso cautious

cautivar to captivate, charm

cavidad cavity

caza chase; game; **andar a —de** to go in pursuit of, hunt for

cazador hunter

cazar to hunt

cebarse to stick fast; prey upon, gloat over

cebolla onion

ceder to grant, yield, give up

cedro cedar

Céfiro Zephyr, west wind

cegar to blind

ceguedad blindness

ceja eyebrow

celador *m.* warden; **— de policía** police officer

celda cell

celebrar to celebrate; applaud, approve; hold

celo zeal, devotion, ardor, great care; **—s** jealousy

celoso jealous

cementerio cemetery

cena dinner, supper

cenar to sup, dine

censura censure, reproach

censurar to censure

centella flash, spark

centésimo hundredth; **— vigésimo quinto** one hundred twenty-fifth

centro center

ceñir to girdle, gird, surround

cepillazo stroke of brush; brushing

cera wax

cerca near; **de —,** closely

cercanía vicinity, surroundings

cerebro cerebrum, brains

cereza cherry

cerner to hover; **—se** be held in suspense

cernir to soar

cero zero; cipher

cerrar to close

cerro hill

certeza certainty

cesante dismissed officeholder; **los empleados —s** ex-officeholders, ex-government clerks out of job

cesar to cease, stop

cicatriz *f.* scar

Cid *eleventh-century hero of Spain, famous in history and legend*

ciego blind

cielo sky; heaven

cien, ciento hundred

ciencia science

cierto certain, true; a certain amount of, kind of; **por —,** indeed, surely

cigarro cigar

cima top, summit

cimera crest; top

cinta ribbon

cinturón *m*. belt

circo circus; amphitheater

circuito circuit, circle, circumference

círculo circle

circundar to surround, circle

circunspección circumspection, reserved attention

circunstancia circumstance, condition

cirio candle, wax taper

cirujano surgeon, doctor

citar to summon

ciudad city

clamar to cry, exclaim, utter loud cries; — **por** demand, cry out to

clarín *m*. bugle, clarion

claro clear, evident

clase *f*. class, rank, order, caste

clavar to nail; stick, drive in; fasten

clavija peg

clavo nail; peg; — **romano** brass-headed peg

clientela clientele

cobertor *m*. covering, comforter

cobre *m*. copper

cocina kitchen

codo elbow; **empinar el** —, *see* **empinar**

cofradía brotherhood; family

coger to catch; get; take, seize, pick

cohete *m*. skyrocket

cojera lameness, limp

cojo lame

cola tail

colación collation; comparison; **sacar a** —, to make mention, mention

colar to strain, sift, pass through; **no me la cuelas** you can't put that over on me

cólera *f*. anger

colérico angry, mad; angrily

colgar to hang

colina hill

colmar to heap up; bestow liberally

colmo height; climax

colocar to place, set; —**se** provide oneself with employment, take service

coloquio conversation

color *m*. color; — **de rosa** rose-colored

coloraa (**colorada**) colored, with color

colorado red; ruddy

colorido coloring, color

colosal colossal, enormous

columbrar see; suspect

comandante major

comarca region, district

combate *m*. combat, struggle

combatir to fight, struggle; **estar combatiendo por** be struggling with

comedia play

comedor *m*. dining-room

comensal *m. & f*. diner, table companion

cómico actor

comitiva retinue, followers

como as, like, similar to, something like; — **de** about; **así** —, as well as; — **que** because, why, seeing that, for the reason that

¿cómo? how?

cómoda night table, bureau

cómodo comfortable

compadecer to pity

compañero companion, friend

compañía company; **en amor y —,** see **amor**

comparar to compare

compás *m.* measure, time

competir to compete

complacer to please; **amigo de —,** good sort of fellow; **—se** be pleased

complaciente pleasing, accommodating

completar to complete, finish

componer to compose, make up, fix; write; **—se** dress up

composición composition; literary work

compositor composer

compostura composition; make-up

comprar to buy

comprender to comprehend, understand; comprise; include

comprensión comprehension, understanding

comprimir to compress; repress, restrain

comprometer to arbitrate; **—se** commit oneself; put oneself in an awkward situation

compuesto *p. p. of* **componer: mal —,** untidy, dressed in a slovenly manner

común common, public

comunicar to communicate, impart, inform

comunicativo communicative

con with; **— que** so, and so

concebir to conceive

conceder to grant

concentrar to concentrate, gather

conciliábulo unlawful assembly *or* meeting, conspiracy

conciliación settlement of dispute

concluyente conclusive

concretar to express, crystallize

concurrencia audience, assembly, gathering

concurrente one looking on *or* watching, onlooker; **los —s** those present; guests

concurso assembly, crowd, gathering, spectators

condado county

condenado "blessèd"; condemned

condesa countess

condescendencia condescension; compliance, submission

condición condition

conducir to lead, conduct; **—se** behave, act

confesionario confessional

confesor father confessor

confiado confided, trusted; trusting, unsuspecting

confianza confidence, trust, faith, reliance; **de —,** intimate

confiar to confide, trust, commit to some one's care

confidente confidant, accomplice

conformar to conform; **—se** resign oneself, agree, submit, comply with

confortante comforting, soothing

confundido confused, bewildered

confundío (confundido): — se vea confound the thing (*place, person, etc.*), the deuce take it!

confundir to confuse; **—se con** be confused with

conjunto ensemble, make-up, general effect

conmover to move, stir to compassion

conmovido moved, moved with emotion

conocer to know, perceive, recognize, feel, be acquainted with; **dar a —**, *see* **dar**

conocimiento knowledge; acquaintance

conque so, and so

consabido aforesaid

consagrar to consecrate, dedicate, devote; make sacred

consecuencia result

conseguir to succeed (in), get, obtain, attain

consejo counsel, advice

consentidor consenting, willing, acquiescent; willing dupe

consentir (en) to consent, allow

conservar to preserve, keep, maintain

considerable considerable, large; great, worthy of consideration

consignar to consign, assign, devote

consigo with oneself

consiguiente *m.* result; **por —,** consequently, therefore

consistir to consist, be made up of; **— en** consist of

consolador consoler, comforter

consolar to console

conspiración conspiracy, plot

conspirador conspirator, plotter

constar to be evident; be made up of

consternación consternation, amazement, horror

consternado amazed, in consternation

constituír to constitute, establish, make

consultar to consult; ask

consumidor consumer, customer

consunción consumption

contacto contact, intercourse

contado scarce, uncommon

contar to count, tell; **— con** count on, depend on, rely upon, be careful; **— por** count against . . . as . . .; **— más años** be older

contemplar to look at, view

contener to hold, restrain

contenido contents

contentadizo satisfied

contentar to content, satisfy; **—se** be pleased *or* satisfied

contestar to answer

contiguo adjoining

continente *m.* appearance, air, mien

continuo continuous, constant

contra against, in opposition to

contrabandista *m.* smuggler; smuggler's song

contrabando contraband, smuggled goods; **de —,** as smuggled goods; **hacer el —,** to smuggle

contraer to contract; incur

contrario contrary, opposite; *n.* opponent, enemy

contrastar to contrast

contratiempo misfortune, calamity

contraveneno antitoxin

contribuír to contribute, give, furnish

contrito contrite, penitent

convencer to convince

convenido agreed

conveniente fitting, proper; necessary

convenir to agree; fit, be convenient *or* suitable

convento convent, monastery

convertir to convert; turn into; —se en change into

convocar to call together, summon

copa glass, cup

copiar to copy

copioso copious, abundant

copla copla (*a popular song usually of four lines*); quatrain; —s poems, songs

coraje *m.* courage; anger, passion

corazón *m.* heart

corcel *m.* steed, charger

cordel *m.* rope

corista *m.* choir singer

coro chorus

corona crown

coronar to crown

coronel *m.* colonel

corral *m.* corral, yard, poultry yard

corredizo running; lazo —, *see* lazo

corredor *m.* hall, corridor

correr to run; chase; —se be used *or* killed (*in the bull-fight*)

corresponder to correspond, fit, belong to; respond

correspondiente corresponding

corrida race; — de toros bullfight

cortar to cut; pierce, penetrate; — el hilo a cut short

corte *f.* court; capital

cortedad shyness

cortejar to court, make love

cortejo lover

cortesía courtesy, politeness; bow

cortina curtain, screen

corto short

corvejón *m.* hock; heel

corvina conger eel

cosa thing; matter

coser to sew

costa coast; shore

costado side

costal *m.* sack, gunnysack

costar to cost; cause, occasion

costear to pay (*the expenses of, or for*), defray

costumbre *f.* custom, habit; —s customs; manners and habits (*of a nation, region or person*)

costura sewing

cotarro bedlam

coto inclosure of pasture lands; territory, region

cráneo cranium, head

crea linen

crear to create

crecer to grow; increase

crédito credit; — público treasury

creencia belief
cría breeding
criado educated, bred; *n.* servant
criar to bring up, train; breed
criatura being; child, baby
criaturita *dim. of* criatura
crimen *m.* crime
crispado twitching, convulsed
cristal *m.* crystal, glass
cristiano Christian; ¡ —! by Heavens !
Cristo Christ; ¡ por —! by Heavens !
cromático chromatic
crucificado crucified
crudo raw
cruz *f.* cross, military cross
cruzada crusade
cruzar to cross
cuadra stable, manger
cuadrado square
cuadrilla gang, crew, band
cuadro picture
cuádruple quadruple, fourfold
cuajado curdled, coagulated; paralyzed
cual which, that; like; as; cada —, *see* cada; por lo —, for which reason; a — más each vying with the other in, in emulation
cualquiera some, some one; un . . . —, an insignificant . . .
cuan as, how
cuando when; de — en —, from time to time, once in a while
cuanto how much, all that, as much as; en — a as to; en —, as soon as

cuartel *m.* quarter, barracks; — general general headquarters
cuarto fourth; *n.* room; penny
cubierta deck
cubrir to cover; *p. p.* cubierto
cucarda cockade
cucú *m.* cuckoo
cuello neck
cuenta account; count; darse — de to realize; caer en la —, realize
cuento story; short story
cuerda rope; chord
cuerdo sane
cuerno horn
cuerpo body; bajo de —, short; *see* calentar
cuervo crow, raven
cuesta slope; grade; a —s on one's shoulders *or* back
cuidado care, worry, attention, anxiety; al — de in the care of; — con take care not to; — que take care that, see that; ¡ —! look out ! take care ! — que certainly, indeed
cuidadoso careful, painstaking
cuidar to take care, care, tend, look after; —se de care for *or* about; no —se de be indifferent to
culebra snake
culpa fault; blame, guilt; tener la —, to be blamed
culpable guilty
cultivar till, cultivate
cultivo cultivation; improvement
cumplido complete, perfect,

full; courteous; attention, courtesy

cumplimiento fulfillment

cumplir to fulfill; comply; — ... **años** be ... years old

cuna cradle

Cupido Cupid

cupo *pret. of* **caber**

cura *f.* cure; medical service

cura *m.* curate, priest

curación cure, healing, treatment

cúralo-todo cure-all

cura-perros dog doctor, doctor

curar to cure, tend, give medical attention to; —**se en salud** take care of oneself

curativo curative

curiosidad curiosity; —**es** curios; things *or* places of interest

curvo curved, bent

cutis *m.* skin (*especially of the face*)

cuyo whose

Ch

chafar to crease, crumple

chaleco vest, waistcoat; **decir para su** —, to say to oneself; **para mi** —, to myself

chancear to joke

chancleta slipper; **en** —**s** turned into slippers

chanza joke, jest

chaqueta jacket, coat

charlar to chatter, talk

charloteo talk, jabbering, chatter

charretera epaulet

chasco practical joke; disappointment

chato pug-nosed

chico small; *n.* boy, young man, fellow

chicoleo flirting

chicharra cicada; cricket; noisy person

chillar to shout, yell

China China

chinela slipper

chinesco Chinese

chiquillo *dim. of* **chico**

chiste *m.* joke

choque *m.* shock, encounter, collision

chorro jet

choza hut

chulillo *dim. of* **chulo**

chulo bullfighter's assistant

chupa jacket

chuscada pleasantry, joke; **con** —, jokingly

D

Dante *Italian poet* (1265–1321), *author of the Divine Comedy*

dañado bad; decayed

dar to give; show; strike; —**a conocer** to show, make known; —**se** be; — **a face**, lead into, open into; **puede** —**se** ... can there be ...; **ir a** —, end up at; — **a uno por** insist; get into the habit of; — **que decir** give cause for talk; — **cartas en el asunto** give a hand in the matter; **se me da tres pitos** I don't care a fig; ¿ **Qué más me da?** What do I care? What does it matter

to me? ¡ **Dale con . . . !** Again,
still . . .!

dardo dart

debajo (**de**) under

deber *m.* duty

deber to owe; ought to, must,
is to

debido due; proper

débil weak

debilidad weakness, feebleness;
tener una gran —, to be very
weak

debilitar to weaken

decente decent; tidy, clean

decidir to decide; determine,
induce; resolve

décima décima (*a Spanish
poem consisting of ten lines of
eight syllables each and ordinarily with the rhyme*
abbaaccddc)

decir to say; **es —**, that is to
say; namely; **no hay que —**,
no question about it; **querer
—**, mean; **por —lo así** so to
speak

declaración declaration, assertion, account; deposition

declarar to declare; testify

declive *m.* declivity, slope

decoro decorum, decency

dedal *m.* thimble

dedicar to dedicate; devote

dedo finger

defecto defect

defensa defense

defensor *m.* defender

deforme disfigured, deformed

dehesa pasture ground

dejar to allow, let, permit;
leave; **— de** stop, quit,
cease; **no — de** not to

fail to; not to lack *or* be
without

delante in front of, before,
ahead

delantero front

delatar to inform, accuse, denounce

delgado thin

delicadeza delicacy, tenderness, sensitiveness, refinement

delicado delicate, gentle, refined

delicioso delightful

delito crime, delinquency

demacrado emaciated

demás other; remaining; **por
—**, in vain, uselessly; **lo —**,
the rest

demasiado too many, too
much, too

demonio demon, imp

demora delay

demostración manifestation,
proof

dengue *m.* fastidiousness, affectation

dentadura set of teeth; teeth

dentro inside, within

denuedo courage

denuesto insult

denunciar to denounce, show

dependencia outbuilding

depositar to deposit; lay, set

derecho right; straight; upright; straight ahead; **a la
derecha** on the right hand

derechura straightness; **en —**,
straight

derramar to scatter, spread;
shed

derretir to melt

derribar to demolish, tear down, knock down

derrumbar to crumble, fall to pieces

desaborido tasteless, insipid

desaborío *for* desaborido

desabrido rude

desabrimiento insipidity; asperity; rudeness

desafiar to challenge

desafío challenge; duel

desaforadamente outrageously, excessively

desahogar to ease, alleviate distress; unbosom, disclose; —se give vent

desairado graceless

desaliento dismay, discouragement; **con** —, depressed

desaliñado disarranged, disordered

desalmado inhuman, impious

desanimado downcast, disheartened, discouraged

desanimar to dishearten; —se become *or* get discouraged

desaparecer to disappear

desarrugar to unwrinkle, become smooth

desatentado perplexed, in confusion

desatinado foolish, wild

desazón *f.* displeasure, restlessness; trouble

desazonado uneasy, troubled

descabellado disheveled, disarranged; illogical, absurd

descalzo barefooted, bare; — **de pies y piernas** without shoes and stockings

descansar to rest

descanso rest, repose; landing

descarado impudent, barefaced, saucy

descarga discharge, volley, fire

descargar to discharge, unload; strike

descarnado emaciated, thin, bony

descastado without family affection, ungrateful

descender to descend

descollar to overtop; show above

desconcertado disconcerted, put out

desconfiado distrustful

desconfianza distrust

desconfiar to distrust, mistrust

desconocido unknown; *n.* stranger

desconsuelo affliction

descorazonar to dishearten; —se become discouraged

descorchar to strip off the bark

descreído unbeliever

descubrir to discover; uncover; disclose

descuidado careless, without care; **vaya Vd.** —, don't worry

descuidar to neglect

desdeñar to scorn, disdain

desdeñoso disdainful

desdicha misfortune

desechar to cast away, get rid of, give up, refuse

desembarazar to get rid

desembarco landing

desempeñar to perform (*a duty*), discharge, carry out

desenfrenado unchecked, unrestrained

desenvoltura sprightliness, ease, assurance and gracefulness

desenvolver to unroll, unfold

deseo desire

desfallecido dejectedly

desgaire *m.* disdainful gesture; nonchalance

desgañitarse to shriek

desgarrar to tear

desgarrón *m.* rent, hole

desgavilado ungainly; *n.* ungainly fellow

desgracia misfortune, disaster; **por —**, unfortunately

desgraciado unfortunate

desgreñado disheveled

desierto waste, wilderness

desinteresado disinterested; unselfish

desjarretar to hamstring

deslenguado foul-mouthed; scurrilous

deslumbrado dazzled

deslumbrar to dazzle

desmantelado dismantled, dilapidated

desmayado fainting, unconscious; pale; listless

desmayar to faint

desmemoriado forgetful

desmentido belied; **no —**, no dissembling, no uncertain, obvious

desmentir to belie

desnudar to undress

desolado desolated

desollar to skin, strip off the skin, flay; **— los oídos** torture the ears

desorden *m.* disorder, irregularity, license

desordenado disordered, disheveled

desordenar to disarrange

despabilar to rouse, enliven; awake

despachar to expedite; send; dismiss, discharge; kill

despecho spite, grudge, petty ill will; hatred, rage

despedida farewell

despedir to send away, dismiss; **—se** say good-by, bid farewell; **—se a la francesa** take French leave

despejo act of clearing (*bull ring*)

despensa pantry

despertar to awaken, arouse

desplegar to unfold; move

desplomarse to sag, collapse

despoblado desert, uninhabited *or* out-of-the-way place

despojado despoiled

déspota *m.* despot

despreciable contemptible, worthless

despreciativo depreciatory, scornful

desprecio scorn, disdain

desprender to let loose; **—se** extricate oneself

desprendimiento act of loosening; unselfishness

después afterward; **— de** after; **— (de) que** after

destemplado out of tune

desteñido faded

desternillarse to break one's cartilage; **— de risa** split one's sides with laughter

destinar to appoint; assign, destine

destreza dexterity, skill

destrozar to destroy, break, shatter, mangle

destrozo destruction; broken pieces, remains

destruír to destroy

desvanecerse to vanish

desvelo vigil, sleeplessness

desventura misfortune

desventurado unfortunate

desvergonzado impudent, shameless; **so** —, Sir Impudence, impertinent fellow

desvergüenza shameless word *or* action, insult

desvío deviation, turning away

detener to detain, stop

deteriorado worn out

determinación resolution

determinado fixed, definite

detestar to detest, hate, loathe

detrás behind; after; **ir** —, to follow

devoción devotion; prayer

devolver to return

devorar to devour

devota devout; saintly *or* very religious woman

di *imp. 2nd sing. of* **decir**

día *m.* day

diablo devil

diáfano diaphanous, transparent

diamante *m.* diamond

dibujar to draw; show slightly

dibujo drawing, design

dictamen *m.* opinion, judgment, advice

dicha happiness; **tenerse a** —, to consider oneself fortunate

dicho *p. p. of* **decir** said, aforesaid; **o mejor** —, or better, or rather

diente *m.* tooth

diestra right hand

diestro dexterous, skillful; *n.* halter; **llevar del** —, to lead by the halter

dieta diet; **a** —, on a diet; without eating

difícil difficult; hard

dignarse to deign, condescend

dignidad dignity

digno worthy

dije *m.* trinket, jewel

dilettanti (*Ital.*) amateurs

diligencia diligence, errand, business; stagecoach

diminuto small, tiny

dineral *m.* great sum of money

dinero money

Dios God; **por** —, **con** —, in Heaven's name, for Heaven's sake!

director *m.* manager

dirigir to direct; aim; guide; **—se** betake oneself, make one's way, go; send, address; **— la palabra** address, speak

disciplina discipline

discípulo disciple; pupil

díscolo wayward; peevish

discordar to disagree

disculpar to excuse

disgustar to displease, offend

disimuladamente dissemblingly

disipar to dissipate, disperse, drive away

dislocar to dislocate, sprain

disparar to shoot, fire

disparatado impossible, absurd, foolish

dispensar to dispense, distribute, give; excuse, pardon

disponer to dispose; arrange, settle; — **de** depend upon

disposición disposition; aptitude, ability; service, disposal

disputar to argue; — **a** compete with

distinción distinction, diversity; privilege; mark, repute, nobility, rank

distinguido distinguished; conspicuous; **soldado** —, *private of noble birth, who, lacking money to be a cadet, had in the army certain privileges which other privates did not have*

distinguir to distinguish, discern, see clearly; —**se** be conspicuous, stand out

distinto distinct, different; clear, intelligible

distracción distraction, absent-mindedness

distraer to distract; **tener la vista distraída** *see* **vista**

distraído inattentive, heedless

disuadir to dissuade, convince

diván *m.* sofa

diversión diversion, amusement, entertainment

diverso diverse, different; various

divertir to amuse; entertain; enjoy; —**se** have a good time

dividir to divide, separate, fork

divino divine, sublime

divisar to perceive, see at a distance

doblar to bend; fold, turn round; stoop

doble double

dócil docile

docilidad docility, gentleness, compliance

doctrina doctrine; — **cristiana** catechism

dolor *m.* pain, sorrow; **es un** —, it is pitiful; **dar un** —, to have a pain

dolorido painful, aching, suffering

doloroso painful

domeñar to tame, master, subdue

doméstico domestic, pertaining to the home

dominar to dominate, master

don *m.* gift

doncella maiden, maid (servant)

donde where

dondequiera wherever; **por** —, anywhere

dorado golden; gilt, gilding

dos two; **en un** — **por tres** in a jiffy

dotar to endow, give a dowry

dote *m. & f.* dowry; —**s** natural gifts

duda doubt

dudar to doubt

duelo mourning, wake

dueña mistress

dueño owner, proprietor, master

dulce sweet; tender

dulzura sweetness, tenderness

Dunquerque Dunkirk (*a fort and seaport in northern France*)

duque duke

duración duration; durability; life

durar to last, endure; stand

duro hard; — **a la ...** give it to her, the ...!

E

ebrio intoxicated, drunk

eco echo

echar to throw, cast; close; give; ring; — **una mirada** glance, look; —**se a la cara** meet, come face to face; — **mano de** lay hands on, take; — **menos** *or* — **de menos** miss; —**se al pecho** *see* **pecho;** — **de ver** notice, realize; — **a perder** spoil; —**se** begin, burst into

edad age; epoch; **de —,** elderly, old; — **media** Middle Ages

edificio building

educación education, training

efectivamente actually

efecto effect, result; **en —,** in fact, and so, actually

Egipto Egypt

egoísta selfish; *n. m.* egoist

ejecución execution; fulfillment [act

ejecutar to execute; perform,

ejercer to exercise, exert

ejercicio exercise; practice

ejército army

elemento element; elements

elevación elevation, height

elevado elevated; high, lofty, exalted

elocuencia eloquence

elocuente eloquent

elogio praise

ello it; — **es** the thing is, the fact is

emancipado emancipated, free

embajador ambassador

embarazar to embarrass, encumber

embarcarse to embark, sail

embargar to cut short, check

embargo restraint; **sin —,** nevertheless

embate *m.* dashing; attack

embestida assault, attack

embestir to attack, rush against

embozar to muffle, wrap oneself up

embravecer to enrage, be enraged, become furious

embriagador intoxicating, transporting

embriagar to intoxicate; transport

embrollar to entangle, twist; confuse

embrollón *m.* entangler, mischief-maker

embustero liar; **pedazo de —,** you big liar

eminente eminent; prominent

empañar to dim, tarnish

emparejar to match; come up to *or* alongside

empedernido hard-hearted, stone-hearted

empeñarse (en) to persist, insist (on), be determined

empeño pledge; engagement; earnest desire, insistence

empeorar to become worse

emperatriz empress; **Emperatriz del Bemol** *see* **bemol**

empezar to begin, start; — **por** begin by

empinado steep, high

empinar to raise; — **el codo** drink much

empleado employee

emplear to employ, use

empleo employment, position

emprender to undertake

empresario theater manager

empujar to push

empuje *m.* rush, push, impulsion

empuñadura hilt of a sword

enagua petticoat; skirt

enamorado in love; *n.* lover

enamorar to make love; —**se** fall in love

enardecido burning, feverish

encadenamiento chaining, linking

encaje *m.* embroidery; lace

encaminar to guide, direct; go; start toward, be on the way

encantador charming, prepossessing

encanto enchantment, charm

encapotar to cloak; —**se** become cloudy

encaramar to climb

encarar to face

encargar to commission; —**se** take charge, be responsible, undertake

encargo commission; **hacer un** —, to execute a commission; do an errand

encarnado red

encarnizado sanguinary

encarnizar to irritate

encendido flaming, glowing, aflame, heated

encerrar to inclose, contain

encierro folding; act of locking up, putting in the pen

encima on, on top; *see* **cadena**

encoger to shrink

encogido shrunk; cuddled up; shriveled up

encogimiento embarrassment

encoginada start, jump

encomendar to commit, charge; —**se** commit oneself to another's protection

encontrar to encounter, find; —**se** meet

encuentro encounter, meeting; **salir al** —, to meet; **ir al** —, meet

enemistad enmity

enérgico energetic

enervar to enervate, weaken

enfadar to vex, offend; —**se** become angry

enfermedad sickness, illness; **dar una** —, to be *or* become ill

enfermera nurse

enfermería infirmary

enfermo sick; *n.* sick person, patient

enflaquecer to grow thin

enfrente in front

engalanado bedecked; dressed up

engalanar to adorn

engañar to deceive; —**se** deceive oneself

engaño deceit

engarzado bound, set into; — **en cuerno** horn-rimmed

engaste *m.* setting

engatusar to inveigle

engestado, *for* agestado: **mal
—,** ill featured, ill-favored
engrandecer to aggrandize;
extol
enhorabuena congratulations
enjugar to dry, wipe
enladrillado brick pavement
enlazar to bind, join; embrace
ennoblecer to ennoble
enojado mad
enorme enormous, large
enredadera climbing vine
enrojecer to redden; blush
enrollar to roll up
enronquecer to become hoarse
ensalmo enchantment, spell;
por —, by magic
ensangrentado bloodstained
ensangrentar to stain with
blood
ensartar to string
ensayo essay; rehearsal; application
enseguida immediately
ensenada small bay, cove
enseñanza instruction; **primera —,** elementary education
enseñar to show; teach
enseñorear to lord, domineer;
—se dominate, be master of
a situation
ensortijar to curl
entablar to start, begin
entendederas understanding
entender to understand; **tener
entendido** keep in mind, be
sure
enteramente wholly, totally
enterar to inform, tell; **¿ Se
entera Vd.?** Do you get
that?; **—se** find out, know

enternecido moved, affected
entero whole; entire
enterrar to bury
entierro funeral
entonar to tune, tune up,
modulate, chant, sing
entonces then
entornado half-opened
entrada entrance; admission
entraña entrail; **—s** disposition, heart, soul
entrar to enter, go in
entre between; among; **— los
tres** all three together
entreabierto half-opened
entreabrir to open halfway
entrecejo space between the
eyebrows; forehead
entregar to hand, give, deliver;
—se a devote oneself to;
—se surrender, submit
entretanto meantime, meanwhile
entretener to entertain, amuse;
—se en amuse oneself with
entretenía *for* entretenida
entusiasmado enthusiastic
entusiasmo enthusiasm
envanecerse to become vain *or*
conceited
envejecer to grow *or* become old
enviar to send
envidia envy
envidiar to envy
envidioso envious, jealous
envilecer to vilify, debase
envolver to wrap, bundle
época period, epoch, time
equipaje *m.* baggage
equivocado mistaken; **venir —,**
to be mistaken
erguido erected; proud; **po-**

nerse —, to straighten up, draw oneself up

erguir to erect, raise up

erigir to erect, build

errante wandering

escala ladder; scale

escalera ladder; stairs, staircase

escalofrío chill

escalón *m.* step, stair

escandalizar to shock

escándalo scandal; indecorum; astonishment, shock

escapar to escape

escena scene; stage

escenario stage

esclavo slave; captive

escoba broom

escoger to choose

esconder to hide

escopeta gun

escribir to write

escrito writing, note

escritor *m.* writer

escrúpulo scruple

escuchar to hear, listen

escudero squire, page, footman

escudo shield

escuela school

escultor *m.* sculptor

escurrirse to slip away, sneak away

esforzar to strive, strengthen; **—se** exert oneself, make efforts

esfuerzo effort

esmerado careful

esmeralda emerald

esmerar to polish, brighten; do one's best

esmero care, careful attention

eso that; that matter, thing

or idea; **— de** the idea of; **por —**, for that reason; ¡ **— sí!** that, indeed!; to be sure!; **y a todo —**, now; and in the meantime; **y — que** and yet, and at that ...

espabilar to wake, rouse; **—se** wake up

espacio space

espada sword; *m.* bullfighter (*who kills the bull*); **entre la — y la pared** between the devil and the deep sea; **pez —**, *see* **pez**

espalda back; shoulder; **vuelto de —**, with one's back turned

espaldilla shoulder blade

espantar to frighten

espanto fright, terror

espantoso hideous, horrible

esparcir to scatter, spread, disseminate

especie *f.* species, kind

espectáculo spectacle, scene

espejuelo eyeglasses

esperanza hope

esperar to wait for, await; hope

espeso thick, dense

espesura thickness

espiar to spy

espina thorn

espíritu *m.* spirit

espolazo prick *or* blow with a spur; **dar un —**, to goad

esponjar to sponge; **—se** swell, be puffed up

espontáneo spontaneous, sudden

espuela spur

espuma foam

espumilla crape

esqueleto skeleton, carcass

esquina corner; street corner

esquivar to shun, evade, elude

esquivo elusive, coy

estable stable; permanent, durable

establecer to establish; —se settle

establecimiento store

estado state, condition; quality

estallar to explode, burst, break out

estampar to print; — un beso kiss

estar to be; — por be in favor of; — aletargado be in a trance; — mal be unbecoming; estoy para mí I believe, I think; ¡ estamos bien ! we are in a fine fix !; ya estoy I see, understand (*the situation*)

estatura stature, height

estéril barren, arid

estertor *m.* rattle in the throat

estilo style, manner, kind; a — de in the manner of; por ese —, of that kind; like her, him, *etc.*

estimar to esteem

estimulante *m.* stimulant

estío summer

esto this; a todo —, and with all this

estorbo obstacle, hindrance

estrado drawing-room

estragado depraved

estrago ravage, havoc, damage

estrategia strategy

estrechar to press, tighten, clasp, embrace; become narrow; — en los brazos embrace

estrecho narrow

estrella star

estrellado starry, starlit

estrellar to shatter

estremecimiento trembling, shaking

estrenar to inaugurate; —se make one's début

estreno first appearance, début

estrépito uproar, noise

estrepitoso noisy, obstreperous

estribo step

estricto strict

estudio study; —s training (*by diligent studying*)

eterno eternal

Eva Eve

evitar to avoid

exacto exact, real, critical

exagerado exaggerated, extreme, extravagant

exaltado exalted

examinar to examine, inspect, investigate

exánime lifeless

exasperado irritated, exasperated

exceder to exceed, surpass

excelencia excellence; por —, par excellence

excelente excellent, very good

excepto except; except that, excepting

exceso excess

excitación excitement, act of exciting *or* spurring on

excitar to excite; rouse, stir up; move

exclamar to exclaim, cry

exclaustrado secularized monk; monk driven out of his monastery

exclusivo exclusive

excusar to excuse; apologize

exento exempted, free

exhalar to exhale, breathe forth, emit

exhortación exhortation

exigir to demand, require

existencia existence

existir to exist

éxito success

exótico exotic; foreign

expectación expectation, anticipation

experiencia experience

experimentar to experience; feel

explicación explanation

explicar to explain; express

exponer to expose; risk

expresamente expressly

expresar to express

expresión expression, phrase

expresivo expressive

expuesto exposed, displayed

extático ecstatic; astonished

extender to extend, stretch out, spread

extenuado exhausted, feeble

exterior exterior; *n.* aspect, appearance

exterioridad exteriority, outward appearance

extranjero foreign; *n.* foreigner

extrañar to wonder at, be surprised

extrañeza oddity; queerness; surprise, wonder

extraño strange, peculiar,

foreign; **en manos** —as in the hands of strangers

extravagante eccentric, queer

extraviar to mislead; lead astray

extravío deviation, misconduct

extremado extreme, great

Extremadura Extremadura (*a western province of Spain*)

extremidad extremity, end

extremo extreme; end; **por —,** extremely; **en —,** extremely

exvoto votive offering

F

fabricante *m.* manufacturer, maker

fábula fable

facción faction; **—es** features, face lines

faccioso rebel

facilidad easiness

facilitar to facilitate; supply, deliver

facultad faculty, power, faculties, quality, means

fachada façade, front; looks, appearance

faja sash

faldero pertaining to the skirts; **perro** *or* **perrito —,** *see* **perrito**

Falmouth *a seaport in Cornwall, England*

falso false; secret

falta lack, deficiency, error, fault; **sin —,** without fail; **hacer —,** to need, be necessary; **— de mundo** lack of worldly ways

faltar to lack; need, be lacking,

wanting; ¡No —a más! Why, the very idea!

faltriquera pocket

fallar to judge, give a verdict

fama fame; reputation, name

fanal *m.* lamp, lantern, lighthouse

fandango *an old popular dance of Spain, or the music accompanying it*

fanfarronada boast, brag, braggadocio

farol *m.* lamp; Japanese lantern

farota brazen woman

fastidio weariness, ennui, boredom

fasto happy day *or* event; —s annals

fatiga fatigue, hardship

fatigado fatigued, tired

fatuidad fatuity, conceit, pomposity

favorecer to favor, help

faz *f.* face

fe *f.* faith; a — mía by my faith, upon my word

fealdad ugliness

febril feverish

felicidad happiness

feliz happy

fénix *m.* Phœnix; unique person *or* thing; prodigy

feo ugly, homely

feria fair; puesto en —, made up for display

feróstico fiercely ugly

feroz ferocious, fierce, savage

ferviente fervent

fiar to trust, depend on

fidelidad fidelity

fiebre *f.* fever

fiel faithful, loyal, true; accurate; *n.* believer, devotee

fiera beast, wild animal

fiesta feast

figura figure; form; picture

figurar to figure; represent, be represented; imagine; appear; be; —se imagine

fijar to fix, fasten, set; — la(s) mirada(s) fix the eyes

fila file, rank

filarmónico philharmonic; *n.* lover of music

filiación relationship

filigrana filigree

fin *m.* end; purpose; en —, finally, in short; por —, finally

fineza kindness; keepsake, gift

fingido false, make-believe

fingir to feign, pretend

fino fine; refined, polite; thin; a lo —, in a fine *or* high way

fioritura (*Ital.*) flowering; embellishment, flourish

firmamento horizon

firme firm, fast; de —, vigorously, constantly

firmeza firmness

fisonomía physiognomy, features

fláccido weak, soft

flaco thin

flaqueza weakness, foible

flauta flute

flema phlegm, coolness; con —, coolly

flojo weak, feeble

flor *f.* flower

floreo flourish

florido florid, flowery

florón *m.* flower

fondo bottom, depth; background

forajido bandit, robber

forastero outsider

forjar to forge; frame

forma form; shape

formación formation; military formation

formal formal; methodical; serious

formalidad formality, seriousness

formidable formidable, huge

forro lining

fortuna fortune, luck, chance, fate; **por —,** fortunately

fosfórico phosphoric

fósforo phosphorous; match

foular, foulard (*Fr.*) fine silk; silk scarf

fraile friar, monk

francés French

franco frank

frase *f.* phrase

fray friar (*title used before certain religious orders*)

frecuencia frequency

frenético frenzied, mad

freno bridle, bit of bridle; **tascar el —,** *see* **tascar**

frente in front, opposite; *n. m.* front; *n. f.* forehead; **al —,** in front; **— a —,** face to face; **dar de —,** to meet face to face

fresco fresh; new

frescura freshness; frankness, forwardness

frialdad coolness

frío cold; *n.* coldness

frondoso luxuriant

frustrar to frustrate

fruta fruit

fruto fruit; produce; product; result

fuego fire, blaze; **los —s** fiery glow

fuente *f.* fountain

fuera out, outside

fuerte strong; *n. m.* stronghold, fort

fuertecillo *dim. of* **fuerte**

fuerza strength, violence; **por —,** by force; **a — de** by dint of; **a viva —,** with all one's might; in spite of everything

fuga flight

fumar to smoke

función function; performance; feast, entertainment

fundar to found, base

fúnebre funereal

funesto fatal; doleful, lamentable, dismal

furor *m.* furor; fury, madness

fusilar to shoot; **morir fusilado** be shot

fuste *m.* importance

G

gabinete *m.* study room, office

Gabriel Gabriel (*one of the archangels*); *a Christian name*

gacho turned down, drooping

Gaeta *an Italian seaport*

gala gala; **—s** finery; **de —,** gala attire, full-dress uniform

galantear to court, woo

galería hall, corridor

galgo greyhound

galón *m.* lace, stripe, chevron

galvanismo galvanism

gallardo graceful, elegant, brave

gallina hen

gallo cock, rooster

gamo buck

gana desire, inclination; **de buena —**, gladly, willingly; **tener —(s) de** to have a desire *or* notion to; **no me da la —**, I don't feel like it, I don't want to

ganado stock; **— vacuno** cattle

ganar to win; make money; earn, save

ganso gander, goose; stupid *or* silly fellow

garbanzo Spanish bean, chickpea

garbo grace, elegant carriage

garganta throat

garrocha goad stick, lance

gasa gauze

gastar to wear, use, spend; waste

gasto expense

gato cat; *see* **liebre**

gaviota sea gull

gaznápiro simpleton, blockhead

general general, common

género kind, type, sort, species; gender; goods

genio genius; temperament, disposition

gente *f.* people; **— de campo** country people

gentío crowd

genuinamente genuinely, naturally, purely

genuino genuine; real; sincere

germánico Germanic

germinar to germinate, bud, take root

gesto face; gesture; looks, expression; **mal —**, ill-humored

Gibraltar *a fortified promontory and seaport in southern Spain, in the hands of the English since* 1704

gigante *m.* giant

girar to gyrate, turn round

gitano gypsy

glacial glacial, icy

gobernar to govern, rule, manage, boss; **gobiérnese a su gusto** do as you please

gobierno government

goce *m.* joy

godo Gothic

golondrina swallow; **Golondrina** *name of the donkey*

golpe *m.* blow, knock; fit

golpear to beat, strike, knock

gordo fat; **lo —**, the best *or* the worst thing

gorgorito trill, shake

gorjeo warbling

gorra cap

gorrión *m.* sparrow

gorro cap; bonnet

gozar **(de)** to enjoy

gozo joy

gozoso happy

grabado print, engraving, picture

grabar to engrave

gracia grace, gracefulness; favor; gift; comicalness, wit; name; **—s** thanks; **dar —s** to thank; **ésas no son —s** that isn't funny

gracioso graceful, pleasing, entertaining, funny, witty, cute; **echarse de** —, to pretend to be funny, think oneself smart

grada step, bench, tier, stand

grado rank, degree; will, pleasure; **de** —, willingly; **por** —**s** by degrees

graduar to gauge, measure, regulate

grana cochineal, kermes berry; **ponerse rojo como la** —, to become red as a beet

granadero grenadier

grande large, big, great; *n.* grandee, nobleman; **en** —, on a large scale

grandeza grandeur, greatness

grandioso great

grato pleasing

grave serious; very ill

gravedoso haughty

graznido caw, croak

griego Greek

gritar to shout, cry

gritería shouting

grito shout, yell, cry; **a** —**s** shouting, with shouts; **lanzar un** —, *see* **lanzar**

grosería grossness, rudeness, coarseness

grosero coarse, rude

grotesco grotesque

grueso thick; stout; *n.* thickness

gruñir to grumble, grunt

grupa croup, rump; **volver** —, to turn around

grupo group, cluster

guantáa *for* **guantada**

guantada slap, blow

guardar to keep; keep up, preserve, maintain; watch, guard; put away, take care of

guardia guard; *m.* policeman

guarnecer to garnish, adorn; border, trim

guarnición trimming; garrison

guasón *m.* joker; a "cut-up"

guerra war

guerrero pertaining to war, war-; *n.* warrior, soldier

guiñada wink

guirnalda garland

guisa manner; **a** — **de** in the manner of

guisar to cook

guitarra guitar

guitarreo guitar playing

guitarrista guitar player

gusano worm

gustar to please; — **de** like

gusto taste, pleasure, delight; gusto; **a su** —, at one's will *or* pleasure; **dar** — **a** to please; —**s** taste; **ser del** — **de** be much to the liking of

H

haber to have; **puede** —, there can be; **debe** —, there must be; — **a las manos** lay their hands upon; **tenérselas que** — **con** know with whom one has to deal

hábil skillful

habitación room

habitante *m.* inhabitant

hábito habit, garment, robe; custom

hablar to speak; **oír** — **de** hear about

hacendoso diligent

hacer to make, do; — **presente** remind; — **caso** pay attention; — **el papel** *see* **papel**; —**se** become; —**se cuenta de** realize; **dar que** —, trouble, cause trouble

hacia toward

hacienda estate, ranch, farm

hallar to find; —**se** be

hambre *f.* hunger

hartar to satiate, fill, stuff, glut

harto satiated, full; sufficient; enough, quite, rather

hasta until; as far as; up to; even

hato herd, flock; clothes

haz *imp.* of **hacer**

hé: — **aquí** behold, here is *or* are

hebreo Hebrew

hechizar to charm, enchant

hecho *p. p.* of **hacer: bien** —, serves her (him, *etc.*) right, well done; **mal** —, a great mistake

hecho *n.* deed

helado frozen

henchido (de) filled (with)

heredar to inherit

herida wound

herir to wound, hurt

hermano brother; lay brother (*of a religious order*); — **lego** lay brother

hermosear to embellish

hermoso beautiful, handsome

hermosura beauty

herradura horseshoe

hierba grass

hierro iron; blade

hilar to spin

hilo thread; **de** —, directly, instantly; — **a** —, incessantly; **tener el alma en un** —, to be in suspense *or* very much worried

hinchar to swell

hipío (**hipido**) hiccough; pant; whim

historia story; history

hocico snout; nose; **dar con la puerta en los** —**s a uno** to shut the door in one's face

hogar *m.* hearth; home

hogaza loaf

hoguera bonfire, blaze

hoja leaf; blade

holgadamente amply, fully; easily

holgado loose; large

holgazán lazy

holocausto holocaust

hombre man; — **de bien** honest man; — **de Dios** blessèd fellow; — **del otro jueves** old-fashioned man

hombrera epaulet

hombro shoulder; **alto de** —**s** high-shouldered

homenaje *m.* homage

homicida murderous

homónimo namesake

hondo deep

honesto decent; pure, chaste; **de estado** —, unmarried

honra honor; fame, glory; pride

honrado honest, honorable

honrar to honor, respect

hopito *dim.* of **hopo**

hopo bushy tail; tuft of hair

horchata barley water

hormiga ant

hormiguero ant hill
hormiguita *dim. of* **hormiga**
hornillo *dim. of* **horno**
horno oven
horrendo horrible
hospitalario hospitable
hostilizar to offend
hoy to-day; — **por** —, this very day
hoyo hole
hueco hollow, empty; vain, proud
huerta (vegetable) garden
hueso bone
huésped *m.* lodger, boarder; guest
huevo egg
huír to flee, run away; avoid, shun
humanidad humanity
humedecido moist
húmedo humid, damp
humilde humble
humillante humiliating
humor *m.* humor; **de mal** —, irritably, with ill temper
hundir to sink; plunge
hurtar to steal
huso spindle

I

ida going, departure
ídem ditto; likewise
idéntico similar
identificar to identify; —**se** identify oneself
idioma *m.* language
iglesia church
ignominiosamente ignominiously
ignorar not to know

igual equal; uniform, similar
ijar *m.* flank, side of a horse
ilícito unlawful
ilustrado enlightened
ilustrar to illustrate, elucidate, explain, enlighten
ilustre illustrious
imagen *f.* image
imaginación imagination
imbécil imbecile, silly, foolish
imitación imitation, mimicry
impacientarse to be *or* become impatient
impasibilidad impassibility; coolness
impasible impassive
impávido dauntless, undaunted
impedir to prevent
imperativo imperative, commanding
imperial imperial; royal; splendid
imperio empire; power, command
imperioso imperious, powerful
ímpetu *m.* impetus, impulse, momentum
implacable implacable, inflexible
implorar to implore, appeal to
imponer to impose
importar to matter
importunar to importune, pester, trouble
imprecación curse
impregnado impregnated, saturated
imprevisto unforeseen, unexpected
imprimir to impress, fix on the mind
impulsar to impel, move

impulso impulse, momentum, energy; inclination

inagotable inexhaustible

inalterable inalterable; calm

inaudito unheard of, extraordinary

incienso incense

incitar to incite, excite, spur

inclinación inclination; bow

inclinado inclined, slanting, bent

inclinar to incline, bend, lean; —se bend over; bow

incluír to include

incluso *p. p. of* **incluír**

incomodado peeved, vexed

incomodar to molest, trouble; —se get angry, peeved *or* vexed

inconveniente *m.* inconvenience

incorporar to incorporate; —se bend over; sit up

indefectiblemente unfailingly

indicar to indicate, point, show, suggest

índice *m.* index; **dedo** —, forefinger

indicio indication, sign

indigesto indigestible; surly, grouchy

indignación indignation, anger

indignar to provoke, arouse; —se be provoked *or* angered

indignidad indignity; unworthy action

indiniá *for* **indignidad**

indio Indian

indiscreción indiscretion

indiscreto indiscreet, imprudent

indisponer to unfit; —se fall out with a person

indisposición illness

indispuesto indisposed, ill

individuo individual

índole *f.* disposition; inclination, temper, idiosyncrasy

indómito wild

inducir to induce, lead (to)

indulgencia indulgence; — **plenaria** plenary indulgence (*indulgence which forgives the sin as a whole*)

indulgente indulgent, lenient, forbearing

inesperado unexpected, unforeseen

infame infamous, despicable

infamia infamy

infantería infantry

infatigable untiring

infeliz unhappy, unfortunate

inferir to infer

infestar to infest, spoil

infierno hell, Hades, lower regions

infinidad infinity; endless number

inflamar to inflame, be heated

influír to influence

influjo influence, power

infortunio misfortune

infringir to infringe, violate

infundado groundless

infuso infused

inglés English; **a la inglesa** in the English fashion

ingratilla *dim. of* **ingrato**

ingrato ungrateful

ingreso entrance; entry; —s revenue, receipts

iniciar to initiate

inicuo wicked

iniquidad iniquity, wickedness

injuria abuse, insult

injusto unjust

inmediato close by, adjoining

inmóvil motionless

inmovilidad immobility, motionlessness

innato innate, inborn

innumerable numberless

inocencia innocence, candor, guilelessness

inquieto restless

inquietud f. anxiety, worry, uneasiness

inservible useless

insigne notable, remarkable

insolencia insolence

insólito unique, unusual

insoportable unbearable

inspirar to inspire

instante m. instant, moment

instigador m. instigator

instinto instinct

insufrible unbearable, intolerable

insurgente insurgent; rebel

íntegro integral; upright, honest

intemperie f. inclement weather

intempestivo unseasonable

interesar to interest

interior interior, inside; lo —, the inside

interlocutor m. interlocutor, speaker

interponer to interpose, place between

intestino intestine

íntimo intimate, familiar; very good

intolerante intolerant

intrepidez f. courage, boldness

intriga intrigue, plot

inundación flood

inútil useless, vain, unnecessary

inutilidad uselessness

inutilizar to render useless; disable

invadir to invade

inválido retired soldier

invariable invariable, unchangeable

investigador searching

invierno winter

ir to go; — detrás see detrás; —se poniendo be getting; vamos let's go; come now, well; vaya que ... well

ira rage, anger

iris m. iris; arco —, see arco

irreverente irreverent

irritado irritated, inflamed

irritar to irritate, offend, anger

Isabel II Queen of Spain, born in 1830, died in 1904; ruled from 1833–1868

izquierdo left

J

jabalí wild boar

jabón m. soap

jactarse to boast

jaez m. kind, quality

jalear to animate dancers by clapping

jaleo clapping; feast

jaqueca headache

jarrilla dim. of jarra jar; a —s copiously, by the bucket

jaula cage

jefe m. chief, leader, superior officer

Jericó Jericho (*ancient city of Palestine*)

Jesús Jesus; ¡—! Heavens!; **en un decir —**, in a jiffy, before you can say "Jack Robinson"; ¡—, **María!** Goodness!; Heavens!

jícara cup

jinete *m.* rider

jornada journey, trip

joven young; *n.* young man

joya jewel

Juan Lanas *a simple fellow*

júbilo joy

judío Jew

juego game; play; **mesa de —**, *see* **mesa**

jueves Thursday; **eso no es cosa del otro —**, that is nothing new *or* important

juez *m.* judge

jugador *m.* player

jugar to play; **— a** play (*a game*); **— con** trifle with

juguete *m.* toy, play

juguetón playful

juicio judgment; opinion; senses; head, mind; wisdom; **tener —**, to be sensible; be good

junco reed

Juno Juno (*Roman goddess of marriage*)

juntar to join; gather, assemble; save; **—se** get together

junto by, near; together

jurar to swear

justicia justice

justificar to justify

juventud youth; young people

juzgar to judge

L

labio lip; mouth

labor *f.* labor, task; **— de mano** needlework, fancywork

labrador *m.* farmer, peasant

labrar to build, build up, erect; work at; secure

lacayo footman

laconismo laconism, brevity

lado side; edge

ladrido yelp, barking

ladrón *m.* thief

lagarto lizard

lágrima tear; **a — viva** copiously

lamer to lick

lámpara lamp

lana wool

lance *m.* incident, occurrence

languidez *f.* languor; faintness

lanudo woolly

lanzar to throw, cast; **— un grito** utter a cry

largarse to go away *or* out, "beat it"

largo long; be off! get out! "beat it!"

lástima pity; grief

lastimado hurt, wounded

latido beat, throb

latir to beat, throb

lauro glory, honor, triumph

lavar to wash; **— la cara a una persona** flatter a person

lazo lasso, noose; bond, connection; **— corredizo** slipknot

leal loyal, faithful

lector *m.* reader

lectura reading

leche *f.* milk

lecho bed

lechuga lettuce

legítimo legitimate

lego lay brother

legua league

lejano distant

lejos far; **a lo —**, afar, in the distance; **de —**, in the distance

lengua tongue; language; **mala —**, evil tongue

lenguaje *m.* language, speech, manner of speech

lente *m.* glass; **echar el —**, to look at with eyeglasses

lentisco mastic tree

lento slow

león *m.* lion

letanía litany

letra letter (*of the alphabet*); words (*of a song*)

leva levy, enlistment

levantamiento uprising

levantar to raise, lift; **—se** get up

levante *m.* Levant, east

levita frock coat

levitón *f.* frock coat

ley *f.* law

leyenda legend

liar to roll up, pack

libertador *m.* liberator

libertino libertine, licentious, dissolute

libra pound; **de a —**, at so much a pound

libre free

librería bookstore; library

licencia permission

licencioso licentious

lícito licit, legal, lawful; permissible

lidiador *m.* combatant; bull-fighter

lidiar to fight

liebre *f.* hare; **dar gato por —**, to deceive

ligar to bind, tie; start

ligero light; fast, quick; unimportant

limón *m.* lemon

limonada lemonade

limonero lemon tree

limosna alms

limpiar to clean

limpio clean; **quedar —**, to be cleaned; *see* **sacar**

lindo pretty, nice

línea line; category, rank

lino flax; linen

lío bundle, package

lira lyre

liso smooth

lisonjear to flatter

lisonjero flattering

listo ready

liza jousting field, field

lo it; one; him; so, *etc.;* the; **— que** that; how, how much; what; just what

lobo wolf

loco crazy; *see* **cabeza**

locución locution, diction, phrase

locura folly

lograr to obtain, succeed, be able to

loma hill, rising ground

Lotte (*Ger.*) Charlotte

lucido brilliant

luciente shining

lucimiento lucidity; splendor; appearance of prosperity

lucir to shine; display; —**se** show off, make a display

lucro gain, profit

lucha fight, struggle

luchar to struggle, fight; — **a brazo partido** *see* **brazo**

luego then; presently; immediately

lugar *m.* place; town; **dar** — **a** to be the cause for, cause; **en** — **de** instead of

lúgubre sad, mournful, dismal

lujo luxury

lujoso costly, de luxe, splendid

lumbre *f.* fire

luna moon; **media** —, instrument for hamstringing

lunario lunary

lustro lustrum, period of five years

luz *f.* light; **luces** lights; intelligence

Ll

llama flame

llamada call, knock

llamar to call, name; — **a misa** ring the bell for mass; — **la atención** attract attention; **me llamo** my name is

llanto crying, weeping

llave *f.* key

llegada arrival

llegar to arrive, come; — **a** succeed in, be able to; — **a ser** become

lleno full; *n.* fullness

llevar to carry, take

llorar to weep, cry

llorón tearful, lachrymose

lloroso weepy, weeping, in tears

llover to rain

lluvioso rainy

M

machete *m.* cutlass

madeja hank, skein

madre-abuela grandmother

Madrid Madrid (*capital of Spain*)

madrileño pertaining to Madrid; of *or* from Madrid

madrina godmother

madurar to ripen

maestro, maestra teacher; **maestra de amiga** schoolmistress; **obra maestra** masterpiece

Magdalena Magdalen; Mary Magdalene (*the repentant sinner forgiven by Christ. Cf. Luke vii,* 37)

magia magic

mágico magician

magnate *m.* magnate; grandee

Mahoma Mohammed

mahón *m.* nankeen, cotton (*buff colored*)

majo gallant, gay, showy

mal, malo bad; badly; **les está tan mal** it is unbecoming

mal *m.* evil; illness, suffering, disease, ailment

malamente badly, wrongly

maldecir to curse

maldiciente cursing; *n.* defamer

maldito *p. p. of* **maldecir** confounded, "blessed"; — **sea** confound ...; cursed be ...

malestar *m.* discomfort; indisposition

maleza underbrush, thicket

malhadado unfortunate; confounded

malicia malice, evil intention

malparado luckless; in evil plight; battered

Malta *an island in the Mediterranean Sea*

malvado wicked, wretched, fiendish

manada herd

mancha stain, spot; patch of ground

manchar to stain

mandar to command, order; be at the head of; send; **mal mandado** disobedient

manecita *dim. of* **mano**

manejar to manage, handle, wield

manera manner, way; **a su —**, in his way

manifestar to manifest, show

mano *f.* hand; **—s a la obra** let's get to work; **de —s a boca** face to face; **echar —**, to take

manojo bunch, bundle

mansedumbre *f.* tameness, meekness, gentleness

mansión mansion; palace

manso tame, meek; quiet, smooth

manta blanket

mantel *m.* tablecloth

mantener to maintain; support; **—se** persevere, remain firm

mantilla mantilla, head shawl

manto cloak

manutención maintenance

manzana apple

maña skill, knack; habit, custom

mañana morning

maquinalmente mechanically

mar *m. & f.* sea

maravilla marvel, wonder

maravilloso marvelous, wonderful

marcar to mark

marco frame

marcha march; departure; journey; **sobre la —**, at once

marchar to march; go; **—se** go away; **¡marchen!** forward, march!

marchitar to wither, dry

marea tide

mareo seasickness, dizziness

¡María Santísima! Heavens!

marido husband

Marina Marina (*proper name*)

marío *for* **marido**

mariparda gadabout

Mariquilla *dim. of* **María**

Mariquita *dim. of* **María**

marisco any kind of invertebrate fish; shellfish

marítimo maritime; **viaje —**, sea voyage

mármol *m.* marble

marquesa marchioness

marrajo sly, cunning

marrar to fail, miss

Marruecos Morocco

Marte Mars (*Roman god of war*)

martillo hammer

Maruja *dim. of* **María**

mas but; yet

más more, most; **— que** although, even if; **en — que** above; **— bien** rather; **no**

... — que not ... more than; only

masa mass

máscara mask; **baile de —s** see baile

matador *m.* killer; bullfighter (*who kills the bull*); assassin

matanza slaughter, slaughtering

matar to kill

matasanos *m.* quack doctor

materna maternal, motherly

matizado variegated, blended

Matusalén Methuselah

maullido mew

mayo May

mayor older, elderly

mayorazga one who inherits an entailed estate, *or* the wife of a **mayorazgo**

mayorazgo first-born, who inherits all; primogeniture

mayordomo chief steward

mecer to sway, swing

mecha wick; fuse; lock of hair

medianoche *f.* midnight

médica doctor's wife

medicina medicine

médico doctor

medida measurement; **a — que** according as, in proportion

medio half; partly; half a; *n.* middle; means; (*mil.*) platoon of a company; **a medias** partially; **de en —,** see **quitar**; **en — de** in the midst of, in the middle of; **por —,** in the way, between, middle

mediodía *m.* noon; south

medir to measure; **— las**

armas con las de fight a duel with

méica *for* **médica**

mejilla cheek

mejor better, best; **tanto —,** see **tanto**; **lo —,** the best thing

mejora improvement

mejorar to better, improve

melindroso squeamish, finicky

melománico melomaniac; **furor —,** wild craze for melody

memoria memory; remembrance, souvenir

mencionado mentioned, said

mencionar to mention

menear to shake, wag, waggle

menester: ser —, be necessary

menor least; smaller, lesser

menos less, least; **al —,** at least

menospreciar to underrate, undervalue

mentar to mention

mente *f.* mind

mentira lie

mentís *m.* denial

Mentor Mentor (*to whom Ulysses, on setting out for Troy, intrusted his house and the education of Telemachus*)

menudamente in detail

mequetrefe *m.* upstart

mercé *for* **merced**

merced *f.* favor, mercy, grace; lordship; **su —,** Her Grace, His Grace; he, she, you; **Vuestra —,** Your Lordship; you

merecer to merit, deserve; receive (*through merit*)

merecido just punishment, what one deserves

mérito merit

mesa table; — **de juego** card table

metal *m.* metal; tone; quality

meteoro meteor, shooting star

meter to put in, insert; —**se** meddle, intrude; —**se** take up, become, be; **metido en sí** retiring, withdrawing

método method

mezcla mixture

mezquino paltry, petty, niggardly, mean

miedo fear; **tener — de** *or* **a** to fear

miel *f.* honey

miembro member; limb

mientras while

miga crumb; **hacer buenas —s** to be good friends

mil thousand

milagroso miraculous

milésimo thousandth

militar *m.* soldier; officer

millar *m.* thousand

mina mine

ministro minister

minuto minute

mira sight; view; design, purpose

mirada glance, look; **fijar la —**, *see* **fijar**; **echar una —**, to glance *or* look

mirar to look, glance; take care; — **a** look up to

misa mass; **ayudar la —**, to help say mass; — **de alba** early mass

misericordia mercy

misión mission

mismísimo very same

mismo same; **por lo —**, for that very reason; **lo —**, the same thing

mistela *for* **mixtela**

místico mystic

mitad *f.* half; (*mil.*) detachment, **platoon**

mitológico mythological

mixtela negus (*a beverage of alcohol, sugar, water and cinnamon*)

moa *for* **moda**

mochuelo red owl; fellow

moda fashion, style; **a la —**, in style *or* fashion; **de —**, in style

modal *m.* manner

modelo model, pattern

modestia modesty

modesto modest, simple

modo manner, way, mode; **de — que** in such a way that; so that; **a — de** like, in the fashion of, a sort of

modulación modulation

molestar to vex, disturb, bother; —**se** take the trouble

molino mill

Molucas (**Malucas**) Moluccas *or* Spice Islands (*in the Dutch East Indies*)

mollar soft, tender; *f. Andalusian song*

momia mummy

Momo *dim. for* **Gerónimo** Jerome

monacillo acolyte, altar boy

moneda coin

monja nun

mono monkey

monólogo monologue

montado mounted, riding

montar to mount, ride on horseback

montera montera (*bullfighter's hat*)

moo *for* **modo**

mora blackberry, mulberry

moral *f.* morality

morcilla blood pudding

morder to bite

moreno brunette, swarthy, dark; **lo —**, swarthiness

moribundo dying, in a dying condition *or* state

morigenado restrained; well-mannered

morir to die; **— fusilado** be shot

morisco Moorish

moro Moor

morrillo nape

mortal *m.* mortal, human being

mortalmente mortally

mortificar to mortify, bother

mosaico mosaic, inlay

mosca house fly

mostrar to show

mostrenco fool, blockhead

mote *m.* nickname

motivo motive, cause, reason

mover to move; **—se** move

movimiento movement; **ponerse en —**, to move

mozalbete young man

mozo young man; **buen —**, handsome fellow

muchacho boy

muchedumbre *f.* crowd

mudanza change

mudar to change; **— de traje** change clothes

mudo mute; silent, speechless

mueble *m.* piece of furniture; **—s** furniture

muela molar; tooth

muellemente tenderly, gently

muerte *f.* death

muerto *p. p.* of **morir**

muestra sign, indication; sample

mugido bellowing, lowing

mugir to low, bellow

mujer woman; wife; **— de razón** *see* **razón**

mula mule

muleta muleta (*red cloth over a stick used by the matador when going to kill the bull*); **pasar de —**, to side-step the bull with a sudden movement

mundo world; **todo el —**, everybody

murciélago bat

murmurar to murmur; grumble

muro wall

musa muse

músico musician

mutuo mutual

N

nacer to be born; grow; **— de pie** be born lucky *or* with a silver spoon in the mouth

nacional national, native

nada nothing; **— de eso** not at all

naipe *m.* playing card

naíta *for* **nadita** *dim.* of **nada**: **— más** nothing at all but

Napoleón Napoleon (1769–

1821), *French general and emperor*

naranjo orange tree

nariz *f.* nose

narración narration, story

natural usual, natural; *n.* temper, disposition

naturaleza nature

naufragar to be stranded *or* shipwrecked

naufragio shipwreck

navaja knife; razor

Navarra *a northern province of Spain*

navegar to sail; travel

navío ship

neblina mist

nebuloso misty, foggy

necesidad necessity, need

negar to deny; refuse

negativa refusal

negro black; **de —,** dressed in black

nervioso nervous

neutralidad neutrality

ni neither, nor; not even

nido nest

nieve *f.* snow

niño child; boy; **ser muy —,** to be very young

no no; lest

nobleza nobility

noche *f.* night, evening; **buenas —s** good evening; good night; **muy entrada la —,** late at night

nombrar to name, appoint, call

nombre *m.* name

noria water wheel (*with buckets on its rim for raising the level of water*)

norte *m.* north; north wind

nota note

notable notable, remarkable

notar to notice

noticia news; **llegar a —,** to hear

novedad novelty, innovation; news; **¿Qué — hay?** What has happened?

novio sweetheart, fiancé; bridegroom

nube *f.* cloud

nubecilla *dim. of* **nube**

nuca nape

nuera daughter-in-law

nueva *n.* news

nuevo new; **lo que hay de —,** what there is that's new; **de —,** anew, again

nuez *f.* walnut

número number

numeroso numerous

nutrir to nourish, feed

O

obedecer to obey

objeción objection

objeto object, end, purpose, aim; thing

obligación duty

obligado compelled

obligar to compel

obra work; construction; **— maestra** masterpiece; **manos a la —,** let's get to work

obrar to work; act, do

obrilla *dim. of* **obra**

obscurecer to obscure, dim; disappear, eclipse; blacken

obscuridad darkness, obscurity

obscuro dark

obsequiar to treat, entertain; court

obsequiosamente obsequiously

observador observer

observar to observe, notice; point out; keep

obstante: no —, notwithstanding

obtener to obtain

ocasionar to cause, produce

ocaso sunset

ocio leisure; idleness, pastime

ocultar to conceal, hide; **— a** hide from

ocupar to occupy, fill; take possession of

ocurrencia happening, event; witty sally *or* idea

ocurrir to happen

odalisca odalisk (*female slave in a Turkish harem*)

ofender to offend; harm, injure

oficial *m.* officer

oficio business; career

oficioso diligent; officious

ofrecer to offer

ofrenda offering

ofuscado clouded; confused

oído ear; hearing; **hablar al —,** to whisper

oír to hear, listen; **¡ Oiga !** Well!; Listen to that!; **— decir** hear; **— hablar de** hear about

¡ Ojalá ! Would that !

ojeada glance, look

ojillo *dim. of* **ojo**

ojo eye; *see* **abrir**

ola wave

olán *m.* cambric

ole *m. Andalusian dance, or the music accompanying it*

olivar *m.* grove of olive trees

olvidar to forget

olvido forgetfulness; **echar en —,** to forget, neglect

olla pot

ondear to wave

opinar to opine; say

opinión opinion, view

oponer to oppose; **— resistencia** offer resistance

opresión oppression, pressure

oprimido oppressed, crushed, dispirited

oprimir to oppress, crush

opuesto opposite, contrary

oración prayer

oráculo oracle

órbita orbit; socket

orden *f.* order, command; degree

ordenanza order; **de —,** at attention

orear to ventilate, air

oreja ear; **volverse todo —s** to be all ears

Orfeo Orpheus (*a Thracian poet and musician who could charm beasts with his lyre and make trees and rocks move*)

organización organization; make-up, nature

orgía orgy

orgullo pride

original *m.* original; odd person

orilla edge; shore, bank

orillo selvage of cloth, edging

oro gold

ortografía orthography, spelling

osado daring, bold

ostentar to show off, display

ostra oyster
otomana sofa
otorgar to authorize; **quien calla otorga** silence gives consent
ovación ovation
óvalo oval

P

pábilo wick
pábulo nourishment, food
paciente *m.* sick person, patient, sufferer
pacífico peaceful, quiet
pacto pact, agreement
pachorra slowness
padecer to suffer
paga payment; wages, salary
pagar to be pleased; pay; reward
página page
país *m.* country; region
paisano countryman, of the same region *or* locality; civilian
paja straw
pajarito *dim. of* pájaro
pájaro bird
palabra word
palco box (*in theaters, etc.*)
palestra palaestra; arena; tournament
paletó *m.* overcoat
palidez *f.* paleness
pálido pale
paliza licking, whipping
palma palm (tree)
palmada clap, clapping
palmito palmetto; **como un —,** prettily, neatly
palmo palm's breadth

palmotear to clap
palo stick; **—s** beating
palpitar to throb
pan *m.* bread; loaf
panarra *m.* simpleton
pandero kite; tambourine
pantalón *m.* trousers; pair of trousers
paño cloth; woolen stuff
pañolón *m.* shawl; big square handkerchief
pañuelo handkerchief
papa pope
papel *m.* paper; rôle, part (*in a play*); **hacer el — de** to play the part *or* rôle of; **—es** documents, titles
papeleta slip of paper
paquete *m.* **p**acket, package; **— de vapor** packet, steamer
par equal, alike; *n.* pair, couple; **a la —,** at the same time; **de — en —,** wide open
para for; in order; **— con** toward; **— que no** lest
parabién *m.* congratulations
parada stop, halt
parado motionless, standing
paraíso paradise
parar to stand; stand up; stop; **venir a —,** happen to come; **— en mal** come to a bad end
parasismo fit
pardo brown; dark gray
parecer *m.* opinion
parecer to appear, seem; look like; think of; **al —,** apparently
pared *f.* wall
pareja couple
pariente *m.* relative
parihuela stretcher

parir to give birth to

parodiar to parody, burlesque

párpado eyelid

parte *f.* part; side; cause; **en todas —s** everywhere; **a otra —,** elsewhere; **por otra —,** on the other hand; **ser — a** to be sufficient to

participar (**de**) to share (with)

particular particular, private; **en —,** especially

partida departure; conduct; turn; **mala —,** bad turn, "dirty trick"

partido party; favor; determination; profit, advantage, usefulness; **sacar — de** to take advantage of; **ser de un —,** belong to a party *or* side

partir to break in two, break; part, divide; start out, leave, go away; spring

pasajero passenger

pasar to give out, hand; pass, send; go by; happen; sift, strain; be over

pasearse to take a walk, stroll; pace up and down

paseo walk; **¡ Vaya a —!** Get out! Go and chase yourself!

pasión passion

pasmar (**de**) to stun (with), astound; **—se** become paralyzed, be enrapt

paso step, pace; passage; **sin alterar el —,** *see* **alterar**; **al — que** whilst

pasto pasture

pastor *m.* shepherd

patente evident, clear

paterno paternal

patio courtyard

patraña fabulous story, fib; fake

patria fatherland

patrón *m.* patron, protector

patrona landlady

patrulla patrol, squad

pausa pause

pausadamente slowly

pavo *m.,* **pava** *f.* turkey; **pelar la pava** to make love, "spoon"

paz *f.* peace

pecado sin

pecador *m.* sinner

peculiar peculiar, special

pecuniariamente in cash

pecho breast, chest, bosom; heart; **echarse al —,** to put to the shoulder; level; **niño de —,** baby

pedazo piece; **— de embustero** *see* **embustero**

pedestre walking

pedir to ask

pegado stuck; very close

pegar to join; glue; fasten, stick; give; hit, beat; match, fit, be becoming *or* fitting

peinado coiffure, headdress

peinar to comb

peine *m.* comb

peineta woman's comb

peladero: — de pava love-making

pelador *m.* hair cutter, barber

pelar to pluck; *see* **pavo**

Pelayo *first king of Asturias, in the eighth century; with him began the reconquest of the Iberian peninsula from the Moors*

pelear to fight

peligrar to be in danger

peligro danger

peligroso dangerous

pelillo *dim. of* pelo hair; —s a la mar bygones are bygones

pelo hair

pellejo skin

pena sorrow; pain; tener —, to be sorry *or* grieved

pender to hang

pendiente *m.* pendant, earring; drop (*of an earring*)

penetración penetration, clear-sightedness

penetrar (en) to enter

penoso painful, laborious, wearisome

pensamiento thought, idea

pensar to think; — en think about; bien pensado on second thought; ¡Bien lo pensé así! That's what I thought!; cuando menos se pensaba when one least expected it

pensativo pensive, thoughtful

peña rock

Pepa *dim. of* Josefa

pequeño small, little

percibir to perceive, make out, notice, be aware

perder to lose; destroy, ruin, corrupt; — de vista lose sight of, get away from

perdonar to pardon, forgive

perdurable enduring, everlasting

peregrinación pilgrimage, wanderings

perezoso lazy

perfección perfection; a la —, perfectly

perfectamente perfectly

perfidia perfidy

pergamino parchment, vellum

pergeñar to prepare, fix

perla pearl

permanecer to remain, stay, be

peroración peroration, speech

perrito *dim. of* perro: — faldero lap dog

perseguir to pursue, chase; persecute

persiana (window) blind

persignar to make the sign of the cross

persistir to persist, persevere

persona person, people

personaje *m.* character

personificar to personify

perspectiva perspective, view

perspicacia perspicacity, clear-sightedness

persuadir to persuade, convince; —se de be convinced

pertenecer to belong

pesado heavy; burdensome; fastidious; offensive

pesar *m.* sorrow, grief; a — de in spite of, notwithstanding

pesar to weigh; mal que me pese much against my will; —le a grieve, be sorry

pescado fish; no ser ni carne ni —, *see* carne

pescador *m.* fisherman

pescar to fish

peseta *Spanish coin worth about nineteen cents*

peso weight

peste *f.* pest; echar —s to curse

pestífero pestiferous; malodorous

petar to please
petrificar to petrify
pez *m.* fish; — **espada** sword-fish
piadoso pious
pica lance, goad
picado pricked, touched, wounded
picador picador (*mounted horseman armed with a long lance*)
picardía roguery, malice, trickery
picón *m.* charcoal
pie *m.* foot; **a** —, on foot; **en** —, standing; standing upright; **ponerse en** —, *see* **poner**
piedad pity
piedra stone
piel *f.* skin
pierna leg; **descalzo de pies y** —**s** *see* **descalzo**
pieza room; piece
pimiento pepper
pino pine tree
pintar to paint, picture
pintor *m.* painter
piqué *m.* piqué, cotton fabric
pirata *m.* pirate
pisar to step on, tread
piso floor; story; — **bajo** ground floor
pistola pistol
pita century plant
pitar to whistle; **tu pitarás** you'll get your whistle
pitiminí *m.* *kind of rosebush;* **rosas de** —, climbing roses
pito whistle, fife; **se me da tres** —**s** *see* **dar**
placentero pleasing
placer to please

placer *m.* pleasure
plantar to plant; —**se** stand squarely *or* firmly; **¡ Qué bien plantado !** How firmly he stands !; how well set up he is !; **dejar plantado** leave in the lurch; "ditch"
plata silver
plateado silvery
platicar to talk
plato plate, dish; — **sopero** soup plate
playa beach, shore
plaza arena, bull ring; square
plegaria prayer
plenamente fully
plenario plenary; **indulgencia plenaria** *see* **indulgencia**
pliego sheet
pliegue *m.* fold, plait, gather
pluma feather; pen
población town; population, people
poco few; little, small; a little; not very; rather; — **a** —, gradually
poder *m.* power
poder to be able, can; **no** — **con el alma** *see* **alma**; **no** — **menos de** cannot help, cannot but; **no** — **ver** not to stand
poderosamente powerfully, greatly
poesía poetry
polaina legging
política politics
político political, politic
polizonte *m.* policeman
polvo dust
pólvora gunpowder
pollo chicken

pompa pomp

ponche *m.* punch

ponderable ponderable; **no es —**, it cannot be exaggerated

poner to put, place; make; give, supply; get ready (*of vehicles*); **— los ojos** fix one's eyes; **— unos ojos** look so ferocious; **—se a** start to, begin to; **—se become**; put on; **—se en pie** get up, stand up, rise; **—se en camino** start out, be on the way

poniente setting; *m.* west

ponzoña poison

por by, through; for; **— eso** for that reason, on that account; **— más que** however; although; **— lo mismo** for that very reason

pormenor *m.* detail

porte *m.* bearing; appearance

portento portent, prodigy, wonder

portentoso prodigious, marvelous

portero door- *or* gatekeeper; janitor

porvenir *m.* future

poseedor possessor, owner

poseer to possess, own, have

posesión possession, property, estate

posible possible; **lo —**, the utmost

postigo peep window, shutter, wicket

postura posture, position

potaje *m.* soup

pozo well

practicar to practice

preceder to precede, go before

preciar to value, price; **—se** take pride in

precio price

precioso valuable, precious, dear; pretty

precipitación haste; **con —**, hurriedly

precipitadamente hurriedly

precipitado hurried, hasty, quick

precipitar to rush; *see* **alcance**

precisamente precisely, exactly

precisar to fix, determine

preciso necessary

predicar to preach

preferencia preference

pregunta question

preguntar to ask

preguntón inquisitive

premiar to reward

prenda pledge, token; beloved; "kiddo"; garment, clothes; **—s** endowments, talents; **—s de vestir** clothes

prendarse to fall in love

prender to catch, imprison

preñado pregnant; swollen

preocupación preoccupation, worry, prejudice

preocupado preoccupied, prejudiced

preparado ready

preparar to prepare, get ready

presa booty; victim, prey

presencia presence

presenciar to be present, witness

presentación introduction

presentado introduced

presentar to present; give;

display; put before *or* in front of; —se appear

presente present; **hacer** —, to remind; **tener** —, keep in mind, remember

presidir to preside

preso imprisoned; *n.* captive, prisoner

prestar to lend; —se a offer, accept; be willing to

presto soon, quickly

pretensión pretension, claim

pretexto pretext, excuse

preveer to foresee

prevenido ready, prepared, on one's guard

prima first *or* E string

prima donna (*Ital.*) leading lady, opera star

primavera spring

primero first; **el** —, the first one

primo cousin

primor *m.* beauty; dexterity; exquisiteness

primorosamente finely, nicely

princesa princess

principesa for princesa

principio beginning

prioral pertaining to the prior

prisa hurry; **tener** —, to be in a hurry; **de** —, hurriedly

privar to deprive

privilegiado privileged; remarkable

pro for; **en** — **o en contra** pro or con

proa prow, bow

probar to prove; test, try

problemático problematical; which is hard to tell

procurar to try; attempt

prodigalidad prodigality, profusion, extravagance

prodigar to lavish

prodigio wonder

producir to produce, cause

profanador profaner

profano profane; worldly

profesar to profess, practice

profesión profession

profesor professor; professional man (*as a doctor, etc.*)

profundo profound, deep

profuso profuse, lavish

prohibir to forbid

prolongación lengthening, extension, continuance

prolongado prolonged, protracted, continuous

prolongar to prolong

promesa promise

prometer to promise

prontamente quickly, soon

prontitud promptness, quickness

pronto quickly, soon; ready; **de** —, suddenly

pronunciar to pronounce, state, express

propensión propensity, inclination

propio proper, fitting; own

proponer to propose; —se intend, purpose, plan

proporcionar to provide with, furnish

propuesta proposal, proposition

propuso *pret. of* **proponer**

prorrumpir to break forth, burst out

proseguir to keep on, continue

proteger to protect

protegido protégé

provecho profit, benefit, good; **buen — le haga** you are quite welcome to it

proveer to provide, supply

providencia providence, divine will

provincia province

provisión provision, supply

provisto *p. p. of* **proveer**

provocación provocation, incitement

provocar to provoke, anger

próximo nearest, next

proyectado planned, proposed

proyecto project, plan

prudente prudent, cautious

prueba test; proof; trial; **a — de bomba** bomb-proof; solid, strong

público public; *n.* audience

puchero cooking pot; dish of boiled meat and vegetables

pudor *m.* modesty, shame

pueblo town; people; race

puerta door

puertecillo *dim. of* **puerto**

puerto port, seaport

pues then; **— qué** well then, so then

puesto place; seat

puesto *p. p. of* **poner: — que** since

pulmón *m.* lung

pulmonía pneumonia

pulso pulse

pulular to swarm

punta point; end

puntadilla hint

puntapié *m.* kick

puntería aim

punto point, place; **—s** mat-

ters; **en — a** when it comes to; **al —**, immediately

puñal *m.* dagger

puñalada stab with a dagger; **dar de —s** to stab

puño fist; wrist

pupila pupil of the eye

pupilo pupil; boarder; **casa de —s** boarding house

purgatorio purgatory

puro pure, plain

púrpura purple

pus *m.* pus, matter; vaccine

puso *pret. of* **poner**

puya goad

puyazo prick with the goad

Q

que for; that, which, who; whom; **¿A — ...**, I'll bet ...; **es —**, but, why; **y —**, and so then

quebrar to break

quedar to remain, be left; become, be; **—se** stay; be left; be; **—se atrás** be behindhand

queja complaint

quejarse to complain

Quela *dim. of* **Micaela**

quemar to burn

qüenta *for* **cuenta**

querer to wish, want; love; care for; **— decir** mean

quicio doorframe

quieto quiet

Quijote: don —, Don Quixote (*the hero of Cervantes' famous novel*)

quinto fifth; **centésimo vigésimo —**, *see* **centésimo**

quiso *pret.* of **querer**

quisquilloso fastidious; precise

quitar to take away, take off; — **de la cabeza** dissuade from; ¡ **quita allá !** get out!; come now!; nonsense!; — **de en medio** take out of the way; get rid of

quizás perhaps

R

rábano radish

rabia rabies; rage, anger; **dar (tal)** —, to become (so) angry, be mad

rabiar to rage, be furious

rabioso mad

rabo tail

racional rational, logical

raído barefaced; worn out

raíz *f.* root

rama branch

rana frog

rapa-barbas *m.* chin scraper

rápido rapid, quick, swift

rapto rapture, ecstasy, fit

raro rare, unusual; queer, old

rasgo stroke; trait, feature

rasguear to strum

rasgueo strumming

raso satin

rata rat

rato moment, while, time

ratón *m.* mouse

rayar to draw lines; rule; — **en** border on

rayo ray; thunderbolt

raza race, generation

razón *f.* reason, cause, motive; rational faculty; message; **tener** —, to be right; **alta** —, deep thinking; **mujer de** —, sensible woman

real real; fine, handsome

real *m.* real (*formerly a silver coin worth 25 céntimos or 5 cents; no longer coined, but the term is still used in popular speech*)

realce *m.* splendor, luster; high light

realidad reality

realizar to perform; fulfill; —**se** take place

realzar to raise; emboss; heighten, bring out

rebajar to lower

rebaño flock

rebeldía rebelliousness, disobedience

rebosar to overflow

recado message; errand

recaer to fall; develop

recatado prudent, circumspect; shy

recelo suspicion

receta prescription

recetar to prescribe

recibimiento welcome

recibir to receive; welcome

recién newly

recio strong

reclamar to claim; demand

reclinar to recline, lean back

recobrar to recover, regain, recuperate

recoger to gather, pick; take in, receive

recogido reserved

recolección harvest

recompensar to repay, reward

recompuesto dressed up

reconocer to recognize**

reconvención reproach

recopilar to compile, collect

recordar to recall, remember

recorrer to run over; go over, travel

recortar to trim, clip; outline a figure

recorte *m.* cutting, clipping; dodge, dodging

recostado reclined, reclining

recostar to recline, lean against

recto strict, just, upright

recuerdo memory, souvenir, remembrance, recollection; thought

rechazar to repel; reject; refuse

rechifla hissing; ridicule

rechoncho chubby

rededor *m.* surroundings; **al —de** around, about; **en — de** about, roundabout

redoblar to double

redoma phial, flask

redondel *m.* circle; bull ring, arena; *see* **trapo**

reedificar to reconstruct, rebuild

reemplazar to substitute, take some one's place

referir to refer; tell, relate

refinamiento refinement

reflejar to reflect, sparkle

reflejo reflection

reflexión reflection, thought

refrán *m.* saying, proverb

refresco refreshment, cold beverage

refugiarse to take refuge

regalado given, donated

regalar to donate, give

regalito *dim. of* **regalo**

regalo present, gift

regar to water, irrigate

regla rule, regulation; **en —,** according to the rules, in the right way

regreso return

regular regular, ordinary

rehuír to evade, avoid, dodge

reina queen

reinar to reign, govern

reír to laugh; **—se de** laugh at

reja grating, (Spanish) barred window

rejuvenecer to grow *or* become young

relación relation; **—es** acquaintance; courting; engagement; intercourse

relámpago lightning

relativo relative, concerning

relato account

religioso religious

reloj *m.* clock, watch

relleno full, filled

remedar to imitate

remilgado affected; prudish

remilgo affectation, overnicety, finicality

remisión remission

remolacha beet

remolcar to tow

remontar to repair, fix; fly

remordimiento remorse

remunerar to remunerate, reward

renacer to be reborn

rendir to surrender, submit, give

renegado renegade

renegar (de) to deny; give up; curse

renglón *m.* line

renovar to renew; return
renunciar to renounce, give up
reñir to scold, fight, quarrel
reo offender, criminal, culprit;
—s de men guilty of
reparar to notice
reparo repair
repasar to review; study
again; look over
repeler to repel
repente: de —, suddenly
repertorio repertory
repetir to repeat
repiqueteo clicking
replicar to reply
reponer to put back; answer
reposar to repose, rest
reposo rest
repostar (*Gall.*) to answer
representación representation;
statement, document; me-
morial; performance
representar to perform, act
reprimido repressed, restrained
repuso *pret. of* reponer
requerir to require
requiebro compliment, flattery
resbalar to slip, glide; — en
slip over
resentirse to resent; be im-
paired *or* weakened
reserva reserve, reticence
resfriado cold; estar —, to
have a cold
resfriarse to catch cold
residencia sojourn, stay
residir to reside, live
resignación resignation
resistencia resistance
resonar to resound, echo
resorte *m.* spring
respetar to respect

respetuosamente respectfully
respiración breathing
respirar to breathe; inhale
resplandecer to glitter, glow,
shine
resplendor *m.* splendor, light,
glare
responder to answer; — de be
responsible for, guarantee
respuesta answer
restablecer to reëstablish, restore
restablecimiento recovery
restituír to restore; return
resto rest, remains
resueltamente resolutely; pos-
itively
resuelto resolved, determined
resulta result; de —s as a
result of
resultado result
resultar to result; que le
resultó which he received
retardar to delay
retardo delay
retemblar to vibrate
retener to retain, hold
retirado retired; solitary
retirar to retire, withdraw
retorcer to wring, twist
retratar to portray, take a picture
retrato picture
retroceder to retreat
retumbar to reverberate, resound
reunión gathering, meeting,
assembly, union
reunir to gather; —se assemble, hold a meeting
revelar to reveal
reventar to burst, explode

reverberar to echo, resound

reverbero lamp with reflector; operator (*of lamps*)

reverdecer to grow green again

reverencia curtsy, bow

revés *m.* reverse; misfortune

revestirse (de) to put *or* take on

revista review

revoletear to flutter, fly round *or* about

revolver to turn

rey king, ruler

rezar to pray; state

ribete *m.* binding; con sus —s de intolerantes with a touch of intolerance

rico rich

rigor *m.* sternness, severity

riguroso rigorous, severe

rincón *m.* corner, nook

rinconcillo *dim. of* rincón

risa laughter

ristre *m.* rest, socket (*for a lance*)

risueño smiling

ritornelo (*Ital., for* ritornello) *a short instrumental passage as prelude or refrain in a vocal composition*

rivalidad rivalry

rivalizar to vie, compete

rizo curl

robar to steal

robo theft, robbery

roca rock

rodeado surrounded

rodear to surround

rodeo turn, winding, roundabout course; dar —s to wander

rodilla knee; de —s on one's knees

rogar to beg

roído *p.p. of* roer gnawed, eaten

rojo red

rollo roll; hacer un — de to roll

Romana, Marqués de la Pedro Caro y Sureda, marqués de la Romana (1761–1811) (*a noted Spanish general in the Peninsular War*)

romance *m.* ballad

romería pilgrimage; excursion

romo flat, blunt

romper to break; set off

ronco hoarse

rondar to walk around, go about (*a block to be able to see a girl*)

rondeña popular ballad of Ronda (*a picturesque town of southern Spain*)

ronquera hoarseness

ropa clothes, clothing; — blanca undergarment; — de abrigo warm clothing; "wraps"

rosa rose

rosado rose; agua rosada *see* agua

rosario rosary

Rosita *dim. of* Rosa

rostro face

roto *p. p. of* romper

rotura rent, hole

rozagante showy, arrogant

rubio blond

rudimento rudiment; germ

rudo rough, unpolished; stupid

rueda wheel; slice

ruego request

rugido roar; dar un —, to roar

ruido noise

ruidosamente noisily
ruidoso noisy, loud
ruina ruin
ruinoso ruinous, worthless
ruiseñor *m.* nightingale
rumor *m.* rumor; noise
rústico *n.* rustic, yokel

S

sábana sheet (*for a bed*)
saber to know; **no — dónde dar de cabeza** *see* **cabeza**
saber *m.* knowledge
sabio wise; *n.* wise man
sacamuelas *m.* tooth puller
sacar to take out, bring out; obtain; **— en bien** cure; **— en limpio** come to make out, find out; **— partido de** *see* **partido**
sacerdote priest
saciar to satiate
sacristán sexton
sacudida shake, jerk
Sajonia Saxony (*German province in central Prussia*)
sal *f.* salt; wit and grace
sala drawing-room
saladilla *dim. of* **salado**
salado salty; witty, vivacious
salero saltcellar; witty, vivacious person
salida start; exit; outlet; departure; remark; **hacer la primera —,** to go out for the first time
salir to go out; come out; **— al frente** come forward, step up; **— al encuentro** come out *or* go to meet; **— con la**

suya do what one pleases, have one's own way
Salomón Solomon
salpicar to splash, spatter, spray
saltadero jet
saltar to jump; break; **— a la cara** be very evident
salteador highwayman
salto jump
salud *f.* health
saludar to salute; greet, bow to
saludo bow, greeting
salvaje savage, wild
salvar to save; go over, pass over
salvo safe
San Cristóbal St. Christopher (*a Syrian martyr of the third century*)
San Juan St. John
San Luis Gonzaga *a Jesuit canonized a saint; born in Castiglione,* 1568, *died in Rome,* 1591
San Modesto *Sicilian martyr of the third century*
San Pedro St. Peter
sandalia sandal
sangrador *m.* bloodletter
sangre *f.* blood
sangriento bloody
sano sane, wholesome
santidad holiness; **Su Santidad,** His Holiness
santo holy; *n.* saint; **— Cristo** Crucifix
saque *pres. subj. of* **sacar**
sardina sardine
sarmiento runner (*of vine*)
sartén *f.* frying pan
sastre *m.* tailor

satisfacción satisfaction; apology

satisfacer to satisfy; —**se** be satisfied *or* contented

satisfecho satisfied, contented

sayal *m.* sackcloth

sazón *f.* time, season; occasion; **a la —**, then, at that time

sea *pres. subj. of* **ser**; **sea que...o que** either...or; whether...or

Sebastopol Sebastopol (*a seaport in the Crimea, in southern Russia*)

secar to dry, wither

seco dry, withered; lean; curt, unsociable; serious

secreto secret

secundario secondary

sed *f.* thirst

seda silk

seducir to seduce, entice, captivate, charm

seductor seductive, fascinating

seguida: en —, immediately, at once

seguir to follow, keep on, continue

según according, according to

seguridad security, surety; confidence

seguro sure, certain

selecto select, excellent

selva forest

sellar to seal

sembrar to plant, sow

semejante similar, like; *n.* fellow man, creature

semejanza likeness, similarity

semejar to resemble, be like

semillero seed bed, nursery; hotbed

semitono semitone

sempiterno eternal, everlasting

sencillez simplicity, candor

sencillo simple, plain, unassuming, innocent

sensato sensible, prudent

sentar to seat; sit; agree with; —**se** sit down

sentencia maxim, sententious saying; decision, opinion

sentido sense, meaning; consciousness; **perder el —**, to lose one's senses

sentimiento sentiment, feeling, emotion

sentir to feel; be sorry (for), regret

señá *coll. of* **señora**: — **de la media almendra** "Mrs. Finicky"

seña sign, signal; —**s** address; **por más —s** to be more exact, tell the truth

señal *f.* sign, signal; mark

señalar to point (to); assign

señor lord, master; mister, sir; gentleman; **¡ Señor !** Good Heavens !

señorona high-toned lady

sepa *pres. subj. of* **saber**

separación separation

separar to separate, part

sepulcro sepulcher, tomb

sepultura sepulcher, tomb

sequedad: con —, dryly

ser to be; — **de** be from; become of, happen to; *m.* being

serenar to quiet, pacify

serenata serenade

sereno serene, calm, quiet

sereno *n.* night watchman

serio serious; **por lo —,** as serious

sermonear to preach; "bawl out"

serrallo seraglio, harem

servicial obsequious; obliging, accommodating

servicio service

servidor *m.* servant; **— de Vd.** at your service

servil slavish, menial

servir to serve, be good for; **— de** serve as; **—se** + *inf.* please

severo severe, strict, stern

Sevilla Seville

sevillano Sevillan

sexo sex

sexto sixth

si *conj.* if; why; **— bien** although

sí *adv.* yes, indeed, to be sure

sí *n.* acceptance (*to a marriage proposal*)

sí *pr.* himself, herself, *etc.*

siempre always, ever, forever

sien *f.* temple

sierra mountains

siglo century

significar to mean

significativo significant

siguiente following

silbido whistling, hiss

silencioso silent

silla chair

sillón *m.* big chair

simpatía sympathy; understanding

simpático sympathetic, congenial, agreeable

simple foolish; *n. m.* simpleton

Simplicia *a Christian name;* (*in derision*) Simple Susan

sin without; **— embargo** nevertheless

singular singular, extraordinary

singularidad singularity, oddity

singularizarse to make oneself conspicuous

sino but, except; **— para** except to

síntoma *m.* symptom, sign

siquiera even, at least; **ni —,** not even

sirena siren

sitio seat, place; siege

situación situation, position

so *for* seó, seor, señor; *see* desvergonzado

soberano kingly, royal, supreme

soberbio proud, haughty

sobrado excessive, plenty

sobrar to exceed, be excessive *or* superfluous

sobre on, above; *n. m.* envelope; address

sobrellevar to bear, endure

sobrenatural preternatural, extraordinary

sobrenombre *m.* nickname

sobrepujar to exceed, surpass

sobresaliente excellent; *n. m.* substitute (*for a bullfighter*)

sobresalir to surpass; stand out

sobresaltado frightened, startled

sobrescrito address

sobrino nephew

sociedad society; social life

socorrer to succor, aid, help

socorro succor, help, aid, assistance

sofocado suffocated, stifled, choked

sofocar to smother

sofocón *m.* irritation, vexation, chagrin

sol *m.* sun

soldado soldier

solemne solemn; great; downright, complete

solemnemente seriously

solemnidad ceremony, solemnity; seriousness, impressiveness

soler to be wont (to), be accustomed, used to

solicitud petition

sólido solid, firm

solitario solitaire, diamond

solo alone

sólo only

soltar to untie, let loose, let go; — **la carcajada** *see* **carcajada**; — **el trapo** burst out crying *or* laughing

soltura freedom; nimbleness

sollozar to sob

sollozo sob

sombra shadow, shade

sombrear to shade

sombrero hat; bonnet

sombrío somber, gloomy

someter to submit, subject

sonar to sound, blow, play; hear; strike

sondear to sound

sonido sound, noise

sonreír to smile; —**se** smile

sonrisa smile

sonrojar to blush; —**se** feel ashamed

soñar to dream

sopero soup plate

soplar to blow

soplo breath, puff, breeze, gust

soportar to suffer, endure, bear

sordo deaf, dull, muffled; **hacerse** —, to pretend not to hear; be indifferent

sorprender to surprise; catch (*red-handed*), take unaware; amaze

sorpresa surprise, astonishment

sortija ring

sosegado tranquil, calm, peaceful

sosegar to rest; calm

sosiego tranquillity, rest

sospecha suspicion

sospechar to suspect, be suspicious

sostener to sustain, bear, support; play; —**se** hold oneself up

sostenido sustained, continuous

status quo (*Lat.*) the existing condition; things as they are

suave soft, tender, meek, gentle, mild

suavidad softness, gentleness, tenderness

suavito *dim. of* **suave**

subida ascent; mounting

subir to go up; climb; raise

suceder to follow; happen, occur

sucesivo successive, consecutive

suceso event

sudorífico sudorific, sweat-producing

suegro father-in-law; **suegra** mother-in-law

suelo ground; floor; soil

sueño sleep

suerte *f.* chance, fate, luck; trick, artifice; way, manner; **de esta —**, in this way; **de tal —**, in such a way; **quedarse en —**, to remain in the same place (*in bull-fighting*)

sufrido long-suffering, patient

sufrimiento suffering

sufrir to suffer; pass through, endure

suizo Swiss

sujetar to hold, fasten, tie

sujeto subject; individual, fellow

suma sum

sumamente extremely, very

sumergir to submerge; bury

sumir to sink

sumo extreme

suntuoso sumptuous, magnificent

superioridad superiority

suplicar to beg

suplir to supply, provide; substitute for

suponer to suppose, take for granted; possess weight *or* authority

suprimir to suppress, put out

supuesto assumption; **por —**, to be sure, of course

suscitar to excite, rouse, stir

suspender to hang, hang up; stop; surprise, astonish

suspirar to sigh

suspiro sigh

sustancioso juicy, nourishing

sustituto substitute

susto scare, fright, shock; **de —**, by surprise; **llevarse un —**, to be badly frightened

sustraer to subtract; remove, spare; **—se** withdraw, escape

susurro murmur

T

taberna tavern; wine shop

tabique *m.* thin wall

tabla board, plank; **—s** stage

tablado flooring; stage

taburete *m.* stool

taco: **aire de —**, assurance, boldness, effrontery

tal such; such a thing; **— cual** such as it is; not so bad, so-so; **¿qué —?** how?

talante *m.* mien, appearance; disposition

talento talent; **— de corazón** deep human sympathy

talión *m.* retaliation

tamaño so big, as big as; *n.* size

tambor *m.* drum; **— mayor** drum major

tampoco neither, not either

tan such, so

tanto such, so much, as much, so many; **— mejor** so much the better; **—...como** as well as; **— como** all that; **otro —**, as much, likewise; **un — cuanto** somewhat

tarambana harum-scarum, madcap

tardar (**en**) to tarry, be long (in); take a long time, delay

tarde late; *n. f.* afternoon

tarea task, undertaking

tarjeta card, visiting card

tascar to champ; — **el freno** bite the bit of the bridle; resist; restrain oneself

tauromaquia art of bullfighting

tauromáquico tauromachian, pertaining to the art of bull-fighting

taza cup

té *m.* tea

teatro theater

techo ceiling; roof

tejido texture, fabric, weaving

tela cloth, goods

Telémaco Telemachus (*son of Ulysses and Penelope*)

Telo *for* **Otelo** Othello

telón *m.* curtain (*of a theater*)

tema *m.* theme; **el mismo** —, the same old thing

temblar to tremble, shake

temblor *m.* tremor

temeroso timorous, fearing, fearful

temor *m.* fear; apprehension

temperante tempering

tempestad storm

templado tempered; **mal** —, in a bad humor, ill-humored

temple *m.* temper, disposition

temporada season

temporal *m.* storm

ten *imp. of* **tener**

tender to stretch out; **a trapo tendido** *see* **trapo**

tendido tier, stand, bleacher

tener to have; hold; — ... **años** to be ... years old;

—**se por** consider oneself; **¿ Qué tiene Vd. ?** What is the matter with you?; — **sin cuidado** not to cause worry *or* care; — **razón** be right

tentar to tempt

teñido stained

tercero third

tercio third; **hacer un mal** —, to do a bad turn

terciopelo velvet

terminante decisive

terminar to finish

término end, limit; **en** —**s que** in such a manner that

ternura tenderness

terreno land, ground

terso smooth; glossy

tertulia social circle *or* gathering

tertuliano member of a circle of friends; frequenter

tesoro treasure

testamento testament

testigo witness

testimonio testimony, affirmation, evidence: **dar** —, to swear to

testuz *m.* nape, crown, head

teta teat, nipple, breast

tiempo time; **a un** —, at the same time; **a** —, on time

tienda shop, store

tierno tender

tierra land; soil; earth

tieso straight, erect, stiff, rigid

tiesto flowerpot

tijera(**s**) scissors

tilo lime tree

tímidamente timidly

timidez *f.* timidity, shyness

tímido timid, shy

tino skill, judgment

tinta ink; **saber de buena —**, to know on good authority

tinte *m.* tinge; shade, color

tipo type

tira strip

tirabuzón *m.* corkscrew; curl

tirador *m.* shooter, marksman

tirante taut, tight, highly strung

tirar to throw, throw away

tiritar to shiver

tiro shot

tirón *m.* pull; **ni . . . a dos —es** not . . . for anything in the world

tisú *m.* tissue

título title

tiznado sooty, smeared with soot

toalla towel

tobillo ankle

tocado coiffure, headdress

tocador *m.* player; dressing-room

tocar to touch; play; be one's turn to; cover, put on (*the head*); **— la retirada** beat a retreat; **a ti te toca** it's your turn

tocino bacon

todavía still, yet

todo all; **en —,** in all *or* everything

tomado hoarse

tomar to take; seize; drink; **¡ Toma !** Of course !

tomate *m.* tomato

tomatera tomato plant

tonada tune

tónico tonic

tono tone; tune; style; voice; **en — de** in a tone of, in the manner of

tontera foolish thing, nonsense

tontería folly, foolish thing, nonsense

topar to encounter, meet, chance upon; collide

toquillón *m.* shawl

torada drove of bulls

torbellino whirlwind

torcido crooked, bent

torero bullfighter

toril *m.* bull pen

toro bull; **corrida de —s** *see* **corrida**

tormenta storm, tempest

tornar to return; **— a +***inf.* to . . . again

torno turn; **en — de** about, around

torpe awkward; stupid

torre *f.* tower

torrente *m.* torrent, flood

torta cake

tortuga turtle, tortoise

tos *f.* cough, coughing

toscamente coarsely, crudely, awkwardly

tosco coarse, awkward, uncouth

toser to cough

tostar to roast; tan

trabajar to work

trabajo work, task

trabajosamente laboriously, painfully

trabar to join, fasten; **— conocimiento** get acquainted

trabuco blunderbuss

trabuquillo *dim. of* **trabuco**

traducir to translate

traduje *pret. of* **traducir**

traer to bring; have

trago swallow, drink; **echar un —,** to take a drink

traición treason, treachery

traidor *m.* traitor

traje *m.* dress, suit; clothes

trajo *pret. of* **traer**

tramo flight

trance *m.* peril, critical moment, danger

tranquilizar to calm, quiet down, reassure

transcribir to transcribe

transcurrir to elapse, pass away

transmitir to transmit, hand down

trapo rag, tatter; **soltar el —,** *see* **soltar; a — tendido** with all one's might; **redondel de —,** round rug

trascendencia result, consequence

traslucir to shine through; **—se** be inferred

tratar to treat; **— de** deal with, treat about; try to; **—se de** be a matter *or* question of

trato treatment; social intercourse, social life

travesura mischief, trick

traza appearance

trazar to trace, draw, plan

treato *for* **teatro**

tregua truce

tremendo terrible

trémulo trembling

trenza braid

trenzado braided

tresillo omber (*card game*)

treu (*Ger.*) true, faithful, trusty

tribunal *m.* court

tributar to pay tribute

tricornio three-cornered hat

trigo wheat

trino trill

triste sad; disagreeable

trofeo trophy

tronco trunk

trono throne

tropa troop

tropezar to collide

trote *m.* trot

tuerto blind in one eye, one-eyed; disfigured

tul *m.* tulle

tumulto tumult, uproar

tuno rascal

turbamulta crowd

turbante *m.* turban

turbar to disturb; confuse

turco Turk, Arab

turquí deep blue; **azul —,** indigo

tutela guardianship, protection

U

ulcerado ulcerated; wounded

ulterior later

último last; **por —,** finally

umbral *m.* threshold, lintel

únicamente only

único only, sole

uniforme uniform, regular; *n. m.* uniform

unir to join, unite

uno one; **—s** some; **ni lo — ni lo otro** neither one thing nor the other

uña nail

urbanidad urbanity, politeness

urbano urbane, polite

Urca *name of a burro*

urgir to be pressing

usar to use; — **con** show to

usía (*contraction of* **Vuestra Señoría**) Your Lordship

uso use; custom; fashion; — **de la palabra** power of speech; **de su** —, peculiar to one

útil useful

utilidad usefulness

utilizar to utilize, make use of

V

vaca cow

vacilante hesitating, irresolute

vacilar to hesitate

vacío empty

vacunar to vaccinate

vacuno pertaining to cattle; *n.* vaccine

valer to be worth; — **más** be worth more; be better; **que valga** of any use; —**se de** make use of, avail oneself of

valientemente bravely

valor *m.* valor, courage, bravery; value

valla barrier

vamos come now; come along; ¡—! well!; ¡— **allá!** you don't say!

vano vain, useless, empty

vara rod, stick, wand; (*Spanish*) yard (2.78 ft.)

variado variegated

vario various, different

varita *dim. of* **vara**

vaso glass

vasto vast, extensive

¡**vaya!** well! the idea! upon my word! of course!

ve *imp. of* **ir**

vecino neighbor; resident

vejamen *m.* vexation; taunt; offense

vela sail; **dar(se) a la** —, to sail

velamen *m.* canvas; sails

velar to watch, keep vigil; sit up

velo veil

vello hair

venado deer, stag

vencejo band, string

vencer to vanquish, overcome

vencido vanquished; **darse por** —, to give in, surrender

vender to sell

veneno poison

venganza vengeance

vengarse to avenge oneself

venir to come; — **a caer en** find out, realize; — **a** succeed in; come to; — **a dar** hit, land

venta sale, selling; **en** —, on sale

ventaja advantage; —**s** natural gifts

ventana window

ventanilla *dim. of* **ventana**

ventear to be windy, blow

ventisquero snow-capped mountain; glacier

ventura venture; **por** —, by chance, perchance

venturoso happy

ver to see; **echar de** —, *see* **echar**; **a** —, let's see; **no poder** —, not to be able to stand *or* bear

verano summer

veras: de —, really, truly, in truth

verdad truth; **es —,** it is true; **mi —,** what I think

verdadero true, truthful, real

verde green

verdear to be off-color

verdugo hangman, executioner

vereda path, footpath

vergel *m.* garden

vergüenza shame

Versalles Versailles (*city near Paris, famous for its palace, gardens and fountains*)

verso verse; **—s** poetry

vestido suit, dress, costume, clothes

vestigio vestige, trace

vestir to dress, wear, be dressed; **—se de** dress in

vestuario dressing-room

vete *imp. of* irse

veterano veteran

vez *f.* time; **a su —,** in his turn; **de una —,** once for all; **a la —,** at the same time; **otra —,** again, once more; **cada —,** every time; gradually; **cada — más** more and more; **una — que** seeing that; **a** *or* **unas veces** sometimes; **dos veces** twice

vía *for* vida

viajar to travel

viajero traveler

víbora viper

vicio vice, bad habit; defect

vid *f.* vine

vida life; **en mi —,** never in my life; **¡ — de Dios!** Good Heavens!

vide, vi *pret. of* ver

vidriera glass window

vidrio glass

viento wind

vientre *m.* stomach

vigésimo twentieth; **centésimo — quinto** *see* **centésimo**

villa town; city (*with especial privileges*)

villamarino inhabitant of Villamar

villano villainous, despicable; rustic; *n. pl.* country people

vinagre *m.* vinegar; **cara de —,** sour face

vino wine

violento violent

virar to tack, turn; **— de bordo** turn right round, put about

virgen *f.* virgin; **la Virgen** the Virgin Mary; **¡— Santa!** Good Heavens ! **¡ — del Carmen !** Heaven help us !

virrollo *for* villorrio (*by metathesis*), hamlet

virtud *f.* virtue; moral quality, righteousness

viruela(s) smallpox

visera visor

visión sight, vision; dream

viso aspect, semblance, appearance

vista sight, view, vista, panorama; **estar a la —,** to be before one's eyes, be apparent *or* evident; **perder de —,** lose sight of; **hasta la —,** good-by, till we meet again; **tener la — distraída** be interested in something else, be inattentive

visto *p. p. of* **ver: por lo —,** evidently

vistoso showy, flaring, highly colored

vitalicio for life; **pensión vitalicia** life pension, annuity

viuda widow

viva hurrah, shout, cheer

vivamente vividly, keenly, deeply

viveza quickness, vivacity, vigor, vehemence

viviente living

vivir to live; **¡ viva . . . !** long live . . . !

vivo alive; alert; vivacious, lively, keen, vivid, brilliant, "loud"; strong; **lo más —,** the deepest *or* tenderest part

vocación vocation, calling

vociferación shout

volar to fly; **volando** in a hurry, with great speed

volata (*Ital.*) high note

volumen *m.* volume, size

voluntad will, desire

volver to turn; return; **— a** + *inf.* to . . . again; **— de** turn into; **— en sí** recover one's senses; **—se** turn around

vorwärts (*Ger.*) forward; march

votante *m.* voter; giver of votive offering

voz *f.* voice; command; **a media —,** softly; **en alta —,** aloud; **en — y en grito** at the top of one's voice

vuelo flight, flying

vuelta turn, return; **de —,** back; **dar media —,** to make a half turn

vuelto *p. p. of* **volver: — de espalda** *see* **espalda**

vulgar common; popular

vulgo people, rabble, multitude, populace

W

Wellington *British general,* 1769–1852

Y

ya already, now; **— no** no longer, not . . . any more; **— que** since; **que —,** . . . indeed; **— . . . — . . .** now . . . now . . .

yacer to lie

yedra (**hiedra**) ivy

yerba (**hierba**) herb, grass, weed

yerto stiff, motionless, petrified with fear

Z

záfiro *m.* zephyr (*the west wind*)

zahorí *m.* prophet; fortune teller

zalea sheepskin

zanahoria carrot

zandunga ardor; "pep"; charm

zapato shoe

zarcillo earring

zonzón, zonzona *aug. of* **zonzo** tasteless, insipid

zopenco dolt, blockhead

zurcido darning; mending

YAMAGATA ISABEL, MARIA KRAMER

BERGEN JUNIOR COLLEGE LIBRARY